#자기주도
#중학과학
#개념기초서

시작은
하루 과학

Chunjae
Makes
Chunjae

▼

편집개발	김은숙, 김은송, 김용하, 박유미
디자인총괄	김희정
표지디자인	윤순미, 장미
내지디자인	박희춘, 한유정
제작	황성진, 조규영

발행일	2021년 3월 1일 초판 2021년 3월 1일 1쇄
발행인	(주)천재교육
주소	서울시 금천구 가산로9길 54
신고번호	제2001-000018호
고객센터	1577-0902
교재 내용문의	(02)3282-8739

※ 정답 분실 시에는 천재교육 교재 홈페이지에서 내려받으세요.

2-1

시작은
하루
과학

하루 과학의 **구성**과 **특징**

한 주를 시작하며

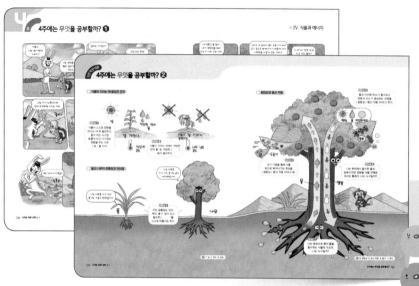

▌이번 주에는 무엇을 공부할까? ❶, ❷

❶ 공부할 내용 미리보기를 만화로 재미있게 구성하였습니다.

❷ 이전에 배웠던 내용을 삽화로 구성하여 기억을 되살리고, 간단한 퀴즈 문제로 개념을 확인하며 점검합니다.

> 1일 공부하기 전에
> 만화와 퀴즈로
> 재미있는 선수 학습!

한 주를 마무리하며

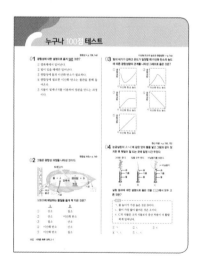

▌누구나 100점 테스트

한 주에 공부한 내용을 바탕으로 다양한 유형의 문제를 풀어보면서 실력을 다지고 학습 내용에 대한 자신감을 기릅니다.

▌특강 창의·융합·코딩

한 주간 배운 개념을 그림과 게임으로 정리하고, 다양한 유형의 창의·융합·코딩 문제를 풀어 보면서 창의력과 문제 해결력을 기를 수 있습니다.

1일~5일 학습

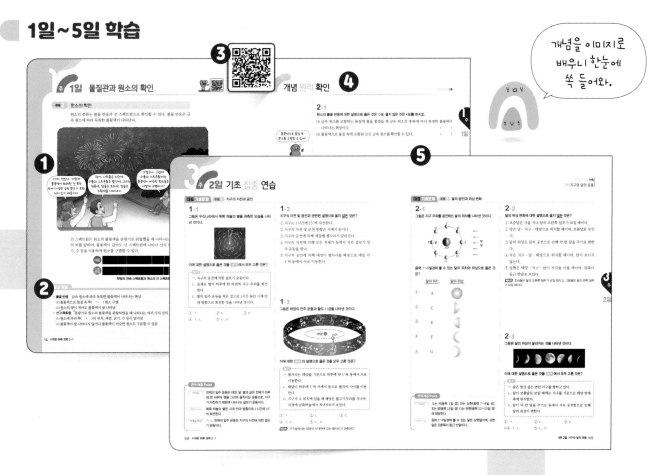

개념을 이미지로 배우니 한눈에 쏙 들어와.

개념 설명 + 개념 원리 확인 + 기초 집중 연습

❶ 꼭 알아야 할 중요 개념을 그림, 만화, 캐릭터의 설명 등을 통해 쉽고 재미있게 이해할 수 있습니다.

❷ 시각 자료로 이해한 내용과 관련된 핵심 개념을 정리하고, 빈칸 채우기로 확인할 수 있습니다.

❸ 개념 동영상을 볼 수 있는 QR 코드로 개념을 더 쉽고 재미있게 공부할 수 있습니다.

❹ 개념 원리 확인 문제를 풀어 보면서 개념을 확실하게 익힙니다.

❺ 대표 기출 문제와 연습 문제를 풀어 보면서 공부한 개념을 점검하고 응용력을 키울 수 있습니다.

하루 과학의 **차례 2-1**

하루 과학 2-1로 학교 진도에 따라 예습하거나 복습할 수 있어! 이때 내 과학 교과서 출판사명과 진도 범위를 확인하는 거야. 예를 들어 천재교과서 86~91쪽 까지가 진도 범위이면 하루 과학 2-1은 3주차 2일에 해당하는 102~107쪽 을 공부하면 돼.

대단원		일차별 학습 주제	하루 과학 2-1(쪽)	천재교과서(쪽)
I. 물질의 구성	1주	1일 물질관과 원소의 확인	12~17	12~17
		2일 원자와 분자	18~23	18~23
		3일 원소와 원자를 기호로 표현하기	24~29	24~27
		4일 전하를 띠는 이온	30~35	30~35
		5일 이온을 확인하는 방법	36~41	36~38
II. 전기와 자기	2주	1일 마찰 전기	54~59	46~51
		2일 전류와 전압	60~65	52~55
		3일 전류, 전압, 저항의 관계	66~71	56~61
		4일 전류가 만드는 자기장	72~77	64~67
		5일 자기장에서 전류가 받는 힘	78~83	68~71
III. 태양계	3주	1일 지구와 달의 크기	96~101	80~85
		2일 지구와 달의 운동	102~107	86~91
		3일 일식과 월식	108~113	92~95
		4일 태양계 행성과 천체 망원경	114~119	98~107
		5일 태양	120~125	108~112
IV. 식물과 에너지	4주	1일 광합성	138~143	122~127
		2일 광합성에 영향을 미치는 환경 요인	144~149	128~131
		3일 증산 작용	150~155	132~135
		4일 식물의 호흡	156~161	138~141
		5일 광합성 산물의 이용	162~167	142~145

비상교육(쪽)	미래엔(쪽)	동아출판(쪽)	YBM(쪽)
12~17	14~19	12~19	13~17
22~27	20~25	20~25	18~23
28~31	26~29	26~27	24~27
36~39	30~35	30~35	29~33
40~42	36~38	36~37	34~35
52~57	50~55	48~54	47~51
62~63	56~59	55~57	52~57
64~71	60~65	58~63	58~63
76~77	66~69	66~69	65~69
78~81	70~73	70~73	70~73
90~93	86~91	84~89	85~89
94~97	92~97	90~95	90~95
98~101	98~99	96~97	96~97
106~109, 114~115	100~105, 111~113	100~105, 108~109	99~105, 110~111
110~112	106~109	106~109	106~109, 112~113
124~127	124~129	120~124	125~131
128~130	130~133	125~127	132~134
132~135	134~138	129~132	136~139
140~141	140~143	134~137	141~143
142~143	144~147	138~139	144~145

배울 내용

1일 | 물질관과 원소의 확인 4일 | 전하를 띠는 이온

2일 | 원자와 분자 5일 | 이온을 확인하는 방법

3일 | 원자와 분자를 기호로 표현하기

1주에는 무엇을 공부할까? ❷

확산

기체의 압력

답 1. 입자 2. 확산 3. ○ 4. 압력

물질의 상태 변화

앙금 생성 반응

주 1일 물질관과 원소의 확인

주제 1 물질관과 원소

고대 아리스토텔레스는 모든 물질은 물, 불, 흙, 공기로 이루어졌다는 4원소설을 주장했으나, 근대 라부아지에는 물을 수소와 산소로 분해하는 실험을 통해 더 이상 분해되지 않는 물질을 원소로 정의하고, 33종의 원소를 발표했다.

중요 개념

● **물질관의 변천**
(1) 고대: 아리스토텔레스는 모든 물질은 물, 불, ❶(ㅎ), 공기로 이루어졌다고 주장함
  ⇒ 4원소설
(2) 근대: 라부아지에는 실험을 통해 더 이상 분해되지 않는 물질을 원소로 정의하고, 33종의 ❷(ㅇㅅ)를 발표함

● **원소** 더 이상 다른 물질로 분해되지 않으며 물질을 구성하는 기본 성분
(1) 현재까지 118종의 원소가 알려져 있음
(2) 이 중 90여 가지는 자연에서 발견된 것이고, 나머지는 인공적으로 만들어진 것

Tip

물질관
➡ 아리스토텔레스는 4원소설을 주장했고, 라부아지에는 더 이상 분해되지 않는 원소의 개념을 정의하였다.

답 ❶흙 ❷원소

개념 원리 확인

1-1

원소는 더 이상 다른 물질로 분해되지 않으며 물질을 구성하는 기본 성분이 돼!

고대에서부터 근대까지 물질을 이루는 기본 성분에 대한 설명으로 옳은 것은 ○표, 옳지 않은 것은 × 표를 하시오.

(1) 탈레스는 만물의 근원은 불이라고 생각하였다. ( )

(2) 아리스토텔레스는 만물의 근원을 물, 불, 흙, 공기라고 생각하였다. ( )

(3) 라부아지에는 실험을 통해 물이 수소와 산소로 이루어진 물질임을 증명하고, 아리스토텔레스의 주장에 의문을 가졌다. ( )

1-2

다음은 원소에 대한 설명이다. 빈칸에 알맞은 말을 쓰시오.

(1) 더 이상 다른 물질로 분해되지 않으며 물질을 구성하는 기본 성분을 ( )라고 한다.

(2) 현재까지 알려진 원소의 종류는 ( )가지이며, 이 원소들이 모여 세상의 모든 물질을 구성한다.

(3) 원소에는 ( )에서 발견된 것과 인공적으로 만들어낸 것이 있다.

(4) 다이아몬드를 이루는 원소는 ㉠( )이고, 설탕을 이루는 원소는 ㉡( ), 수소, 산소이다.

1-3

빨대에 모인 두 기체는 물이 분해되어 생성된 거야.

그림과 같이 실리콘 마개로 한쪽 끝을 막은 빨대 두 개에 수산화 나트륨을 조금 녹인 물을 가득 채우고 뒤집어 세운 다음, 빨대에 침핀을 꽂아 9 V 전지에 연결한 후 빨대 안에 기체가 모이는 실험을 하였다. 빈칸에 알맞은 말을 쓰시오.

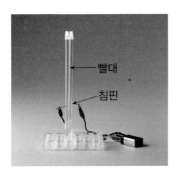

빨대

침핀

(1) 물에 수산화 나트륨을 조금 녹인 까닭은 물에서 ( )가 잘 흐르게 하기 위함이다.

(2) (−)극 쪽의 빨대에 모인 기체는 ㉠( )이며, (+)극 쪽의 빨대에 모인 기체는 ㉡( )이다.

(3) 이 실험으로 ( )이 물질을 이루는 기본 성분이라는 아리스토텔레스의 생각이 옳지 않음을 알 수 있다.

용어 풀이

＊**설**(說 말씀): 견해, 주의, 학설, 통설 따위를 이르는 말

주제 2 원소의 확인

원소의 종류는 불꽃 반응과 선 스펙트럼으로 확인할 수 있다. 불꽃 반응은 금속 원소에 따라 독특한 불꽃색이 나타난다.

선 스펙트럼은 원소의 불꽃색을 분광기로 관찰했을 때 나타나는 밝은 색의 선의 띠를 말하며, 불꽃색이 같아도 선 스펙트럼에 나타난 선의 위치, 색깔, 굵기, 수 등을 이용하여 원소를 구별할 수 있다.

햇빛의 연속 스펙트럼과 원소의 선 스펙트럼

중요 개념

● **불꽃 반응** 금속 원소에 따라 독특한 불꽃색이 나타나는 현상
 (1) 불꽃색으로 물질 속 ❶(ㄱㅅ) 원소 구별
 (2) 원소의 양이 적어도 불꽃색이 잘 나타남
● **선*스펙트럼** *분광기로 원소의 불꽃색을 관찰하였을 때 나타나는 여러 가지 선의 띠를 확인
 (1) 원소에 따라 ❷(ㅅ)의 위치, 색깔, 굵기, 수 등이 달라짐
 (2) 불꽃색이 잘 나타나지 않거나 불꽃색이 비슷한 원소도 구분할 수 있음

Tip

원소의 확인
➡ 원소는 불꽃색을 육안으로 확인하거나, 분광기로 관찰하여 구별할 수 있다.

답 ❶ 금속 ❷ 선

개념 원리 확인

2-1

원소의 불꽃 반응에 대한 설명으로 옳은 것은 ○표, 옳지 않은 것은 ×표를 하시오.

(1) 금속 원소를 포함하는 물질에 불을 붙였을 때 금속 원소의 종류에 따라 특정한 불꽃색이 나타나는 현상이다. ( )

(2) 불꽃색으로 물질 속에 포함된 모든 금속 원소를 확인할 수 있다. ( )

불꽃색으로 물질 속 원소를 구별할 수 있어!

2-2

원소의 선 스펙트럼에 대한 설명이다. 빈칸에 알맞은 말을 쓰시오.

(1) 분광기로 원소의 불꽃색을 관찰하면 ( )을 관찰할 수 있다.

(2) 원소에 따라 ( )의 위치, 색깔, 굵기, 수 등이 다르게 나타난다.

(3) 원소의 선 스펙트럼을 이용하면 ( )이 같은 원소도 구별할 수 있다.

햇빛이나 백열등을 분광기로 관찰하면 스펙트럼이 연속으로 나타나!

2-3

불꽃 반응에 대한 설명으로 옳은 것을 보기 에서 모두 고른 것은?

> **보기**
> ㄱ. 관찰 과정이 간단하고 쉽다.
> ㄴ. 물질 속 모든 금속 원소를 구별할 수 있다.
> ㄷ. 원소의 양이 적어도 불꽃의 색이 잘 나타난다.
> ㄹ. 염화 나트륨과 질산 나트륨은 불꽃색이 다르게 나타난다.

① ㄱ, ㄴ   ② ㄱ, ㄷ   ③ ㄴ, ㄷ

④ ㄴ, ㄹ   ⑤ ㄷ, ㄹ

용어 풀이

＊**스펙트럼**: 빛을 분광기로 관찰할 때 나타나는 여러 가지 색의 띠

＊**분광기**(分 나눌, 光 빛, 器 그릇): 빛이나 전자기파를 파장에 따라 스펙트럼 분석하여 그 세기와 파장을 검사하는 장치

대표 기출문제 주제1 물질관과 원소

1-1

그림은 물질의 기본 성분에 대한 라부아지에의 실험 장치를 나타낸 것이다.

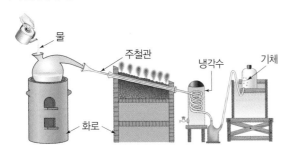

이에 대한 설명으로 옳은 것을 보기 에서 모두 고른 것은?

보기
> ㄱ. 물이 뜨거운 주철관을 지나면서 분해된다.
> ㄴ. 냉각수를 통과한 후 모아진 기체는 산소이다.
> ㄷ. 이 실험으로 물이 만물을 이루는 기본 성분이라는 아리스토텔레스의 생각에 의문을 가지게 되었다.

① ㄱ　　　　② ㄴ　　　　③ ㄷ
④ ㄱ, ㄴ　　　⑤ ㄱ, ㄷ

1-2

물질관에 대한 설명으로 옳은 것을 보기 에서 모두 고른 것은?

보기
> ㄱ. 라부아지에는 물 분해 실험으로 물이 원소가 아님을 증명하였다.
> ㄴ. 아리스토텔레스는 모든 물질은 물, 불, 흙, 공기로 이루어졌다고 주장하였다.
> ㄷ. 중세 시대에는 불로장생약을 만들려고 하여 실험 기술이나 화학의 발전이 퇴보하였다.

① ㄱ　　　　② ㄴ　　　　③ ㄷ
④ ㄱ, ㄴ　　　⑤ ㄱ, ㄷ

Hint 라부아지에는 물 분해 실험으로 아리스토텔레스가 주장한 4원소 중의 하나인 물이 원소가 아님을 증명하였다.

1-3

원소에 대한 설명으로 옳은 것을 보기 에서 모두 고른 것은?

보기
> ㄱ. 현재까지 발견된 원소의 종류는 33가지가 있다.
> ㄴ. 원소는 핵반응 또는 핵분열을 일으켜 인공적으로 만들 수도 있다.
> ㄷ. 원소 중 산소는 다른 물질과 반응하지 않아 비행선의 충전 기체로 사용된다.

① ㄱ　　　　② ㄴ　　　　③ ㄷ
④ ㄱ, ㄴ　　　⑤ ㄱ, ㄷ

Hint 헬륨은 가볍고 안전하여 비행선이나 풍선을 띄울 때 사용한다.

문제 해결 Point

가이드 | 라부아지에는 물 분해 실험으로 물이 원소가 아님을 증명하였으며, 아리스토텔레스의 **4원소설**에 의문을 가지게 되었다.

해결 Point | 뜨거운 물이 주철관을 통과하면서 수소와 산소로 분해된다. 이때 산소는 주철관과 결합하며, 수소는 냉각수를 지나 모아지게 된다.

오개념 주의 | 산소는 주철관의 철과 결합하면서 주철관의 질량이 증가한다.

대표 기출문제 **주제 2** 원소의 확인

2-1

그림은 연속 스펙트럼과 선 스펙트럼을 나타낸 것이다.

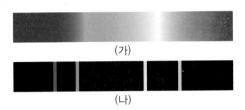

이에 대한 설명으로 옳은 것을 보기 에서 모두 고른 것은?

보기

ㄱ. 백열등을 분광기로 관찰하면 (가)와 같이 나타난다.

ㄴ. (나)는 특정 금속 원소의 불꽃색을 관찰한 것이다.

ㄷ. 불꽃 반응이 비슷하면 선 스펙트럼에서 선의 위치, 색깔, 굵기, 수가 비슷하게 나타난다.

① ㄱ   ② ㄴ   ③ ㄷ

④ ㄱ, ㄴ   ⑤ ㄱ, ㄷ

문제 해결 Point

가이드   금속 원소의 **불꽃 반응**은 적은 양으로도 금속 원소의 종류를 알 수 있고, 물질의 종류가 달라도 포함되어 있는 금속 원소의 종류가 같으면 불꽃색이 같다.

해결 Point   (가)는 햇빛이나 백열등에서 볼 수 있는 <u>연속 스펙트럼</u>이고, (나)는 특정 금속 원소의 불꽃색에서 볼 수 있는 <u>선 스펙트럼</u>을 나타낸 것이다.

오개념 주의   불꽃색이 비슷한 원소는 선 스펙트럼을 비교하면 원소를 구별할 수 있다.

2-2

다음 물질로 불꽃 반응 실험을 할 때 물질과 불꽃 반응색의 연결이 옳지 <u>않은</u> 것은?

① 염화 칼륨 ― 보라색

② 염화 칼슘 ― 파란색

③ 염화 나트륨 ― 노란색

④ 질산 구리(Ⅱ) ― 청록색

⑤ 염화 스트론튬 ― 빨간색

Hint 나트륨은 노란색, 리튬은 빨간색, 스트론튬은 빨간색, 구리는 초록색, 칼륨은 보라색, 칼슘은 주황색의 불꽃색을 나타낸다.

2-3

스펙트럼에 대한 설명으로 옳지 <u>않은</u> 것은?

① 햇빛을 분광기로 관찰하면 연속 스펙트럼이 나타난다.

② 금속 원소 중 칼슘을 분광기로 관찰하면 연속 스펙트럼이 나타난다.

③ 염화 나트륨과 탄산 나트륨의 선 스펙트럼에서 선의 굵기, 위치가 같다.

④ 비슷한 불꽃색이 나타나는 원소는 선 스펙트럼을 이용하여 구별할 수 있다.

⑤ 리튬과 칼륨이 섞인 물질의 선 스펙트럼에는 두 원소의 선 스펙트럼이 모두 나타난다.

원자는 물질을 구성하는 기본 입자로, 가장 작은 수소 원자의 크기는 $\frac{1}{1억}$ cm 이다.

중요 개념

● **원자**

(1) 크기: 가장 작은 수소 원자의 지름은 $\frac{1}{1억}$ cm

(2) 구조: 중심에 (＋)＊전하를 띤 원자핵이, 그 주위를 (－)전하를 띤 ❶(ㅈㅈ)가 빠르게 움직임

● **원자의 특징**

(1) 원자의 전기적 성질: 원자핵의 (＋)전하량과 전자들의 전체 (－)전하량이 같아서 전기적으로 ❷(ㅈㅅ)임

(2) 원자의 질량: 원자는 원자핵이 대부분의 질량을 차지하고, 전자의 질량과 크기는 무시할 수 있을 정도로 작음

> **Tip**
>
> **원자의 전하량**
> ➡ 원자는 전기적으로 중성이다.

답 ❶ 전자 ❷ 중성

개념 원리 확인

원자핵은 원자의 중심에 있고, 전자는 원자핵 주위를 빠르게 움직여.

1-1

원자에 대한 설명으로 옳은 것은 O표, 옳지 않은 것은 ×표를 하시오.

(1) 원자는 물질을 구성하는 기본 입자이다. ( )

(2) 원자는 (+)전하를 띠는 원자핵과 (−)전하를 띠는 전자로 이루어져 있다. ( )

(3) 원자는 전자가 듬성듬성 박혀 있는 구조로 존재한다. ( )

1주
2일

1-2

원자의 전하량에 대한 설명이다. 빈칸에 알맞은 말을 쓰시오.

(1) 원자의 종류에 따라 원자를 구성하는 원자핵의 ( )전하량이 다르다.

(2) 원자핵의 (+)전하량과 전자들의 전체 (−)전하량이 ( ).

(3) 전하량이 +6인 탄소 원자핵 주위에는 전하량이 −1인 전자가 ( )개 있다.

원자핵의 전하량과 전자들의 전체 전하량의 합은 0이야.

1-3

그림은 탄소의 원자 구조를 모형으로 나타낸 것이다. 이에 대한 설명으로 옳은 것을 보기 에서 모두 고르시오. ( )

보기

ㄱ. 탄소 원자의 전하량은 0이다.

ㄴ. 탄소 원자핵의 전하량은 +6이다.

ㄷ. 탄소 원자핵 주위를 전자가 빠르게 움직이고 있다.

ㄹ. 탄소 원자 내에 있는 전자의 전체 전하량은 −1이다.

용어 풀이

＊**전하**(電 번개, 荷 맬): 전기 현상을 일으키는 원인. (+)전하와 (−)전하가 있음

주제 2 분자

분자는 독립된 입자로 존재하여 물질의 성질을 나타내는 가장 작은 입자를 말한다. 일반적으로 2개 이상의 원자가 결합하여 분자를 만든다.

분자는 물질의 성질을 나타내는 가장 작은 입자야.

분자가 쪼개지면 물질의 성질을 잃게 돼.

중요 개념

● **분자** 물질의 ❶(ㅅㅈ)을 나타내는 가장 작은 입자
  • 일반적으로 2개 이상의 원자가 결합하여 분자가 만들어진다.
● **산소 분자와 물 분자의 구성**

구분	모형	구성 원소	구성 원자
산소 분자	●●	산소	산소 원자 2개
물 분자	H₂O	수소, 산소	수소 원자 2개, 산소 원자 1개

Tip

일원자 분자
➡ 원자 하나로도 분자의 성질을 갖는 분자를 말한다. 예 헬륨, 네온, 아르곤 등

답 ❶ 성질

개념 원리 확인

분자가 원자로 쪼개지면 분자가 가지고 있는 물질의 성질을 잃게 되지.

2-1

분자에 대한 설명으로 옳은 것은 ○표, 옳지 않은 것은 ×표를 하시오.

(1) 물질의 성질을 나타내는 가장 작은 입자이다. (   )

(2) 2개 이상의 원자들이 모여서 분자가 만들어지며, 1개의 원자만으로는 분자를 만들지 못한다. (   )

(3) 산소 분자를 원자로 쪼개도 산소 기체의 성질을 나타낸다. (   )

원자 1개만으로도 분자의 성질을 나타내는 원소도 있어.

2-2

분자의 구성에 대한 설명이다. 빈칸에 알맞은 말을 쓰시오.

(1) 산소 분자는 산소 원자 ㉠(   )개로 이루어지고, 수소 분자는 ㉡(   ) 원자 2개로 이루어진다.

(2) 헬륨은 원자 1개가 헬륨 기체의 성질을 나타낸다. 헬륨처럼 원자 1개로 이루어진 분자를 (   ) 분자라고 한다.

(3) 천연가스의 주성분이고, 연료로 이용되며, 지구 온난화의 원인 물질 중 하나인 메테인 분자는 ㉠(   ) 원자 1개와 ㉡(   ) 원자 4개로 이루어진다.

2-3

원소, 원자, 분자에 대한 설명으로 옳은 것을 보기 에서 모두 고르시오. (   )

보기

ㄱ. 분자가 결합하여 원자를 이룬다.

ㄴ. 분자는 물질의 성질을 가진 가장 작은 입자이다.

ㄷ. 원소는 더 이상 다른 물질로 분해되지 않으면서 물질을 구성하는 기본 성분이다.

ㄹ. 두 개 이상의 원자가 결합하여 만들어진 분자와, 이 분자가 쪼개져서 만들어진 원자는 성질이 서로 비슷하다.

용어 풀이

＊입자(粒 낟알, 子 아들): 원자, 분자 등 물질을 구성하는 미세한 크기의 물체

대표 기출문제 주제 1 원자

1-1

그림은 원자의 구조를 모형으로 나타 낸 것이다. 이에 대한 설명으로 옳지 않은 것은?

① A는 원자핵, B는 전자이다.

② A의 질량과 B의 질량은 비슷하다.

③ A의 전하량과 B의 전하량은 서로 같다.

④ 가장 작은 원자인 수소의 원자 모형이다.

⑤ A는 (+)전하를 띠고, B는 (−) 전하를 띤다.

1-2

원자에 대한 설명으로 옳지 않은 것은?

① 물질을 구성하는 기본 입자이다.

② 원자 내부는 대부분 빈 공간이다.

③ 원자핵의 (+)전하량과 전자 한 개의 (−)전하량이 같다.

④ (+)전하를 띠는 원자핵과 (−)전하를 띠는 전자로 이루어져 있다.

⑤ 원자 중심에 원자핵이 있고 그 주위를 전자가 빠르게 움직이고 있다.

Hint 원자는 전기적으로 중성이다.

1-3

그림은 세 가지 원자 A∼C의 입자 모형을 나타낸 것이다.

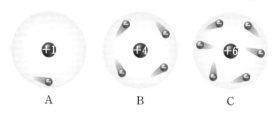

A   B   C

원자 A∼C가 전기적으로 중성인 까닭으로 옳은 것을 보기 에서 모두 고른 것은?

보기
ㄱ. 전자가 원자핵 주위를 빠르게 움직이고 있기 때문
ㄴ. 원자핵의 (+)전하량과 전자 전체의 (−)전하량이 같기 때문
ㄷ. 원자 질량의 대부분을 원자핵의 질량이 차지하기 때문

① ㄱ   ② ㄴ   ③ ㄷ
④ ㄱ, ㄴ   ⑤ ㄱ, ㄷ

문제 해결 Point

가이드   원자는 **원자핵**과 **전자**로 구성되어 있으며, 원자핵과 전자는 크기와 질량, 전하량 등에서 차이가 있다.

해결 Point   원자의 중심에는 (+)전하를 띤 원자핵이 있고, 그 주위를 (−)전하를 띤 전자가 빠르게 움직이고 있다. 원자는 원자핵의 (+)전하량과 전자들의 전체 (−) 전하량이 같아서 전기적으로 중성이다.

오개념 주의   전자의 크기나 질량은 원자핵에 비하면 무시할 수 있을 정도로 매우 작으며, 원자 내부는 대부분 빈 공간이다.

대표 기출문제 주제2 분자

2-1

다음은 물질을 이루는 입자나 성분을 나타낸 것이다.

(가) 물질을 구성하는 가장 작은 단위 입자이다.
(나) 더 이상 다른 물질로 분해되지 않으며 물질을 이루는 기본 성분이다.
(다) 물질의 성질을 띠는 가장 작은 입자이며, 더 쪼개지면 물질의 성질을 잃는다.

(가), (나), (다)를 옳게 짝 지은 것은?

	(가)	(나)	(다)
①	원자	분자	원소
②	원자	원소	분자
③	분자	원소	원자
④	분자	원자	원소
⑤	원소	분자	원자

2-2

분자에 대한 설명으로 옳은 것을 보기 에서 모두 고른 것은?

보기

ㄱ. 물질의 성질을 나타내는 가장 작은 입자이다.
ㄴ. 분자가 쪼개지면 물질을 성질을 잃게 된다.
ㄷ. 같은 종류의 원자로 구성되어 있으면서 원자의 수가 다른 경우 그 성질은 동일하다.

① ㄱ   ② ㄴ   ③ ㄷ
④ ㄱ, ㄴ   ⑤ ㄴ, ㄷ

Hint 산소(O_2)와 오존(O_3)은 모두 산소 원자로 이루어져 있지만 산소 원자의 수가 다르므로 성질이 다르다.

2-3

다음은 두 가지 분자의 성질을 나타낸 것이다.

• A 분자: 공기보다 무거우며, 고체 상태의 물질인 드라이아이스는 대기압에서 승화한다.
• B 분자: 공기의 약 78 %를 차지하며, 다른 물질과 거의 반응하지 않아 과자 봉지의 충전재로 사용된다.

A와 B에 해당하는 이름을 옳게 짝 지은 것은?

	A	B
①	헬륨	산소
②	질소	헬륨
③	암모니아	일산화 탄소
④	이산화 탄소	질소
⑤	메테인	일산화 탄소

문제 해결 Point

가이드 **원자, 분자, 원소**의 개념과 그 차이를 구분한다.

해결 Point 원자와 분자는 입자를 말한다. 즉, 원자는 물질을 구성하는 가장 작은 단위의 기본 입자이며, 분자는 물질의 성질을 띠는 가장 작은 입자를 말한다. 원소는 더 이상 다른 물질로 분해되지 않는 물질을 이루는 기본 성분을 말한다.

주 3일 원소와 분자를 기호로 표현하기

주제 1 **원소 기호**

원소를 나타내는 간단한 기호를 원소 기호라고 하며, 원소 이름의 첫 글자를 대문자로 나타낸다. 첫 글자가 같을 때는 중간 글자를 택하여 첫 글자 다음에 소문자로 나타낸다.

중요 개념

● 원소*기호
(1) 원소 이름의 첫 글자를 알파벳 대문자로 나타냄
(2) 첫 글자가 같을 경우 중간 글자를 선택하여 소문자로 나타냄

● 여러 가지 원소 기호

원소 이름	수소	헬륨	탄소	질소	산소	플루오린	나트륨	마그네슘
원소 기호	H	He	❶( )	N	O	F	Na	Mg

원소 이름	황	염소	칼륨	칼슘	망가니즈	구리	은	금
원소 기호	S	Cl	K	Ca	Mn	❷( )	Ag	Au

> **Tip**
>
> 원소 기호
> ➡ 원소 이름의 첫 글자는 알파벳 대문자, 두 번째 글자는 중간 글자를 택하여 소문자로 나타낸다.

답 ❶ C ❷ Cu

개념 원리 확인

ㅇ정답과 해설 **4**쪽

1-1

원소 이름을 보고 원소 기호를 쓰시오.

(1) 수소 (　　　　) 　　(2) 헬륨 (　　　　)

(3) 질소 (　　　　) 　　(4) 염소 (　　　　)

(5) 탄소 (　　　　) 　　(6) 산소 (　　　　)

(7) 칼슘 (　　　　) 　　(8) 철　 (　　　　)

1-2

원소 기호와 그 표기법에 대한 설명으로 옳은 것을 보기 에서 모두 고르시오.

최근에는 원소 이름에 영어나 독일어도 사용해!

> [보기]
>
> ㄱ. 원소 기호는 라틴어 또는 그리스어만을 사용한다.
>
> ㄴ. 돌턴이 그림 기호 대신 문자 기호의 사용을 제안하였다.
>
> ㄷ. 세계 공통으로 사용할 수 있어 표기법에 의한 혼란이 생기지 않는다.
>
> ㄹ. 원소 이름의 첫 글자를 알파벳의 대문자로, 첫 글자가 같을 때는 중간 글자를 선택하여 첫 글자 다음에 소문자로 나타낸다.

물을 전기 분해하면 얻을 수 있어!

1-3

다음에 해당하는 물질의 원소 기호를 쓰시오. 　　　　　　　　　　　　　　　(　　　　　　)

> • 원소 중 가장 가벼운 원소이다.
>
> • 미래의 청정 에너지원이다.
>
> • 우주 왕복선의 연료로도 사용된다.

용어 풀이

＊**기호**(記 기록할, 號 이름): 어떠한 뜻을 나타내기 위한 부호, 문자, 표지 등을 통틀어 이르는 말

주제 2 분자식

원소 기호를 이용하여 분자를 이루는 원자의 종류와 개수를 나타낸 것을 분자식이라고 한다. 분자식에는 분자를 구성하는 원자의 원소 기호를 표시하고, 분자를 구성하는 원자의 개수를 원소 기호의 오른쪽 아래에 작은 숫자로 표시한다.

중요 개념

● **분자식** 원소 기호를 이용하여 분자를 이루는 원자의 종류와 수를 나타낸 것
(1) 분자를 구성하는 원자의 종류를 원소 기호로 나타냄
(2) 원자의 개수를 원소 기호 오른쪽 아래에 작은 숫자로 표시함
● **분자와 분자식**

분자	수소	산소	물	일산화 탄소	메테인	암모니아
분자식	H_2	O_2	❶( )	CO	CH_4	NH_3
분자	질소	오존	프로페인	이산화 탄소	과산화 수소	염화 수소
분자식	N_2	❷( )	C_3H_8	CO_2	H_2O_2	HCl

Tip

분자식
➡ 분자의 개수를 나타낼 때 분자식 앞에 숫자로 표시한다. 예 $2H_2O$

답 ❶ H_2O ❷ O_3

2-1

분자의 이름을 보고 분자식을 쓰시오.

(1) 수소　（　　　）　　　　　　(2) 산소　　　　（　　　）

(3) 질소　（　　　）　　　　　　(4) 물　　　　　（　　　）

(5) 오존　（　　　）　　　　　　(6) 암모니아　（　　　）

(7) 메테인 （　　　）　　　　　　(8) 이산화 탄소 （　　　）

2-2

분자의 표기법에 대한 설명으로 옳은 것을 보기 에서 모두 고르시오.　　　　（　　　　　）

> 보기
>
> ㄱ. 분자의 수는 분자의 앞에 숫자로 표시한다.
> ㄴ. 분자를 이루는 원자의 원소 기호를 표시한다.
> ㄷ. 분자를 구성하는 원자의 개수를 원소 기호의 오른쪽 아래에 작은 숫자로 표시한다.
> ㄹ. 분자를 구성하는 원자의 개수가 한 개인 경우 원소 기호의 오른쪽 아래에 '1'로 표시한다.

분자식으로 분자를 구성하는 원자의 종류, 원자 수, 분자 수를 알 수 있어.

2-3

분자 모형을 보고 알맞은 분자식을 쓰시오.

분자 모형	H H	O H H	O C O	H H C H H	He
분자식	㉠(　　)	㉡(　　)	㉢(　　)	㉣(　　)	㉤(　　)

대표 기출문제 주제1 원소 기호

1-1

그림은 수은에 대한 연금술사, 돌턴, 현재의 원소 기호를 나타낸 것이다.

연금술사   돌턴   현대

원소 기호의 표현 방법이 현대와 같이 바뀌게 된 까닭을 보기 에서 모두 고른 것은?

┌─ 보기 ─────────────────────────┐
│ ㄱ. 대부분의 원소가 밝혀졌기 때문이다.
│ ㄴ. 그림 기호로 표현하기에는 원소의 종류가 많아졌
│   다.
│ ㄷ. 체계적이고 간편하게 원소를 표현할 방식이 필요
│   해졌다.
└─────────────────────────────┘

① ㄱ   ② ㄴ   ③ ㄷ

④ ㄱ, ㄴ   ⑤ ㄴ, ㄷ

문제 해결 Point

가이드 예전에는 원소를 그림 기호로 표현했으나, 발견되는 원소가 점점 많아지면서 좀 더 체계적이고 간편하게 원소를 표현하기 위한 방법이 필요해졌다.

해결 Point 연금술사들은 금을 만드는 방법을 연구하는 과정에서 얻은 정보들을 자신만이 알아보는 기호로 표현했을 것이다. 반면 돌턴은 물질이 더 이상 쪼개지지 않는 둥근 입자인 원자로 이루어져 있다고 생각했으므로 원 안에 기호나 그림으로 표현했을 것이다. 그러나 원소의 종류가 점점 많아지면서 좀 더 체계적이고 간편한 원소 표현 방식이 필요하여 오늘날과 같이 알파벳을 이용한 원소 기호가 등장하였다.

오개념 주의 현재까지 알려진 원소의 종류는 118가지이며, 과학 기술이 발전하면서 새로운 원소가 발견될 가능성이 높다.

1-2

다음 설명에 해당하는 물질의 원소 기호는?

┌─────────────────────────────┐
│ • 과자 봉지의 충전재로 사용된다.
│ • 다른 물질과 거의 반응하지 않는다.
│ • 공기의 성분 비율 중 가장 많은 양을 차지한다.
└─────────────────────────────┘

① H   ② C   ③ O

④ N   ⑤ He

Hint 공기의 성분은 질소와 산소가 대부분을 차지한다.

1-3

다음은 여러 가지 원소 이름과 원소 기호를 나타낸 것이다.

원소 이름	원소 기호	원소 이름	원소 기호
헬륨	He	탄소	㉠
㉡	F	마그네슘	㉢
철	㉣	㉤	Ag

㉠~㉤에 들어갈 원소 이름과 원소 기호를 잘못 짝 지은 것은?

① ㉠ — C   ② ㉡ — 플루오린

③ ㉢ — Mg   ④ ㉣ — Fe

⑤ ㉤ — 금

Hint 금의 원소 기호는 Au이다.

대표 기출문제 | **주제 2** 분자식

2-1

다음 분자식에 대한 설명으로 옳지 <u>않은</u> 것은?

$$2H_2O$$

① 2개의 물 분자를 나타낸 것이다.

② 2 종류의 원자로 구성되어 있다.

③ 분자 1개를 구성하는 전체 원자 수는 3개이다.

④ 분자 1개는 수소 원자 2개와 산소 원자 1개로 구성되어 있다.

⑤ 2개의 물 분자가 각각의 분자로 나누어지면 분자의 성질을 잃는다.

2-2

다음은 세 가지 물질 (가)~(다)의 분자식을 나타낸 것이다.

$$\text{(가) } 3H_2O, \quad \text{(나) } 3NH_3, \quad \text{(다) } 2CH_4$$

이에 대한 설명으로 옳지 <u>않은</u> 것은?

① (가)와 (나)의 분자 수는 같다.

② (가)의 전체 원자 수가 (다)보다 많다.

③ 각 분자를 구성하는 원소는 모두 2종류이다.

④ (가)~(다) 중 수소 원자 수가 가장 많은 것은 (나)이다.

⑤ (가)~(다) 중 원자의 전체 개수가 가장 많은 것은 (나)이다.

Hint 분자식 앞의 계수는 분자의 개수를 나타낸다.

문제 해결 Point

가이드 | 분자식은 분자를 이루는 원자의 원소 기호와 개수를 적어 나타낸 것이다.

해결 Point | 분자식은 <u>분자를 구성하는 원자의 원소 기호를 표시</u>한다. 분자를 구성하는 원자의 개수를 원소 기호의 오른쪽 아래에 작은 숫자로 표시한다(단, 1은 생략한다). $2H_2O$에서 계수 2는 2개의 분자를 나타내며, 물 분자를 구성하는 원자의 종류는 수소와 산소 2종류이며, 1개의 물 분자는 수소 원자 2개와 산소 원자 1개로 이루어져 있다.

오개념 주의 | ⑤ 1개의 분자가 각각의 원자로 나누어지면 분자의 성질을 잃게 된다.

2-3

분자식과 물질의 이름을 잘못 짝 지은 것은?

① H_2O — 물

② NH_3 — 메테인

③ HCl — 염화 수소

④ CO — 일산화 탄소

⑤ CO_2 — 이산화 탄소

Hint 메테인의 분자식은 CH_4이다.

주제 1 **이온**

원자가 전자를 잃거나 얻어서 전하를 띠는 입자를 이온이라고 한다. 양이온은
원자가 전자를 잃어 (+)전하를 띠는 입자를 말하며, 음이온은 원자가 전자를
얻어 (−)전하를 띠는 입자를 말한다.

난 전자를 떼어내야지. 원자가
전자를 잃으면 (+)전하를 띠는
양이온이 되지.

난 전자를 붙여야지. 원자가
전자를 얻으면 (-)전하를 띠는
음이온이 되지.

전자 1개
잃음

Li $\longrightarrow$ Li$^+$ ── (+)전하량 > (−)전하량

양이온

전자 1개
얻음

F $\longrightarrow$ F$^-$ ── (+)전하량 < (−)전하량

음이온

중요 개념

● **이온** 원자가 전자를 잃거나 얻어서 전하를 띠는 입자
● **양이온과 음이온**
　(1) 양이온: 원자가 전자를 ❶(○○) (+)전하를 띠는 입자
　(2) 음이온: 원자가 전자를 ❷(○○) (−)전하를 띠는 입자

> **Tip**
>
> 양이온과 음이온
> ➡ 원자는 (+)전하량과
> (−)전하량이 같아 전하
> 를 띠지 않으며, 원자가
> 전자를 잃거나 얻으면 전
> 하를 띠게 된다.
>
> 답 ❶ 잃어 ❷ 얻어

개념 원리 확인

원자가 전자를 잃거나
얻어서 전하를 띠는 입자를
이온이라고 해!

1-1

원자와 이온에 대한 설명으로 옳은 것은 ○표, 옳지 않은 것은 ×표를 하시오.

(1) 원자가 전자를 잃으면 (−)전하를 띤다.   (　　　)

(2) 원자가 전자를 얻으면 (+)전하를 띤다.   (　　　)

(3) 원자는 전기적으로 중성 상태이다.   (　　　)

(4) 원자핵의 전하량이 바뀌면 전하를 띠는 이온이 된다.   (　　　)

4일

이온이 형성될 때
원자핵은 움직이지 않고
전자만 이동해!

1-2

다음은 원자와 이온에 대한 설명이다. (　　) 안에서 옳은 것을 고르시오.

(1) 이온이 형성될 때 원자핵은 ㉠(움직이고 / 움직이지 않고), 전자는 ㉡(이동한다 / 이동하지 않는다).

(2) 원자가 이온이 될 때 전자의 개수, 전자의 전체 전하량, 원자의 전하량은 (변한다 / 변하지 않는다).

(3) 원자가 이온이 될 때 원자핵의 전하량, 원자핵의 질량은 (변한다 / 변하지 않는다).

1-3

양이온과 음이온의 형성 과정을 나타낸 그림에서 원자핵의 (+)전하량과 전자 전체 (−)전하량의 크기를 비교하여 빈칸에 >, <, = 기호를 골라 쓰시오.

4일 전하를 띠는 이온

주제 2   이온의 표현과 이동

이온은 원소 기호의 오른쪽 위에 잃거나 얻은 전자의 개수와 전하의 종류를 함께 나타내며, 이를 이온식이라고 한다. 이온이 들어 있는 수용액에 전류를 흘려 주면 수용액 속에서 (+)전하를 띤 양이온은 (−)극 쪽으로, (−)전하를 띤 음이온은 (+)극 쪽으로 이동하며 전류가 흐른다.

중요 개념

- **이온식**   원소 기호의 오른쪽 위에 잃거나 얻은 ❶(ㅈㅈ)의 개수와 ❷(ㅈㅎ)의 종류를 함께 나타낸 식
  (1) 양이온: 원소 기호의 오른쪽 위에 잃은 전자의 개수를 쓰고, +부호를 붙인다. (단, 1은 생략) 예 Na^+, Mg^{2+}, NH_4^+
  (2) 음이온: 원소 기호의 오른쪽 위에 얻은 전자의 개수를 쓰고, −부호를 붙인다. (단, 1은 생략) 예 S^{2-}, F^-, Cl^-, OH^-, CO_3^{2-}, SO_4^{2-}

> **Tip**
>
> 이온식
> ➡ 이온은 1개의 원자로 이루어진 것도 있지만, 탄산 이온(CO_3^{2-})과 같이 여러 원자가 모여서 이루어진 것도 있다.

답 ❶ 전자 ❷ 전하

개념 원리 확인

양이온은 원소 이름 뒤에 '이온'을 붙여 부르지.

2-1

이온식과 이온의 이름을 표기하는 방법에 대한 설명으로 옳은 것은 ○표, 옳지 않은 것은 ×표를 하시오.

(1) 양이온은 원소 기호의 오른쪽 위에 잃은 전자의 개수를 쓰고, ＋부호를 붙인다. (   )

(2) 음이온은 원소 기호의 오른쪽 위에 얻은 전자의 개수를 쓰고, －부호를 붙인다. (   )

(3) 양이온은 원소 이름 뒤에 '~화 이온'을 붙여 부른다. (   )

(4) 음이온은 원소 이름이 '~소'로 끝나는 경우 '소'를 빼고 '~화 이온'을 붙여 부른다. (   )

2-2

다음 (   ) 안에 알맞은 이온의 이름이나 이온식을 쓰시오.

이름	이온식	이름	이온식
수소 이온	㉠( )	산화 이온	㉡( )
㉢( )	Na^+	㉣( )	Cl^-
알루미늄 이온	㉤( )	탄산 이온	㉥( )
㉦( )	NH_4^+	㉧( )	NO_3^-

2-3

양이온은 (-)극 쪽으로, 음이온은 (+)극 쪽으로 이동해.

그림은 이온이 들어 있는 수용액에 전류를 흘려 주면 수용액 속에서 (＋)전하를 띤 양이온과 (－)전하를 띤 음이온이 이동하는 모습을 나타낸 것이다.

(-)극   (+)극

황산 구리(Ⅱ) 수용액으로 같은 실험을 하였을 때 구리 이온(Cu^{2+})과 황산 이온(SO_4^{2-})은 어떻게 이동하는지 쓰시오.

(1) 구리 이온(Cu^{2+}):

(2) 황산 이온(SO_4^{2-}):

용어 풀이

＊**부호**(符 부호, 號 이름): 일정한 뜻을 나타내기 위하여 따로 정하여 쓰는 기호

대표 기출문제 주제**1** 이온

1-1

원자와 이온에 대한 설명으로 옳은 것을 보기 에서 모두 고른 것은?

보기
ㄱ. 원자는 전기적으로 중성이다.
ㄴ. 원자가 이온이 될 때 원자핵도 이동한다.
ㄷ. 원자가 전자를 얻으면 음이온, 전자를 잃으면 양이온이 된다.
ㄹ. 원자가 이온이 되면 전자의 개수, 원자핵의 전하량이 달라진다.

① ㄱ, ㄴ   ② ㄱ, ㄷ   ③ ㄴ, ㄷ
④ ㄴ, ㄹ   ⑤ ㄷ, ㄹ

1-2

그림은 원자 A와 B의 이온 형성 과정을 나타낸 것이다.

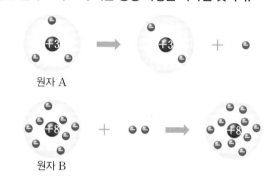

원자 A

원자 B

이에 대한 설명으로 옳지 않은 것은?

① 원자 A와 B는 전기적으로 중성이다.
② A 이온은 전자 1개를 잃어 형성된다.
③ B 이온은 전자 2개를 얻어 형성된다.
④ A 이온은 음이온, B 이온은 양이온이다.
⑤ 원자 A와 B는 이온이 되어도 원자핵의 전하량의 변화가 없다.

Hint 원자가 전자를 잃으면 양이온, 전자를 얻으면 음이온이 된다.

1-3

표는 이온 A~D의 원자핵의 전하량과 전자의 개수를 나타낸 것이다.

이온	A	B	C	D
원자핵의 전하량	+3	+9	+12	+17
전자의 개수	2	10	10	18

A~D를 양이온과 음이온으로 옳게 짝 지은 것은?

	양이온	음이온
①	A, B	C, D
②	A, C	B, D
③	B, C	A, D
④	B, D	A, C
⑤	C, D	A, B

문제 해결 Point

가이드 원자가 전자를 잃거나 얻어서 전하를 띠는 입자를 **이온**이라고 하며, 전자를 잃어 (+)전하를 띠는 입자를 **양이온**, 전자를 얻어 (−)전하를 띠는 입자를 **음이온**이라고 한다.

해결 Point 원자가 이온이 될 때 원자핵은 움직이지 않고 전자만 이동한다. 원자가 이온이 될 때 전자의 개수, 전자의 전체 전하량, 원자의 전하량은 달라지고, 원자핵의 전하량, 원자핵의 질량은 변하지 않는다.

대표 기출문제 주제 2 이온의 표현과 이동

2-1

다음 이온식에 대한 설명으로 옳은 것을 보기 에서 모두 고른 것은?

$$O^{2-}$$

보기

ㄱ. 산소 이온이라고 부른다.

ㄴ. '2'는 얻은 전자의 수를 말한다.

ㄷ. '−'는 얻은 전자의 전하 종류를 나타낸 것이다.

ㄹ. 원자핵의 (+)전하량보다 전자 전체의 (−)전하량이 더 크다.

① ㄱ, ㄴ 　　② ㄱ, ㄷ 　　③ ㄴ, ㄷ

④ ㄴ, ㄹ 　　⑤ ㄷ, ㄹ

2-2

모형 (가)와 (나)의 이온식을 바르게 나타낸 것은?

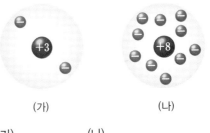

(가)　　　　　(나)

	(가)	(나)
①	Li^+	O^-
②	Li^+	O^{2-}
③	Li^-	O^{2+}
④	Li^{2+}	O^{2-}
⑤	Li^{2+}	O^-

2-3

그림과 같이 질산 칼륨 수용액을 적신 거름종이 위에 과망가니즈산 칼륨 수용액과 황산 구리(Ⅱ) 수용액을 떨어뜨리고 전극을 연결한 후 전류를 흘려 주었다.

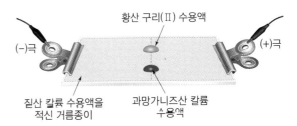

황산 구리(Ⅱ) 수용액

(−)극　　　　　　　　　　　　　(+)극

질산 칼륨 수용액을　　과망가니즈산 칼륨
적신 거름종이　　　　수용액

이에 대한 설명으로 옳은 것은?

① 황산 이온은 (−)극 쪽으로 이동한다.

② 칼륨 이온은 (+)극 쪽으로 이동한다.

③ 양이온은 (−)극으로, 음이온은 (+)극으로 이동한다.

④ 황산 구리(Ⅱ) 수용액에서 파란색은 (+)극 쪽으로 이동한다.

⑤ 과망가니즈산 칼륨 수용액에서 보라색은 (−)극 쪽으로 이동한다.

Hint 황산 구리(Ⅱ) 수용액에서 파란색 성분은 구리 이온이며, 과망가니즈산 칼륨 수용액에서 보라색 성분은 과망가니즈산 이온이다.

문제 해결 Point

가이드 　이온식은 원소 기호의 오른쪽 위에 잃거나 얻은 전자의 개수와 전하의 종류를 함께 나타낸 식이다.

해결 Point 　양이온은 원소 기호의 오른쪽 위에 잃은 전자의 개수를 쓰고, +부호를 붙인다. 음이온은 원소 기호의 오른쪽 위에 얻은 전자의 개수를 쓰고, −부호를 붙인다.

오개념 주의 　음이온의 원소 이름이 '∼소'로 끝나는 경우 '소'를 빼고 '∼화 이온'을 붙여 부른다. 이온의 전하 종류는 + 또는 − 기호로 표시한다.

주제 1 앙금 생성 반응

수용액 속에서 특정한 양이온과 음이온이 반응하여 물에 녹지 않는 물질을 생성하는 데, 이러한 반응을 앙금 생성 반응이라고 한다.

중요 개념

- **앙금 생성 반응** 수용액 속에서 특정한 양이온과 음이온이 반응하여 물에 녹지 않는 물질을 생성하는 반응
- **여러 가지 앙금 생성 반응**
  (1) 염화 나트륨($NaCl$) 수용액과 질산 은($AgNO_3$) 수용액의 반응
  은 이온(Ag^+)+염화 이온(Cl^-) ⟶ 염화 은($AgCl$) ❶(ㅎㅅ) 앙금
  (2) 염화 칼슘($CaCl_2$) 수용액과 탄산 나트륨(Na_2CO_3) 수용액의 반응
  칼슘 이온(Ca^{2+})+탄산 이온(CO_3^{2-}) ⟶ 탄산 칼슘($CaCO_3$) ❷(ㅎㅅ) 앙금

> **Tip**
>
> 앙금의 생성
> ➡ 앙금이 생성된 수용액 속에서 앙금 생성 반응에 관여하지 않은 양이온과 음이온이 남아 있다.
>
> 답 ❶ 흰색 ❷ 흰색

1-1

수용액에서 특정한 양이온과 음이온이 반응하면 앙금을 생성해.

그림은 염화 칼슘($CaCl_2$) 수용액과 탄산 나트륨(Na_2CO_3) 수용액을 혼합했을 때 일어나는 반응 모습이다. 이에 대한 설명으로 옳은 것은 ○표, 옳지 않은 것은 ×표를 하시오.

염화 칼슘 수용액 + 탄산 나트륨 수용액 → 앙금 ⋯⋯ $CaCO_3$

(1) 흰색 앙금($CaCO_3$)이 생성된다.　　　　　　　　　　　　　　　　(　)

(2) 칼슘 이온(Ca^{2+})과 탄산 이온(CO_3^{2-})이 결합하여 앙금을 생성한다.　(　)

(3) 염화 이온(Cl^-)과 나트륨 이온(Na^+)이 결합하여 앙금을 생성한다.　(　)

1-2

그림은 염화 나트륨(NaCl) 수용액과 질산 은($AgNO_3$) 수용액을 혼합하였을 때 일어나는 반응 모습이다. 이에 대한 설명의 빈칸에 알맞은 말을 쓰시오.

염화 나트륨 수용액 + 질산 은 수용액 → 앙금 ⋯⋯ AgCl AgCl

(1) 염화 나트륨 수용액과 질산 은 수용액을 혼합하면 염화 나트륨의 ㉠(　　　　) 이온과 질산 은의 ㉡(　　　　) 이온이 반응하여 흰색의 ㉢(　　　　) 앙금을 생성한다.

(2) 염화 나트륨의 ㉠(　　　　) 이온과 질산 은의 ㉡(　　　　) 이온은 수용액 속에 이온 상태로 존재한다.

1-3

아이오딘화 칼륨(KI) 수용액과 질산 납($Pb(NO_3)_2$) 수용액이 반응하여 앙금이 생성되는 반응에 대한 물음에 알맞은 말을 쓰시오.

(1) 앙금으로 생성되는 물질의 화학식: (　　　　)

(2) 수용액에 이온 상태로 존재하는 물질의 화학식: (　　　　)

용어 풀이

＊**석회암**(石 돌, 灰 재, 巖 바위): 탄산 칼슘을 주 성분으로 하는 퇴적암

주제 2 **이온의 확인**

앙금을 생성할 수 있는 양이온이나 음이온과 반응시켜서 수용액 속 이온의 종류를 확인할 수 있다.

중요 개념

● **이온의 확인** 앙금 생성 반응을 이용하면 수용액 속에 들어 있는 이온의 종류를 확인할 수 있다.

● **생성되는 앙금**

양이온	음이온	생성되는 앙금
Ag^+	Cl^-, I^-	AgCl(염화 은, ❶(ㅎㅅ)), AgI(아이오딘화 은, 노란색)
Ca^{2+}	CO_3^{2-}, SO_4^{2-}	CaCO₃(탄산 칼슘, 흰색), CaSO₄(황산 칼슘, 흰색)
Ba^{2+}	CO_3^{2-}, SO_4^{2-}	BaCO₃(탄산 바륨, 흰색), BaSO₄(황산 바륨, 흰색)
Pb^{2+}	I^-, S^{2-}	PbI₂(아이오딘화 납, 노란색), PbS(황화 납, 검은색)
Cu^{2+}	S^{2-}	CuS(황화 구리, ❷(ㄱㅇㅅ))

Tip

이온의 확인
➡ 앙금 생성 반응과 앙금 색을 통해 이온의 종류를 확인할 수 있다.

답 ❶ 흰색 ❷ 검은색

개념 원리 확인

2-1

이온을 확인하는 방법에 대한 설명으로 옳은 것은 ○표, 옳지 않은 것은 ×표를 하시오.

(1) 앙금을 생성할 수 있는 이온을 반응시켜 미지의 이온을 확인할 수 있다. ( )

(2) 나트륨 이온과 칼륨 이온은 앙금 생성 반응으로 확인할 수 있고, 불꽃 반응의 불꽃색으로도 확인할 수 있다. ( )

(3) 폐수 속에 포함된 납 이온이나 카드뮴 이온 등의 중금속을 앙금 생성 반응을 통해 제거할 수 있다. ( )

앙금을 생성하지 않는 금속은 불꽃 반응에서 나타나는 불꽃 색으로 확인할 수 있어!

2-2

숨은 이온을 찾는 방법에 대한 설명이다. 빈칸에 알맞은 말을 쓰시오.

(1) 염화 이온이 포함된 수돗물에 질산 은 수용액을 넣었을 때 ( ) 앙금이 생성된다.

(2) 구리 이온이 포함된 폐수에 황화 칼륨 수용액을 넣었을 때 ( ) 앙금이 생성된다.

(3) 납이 포함된 폐수에 아이오딘화 칼륨 수용액을 넣었을 때 ( ) 앙금이 생성된다.

숨은 이온은 앙금 생성 반응과 앙금의 색깔로 확인할 수 있어.

2-3

물에 녹지 않는 물질을 [보기]에서 모두 고르시오. ( )

용어 풀이

＊**중금속**(重 무거울, 金 쇠, 屬 무리): 납, 수은 등과 같이 비중이 큰 금속을 통틀어 이르는 말

보기

ㄱ. 염화 은($AgCl$)	ㄴ. 염화 나트륨($NaCl$)	ㄷ. 탄산 칼슘($CaCO_3$)
ㄹ. 황산 바륨($BaSO_4$)	ㅁ. 염화 칼슘($CaCl_2$)	ㅂ. 황화 납(PbS)

대표 기출문제 주제**1** 앙금 생성 반응

1-1

그림과 같이 서로 다른 시약을 반응시켰다.

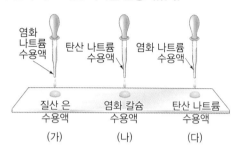

이 실험에 대한 설명으로 옳지 <u>않은</u> 것은?

① (가)에서는 흰색 앙금이 생성된다.

② (가)에서 앙금을 생성하는 이온은 Ag^+과 Cl^-이다.

③ (나)에서는 노란색 앙금이 생성된다.

④ (나)에서 앙금을 생성하는 이온은 Ca^{2+}과 CO_3^{2-}이다.

⑤ (다)에서는 앙금이 생성되지 않는다.

문제 해결 Point

가이드) 수용액 속에서 특정 양이온과 음이온이 결합하여 물에 녹지 않는 물질인 **앙금**을 생성할 수 있다.

해결 Point) 염화 나트륨 수용액과 질산 은 수용액이 반응하면 염화 이온과 은 이온이 반응하여 물에 녹지 않는 염화 은이 생성되며, 탄산 나트륨 수용액과 염화 칼슘 수용액이 반응하면 탄산 이온과 칼슘 이온이 반응하여 물에 녹지 않는 탄산 칼슘이 생성된다. 앙금은 종류에 따라 흰색, 노란색, 검은색 등을 띠며, Na^+, K^+, NO_3^-, NH_4^+ 등은 수용액에서 다른 이온과 만나도 앙금을 생성하지 않는다.

오개념 주의) 칼슘 이온과 탄산 이온이 반응하면 흰색의 앙금이 생성된다.

1-2

앙금 생성 반응에 대한 설명으로 옳은 것을 보기 에서 모두 고른 것은?

보기

ㄱ. 두 가지 서로 다른 용액을 섞으면 항상 앙금이 생성된다.

ㄴ. 칼슘 이온과 탄산 이온이 반응하면 노란색 앙금이 생성된다.

ㄷ. 앙금을 생성할 수 있는 양이온이나 음이온과 반응시켜서 수용액 속 이온의 종류를 확인할 수 있다.

① ㄱ   ② ㄷ   ③ ㄱ, ㄴ

④ ㄴ, ㄷ   ⑤ ㄱ, ㄴ, ㄷ

Hint 수용액 속의 특정한 양이온과 음이온이 결합하여 물에 녹지 않는 앙금을 생성한다.

1-3

앙금이 생성되는 반응을 보기 에서 모두 고른 것은?

보기

ㄱ. 염화 나트륨 수용액과 질산 은 수용액의 반응

ㄴ. 황산 칼륨 수용액과 질산 바륨 수용액의 반응

ㄷ. 아이오딘화 나트륨 수용액과 질산 납 수용액의 반응

① ㄱ   ② ㄴ   ③ ㄱ, ㄷ

④ ㄴ, ㄷ   ⑤ ㄱ, ㄴ, ㄷ

대표 기출문제 주제 2 이온의 확인

2-1

다음은 성분을 알 수 없는 미지의 물질 X를 확인하기 위해 실험한 결과이다.

> (가) 물질 X를 녹인 수용액에 황화 나트륨 수용액을 넣었더니 검은색 앙금이 생겼다.
>
> (나) 물질 X를 녹인 수용액으로 불꽃 반응 실험을 하였더니 청록색 불꽃 반응색이 나타났다.

이 실험 결과로 볼 때 물질 X로 예상되는 것은?

① 질산 납
② 질산 은
③ 질산 바륨
④ 염화 칼슘
⑤ 염화 구리(II)

2-2

앙금의 이름과 색깔을 짝 지은 것으로 옳지 <u>않은</u> 것은?

① 염화 은($AgCl$) — 흰색
② 황산 칼슘($CaSO_4$) — 흰색
③ 황화 구리(CuS) — 검은색
④ 아이오딘화 납(PbI_2) — 노란색
⑤ 탄산 바륨($BaCO_3$) — 노란색

2-3

다음 설명에 해당하는 물질로 옳은 것은?

> 물에 거의 녹지 않고 몸 밖으로 배출되며, X선을 잘 흡수하는 성질이 있으므로 위나 장을 검사하기 위해 X선 촬영을 할 때 조영제로 사용된다.

① 염화 은($AgCl$)
② 탄산 칼슘($CaCO_3$)
③ 황산 바륨($BaSO_4$)
④ 염화 나트륨($NaCl$)
⑤ 아이오딘화 납(PbI_2)

문제 해결 Point

가이드 앙금을 생성할 수 있는 양이온이나 음이온과 반응시켜서 이온의 종류를 확인할 수 있다.

해결 Point 불꽃 반응색이 청록색인 원소는 구리이다. 또한, 구리 이온은 황화 이온과 만나면 검은색 앙금을 생성한다.

01 원소에 대한 설명으로 옳지 <u>않은</u> 것은?

물질관과 원소 ▶ p.12

① 물질을 구성하는 기본 성분이다.

② 원소는 종류에 따라 성질이 다르다.

③ 더 이상 다른 물질로 분해되지 않는다.

④ 원소의 종류로는 수소, 산소, 질소, 헬륨 등이 있다.

⑤ 현재까지 알려진 모든 원소는 자연 상태에서 발견되었다.

원소의 확인 ▶ p.14

02 불꽃색이 같은 물질로 바르게 짝 지은 것은?

① 염화 리튬, 황산 칼륨

② 질산 칼슘, 질산 칼륨

③ 염화 칼슘, 질산 나트륨

④ 염화 나트륨, 질산 나트륨

⑤ 황산 칼륨, 염화 구리(Ⅱ)

분자 ▶ p.20

03 분자에 대한 설명으로 옳지 <u>않은</u> 것은?

① 대부분 2개 이상의 원자로 이루어진다.

② 원자로 나누어지면 물질의 성질을 잃는다.

③ 구성하는 원자의 종류가 같으면 같은 분자이다.

④ 물질의 성질을 나타내는 가장 작은 입자이다.

⑤ 물 분자는 수소 원자 2개와 산소 원자 1개로 이루어진다.

원자 ▶ p.18

04 그림은 원자의 구조를 나타낸 것이다.

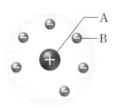

이에 대한 설명으로 옳은 것을 보기 에서 모두 고른 것은?

> **보기**
>
> ㄱ. A는 원자핵, B는 전자이다.
>
> ㄴ. A의 질량은 B에 비해 매우 크다.
>
> ㄷ. A의 (+)전하량보다 B의 전체 (−)전하량이 더 크다.

① ㄱ   ② ㄴ   ③ ㄷ

④ ㄱ, ㄴ   ⑤ ㄴ, ㄷ

원소 기호 ▶ p.24

05 원소 기호에 대한 설명으로 옳지 <u>않은</u> 것은?

① 원소 이름의 첫 글자는 알파벳의 대문자로 나타낸다.

② 현재 사용하는 원소 기호는 베르셀리우스가 제안한 것이다.

③ 연금술사는 원 안에 알파벳이나 그림을 넣어 표현하였다.

④ 헬륨의 원소 기호는 He, 플루오린의 원소 기호는 F로 나타낸다.

⑤ 원소 기호의 첫 글자가 같을 때는 중간 글자를 택하여 첫 글자 다음에 소문자로 나타낸다.

분자식 ▶ p.26

06 분자식에 대한 설명으로 옳은 것을 보기 에서 모두 고른 것은?

> 보기
> ㄱ. 분자의 특성을 알 수 있다.
> ㄴ. 분자의 개수는 분자식 앞에 숫자로 표시한다.
> ㄷ. 분자를 이루는 원자의 종류와 개수를 알 수 있다.

① ㄱ   ② ㄴ   ③ ㄷ
④ ㄱ, ㄴ   ⑤ ㄴ, ㄷ

원소의 확인 ▶ p.14

08 질산 리튬과 염화 스트론튬의 불꽃 반응색은 빨간색으로 비슷하다. 질산 리튬과 염화 스트론튬을 구별할 수 있는 방법을 쓰시오.

원자 ▶ p.18

09 원자가 전기적으로 중성인 까닭을 다음 단어를 포함하여 서술하시오.

> 원자핵, (+)전하량, (−)전하량, 전자

이온 ▶ p.30

07 그림은 어떤 원자가 이온이 되는 과정을 나타낸 것이다.

이에 대한 설명으로 옳은 것을 보기 에서 모두 고른 것은?

> 보기
> ㄱ. 전자 2개를 얻어 반응 후 이온이 된다.
> ㄴ. 반응 전후 원자핵의 전하량은 변함이 없다.
> ㄷ. 반응 전 (+)전하량이 반응 후 중성으로 변하였다.

① ㄱ   ② ㄴ   ③ ㄷ
④ ㄱ, ㄴ   ⑤ ㄴ, ㄷ

앙금 생성 반응 ▶ p.36

10 그림은 탄산 나트륨과 염화 칼슘 수용액이 만나 앙금을 생성하는 반응을 모형으로 나타낸 것이다.

탄산 나트륨 수용액   염화 칼슘 수용액   혼합 수용액

이에 대한 설명으로 옳지 <u>않은</u> 것은?

① 앙금의 색깔은 흰색이다.
② 반응 후 혼합 수용액은 전류가 흐른다.
③ Na^+과 Cl^-은 앙금을 생성하지 않는다.
④ CO_3^{2-}과 Ca^{2+}이 반응하여 앙금을 생성한다.
⑤ 반응 후 앙금을 제외한 수용액의 불꽃색은 빨간색이다.

✏️ 1주에 배운 개념을 그림으로 저장

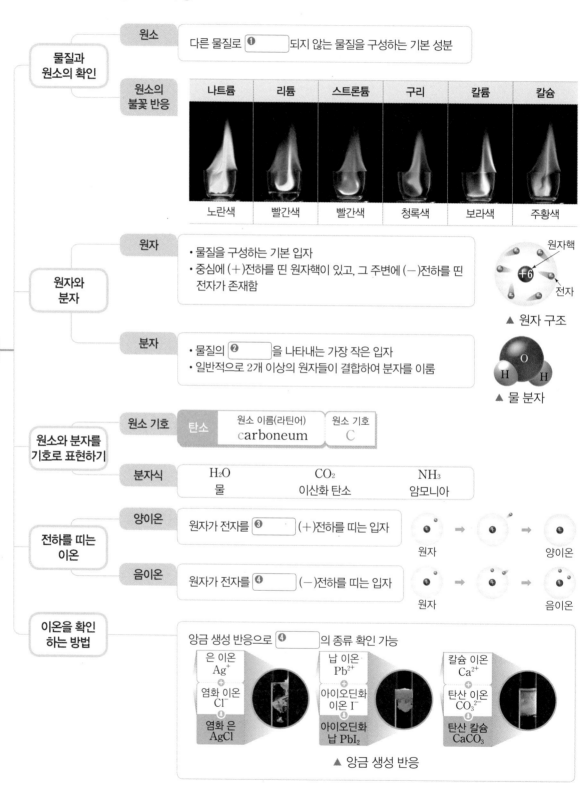

물질의 구성

물질과 원소의 확인

원소
다른 물질로 ❶[   ]되지 않는 물질을 구성하는 기본 성분

원소의 불꽃 반응

나트륨	리튬	스트론튬	구리	칼륨	칼슘
노란색	빨간색	빨간색	청록색	보라색	주황색

원자와 분자

원자
- 물질을 구성하는 기본 입자
- 중심에 (+)전하를 띤 원자핵이 있고, 그 주변에 (−)전하를 띤 전자가 존재함

▲ 원자 구조 (원자핵, +6, 전자)

분자
- 물질의 ❷[   ]을 나타내는 가장 작은 입자
- 일반적으로 2개 이상의 원자들이 결합하여 분자를 이룸

▲ 물 분자 (H, O, H)

원소와 분자를 기호로 표현하기

원소 기호

탄소	원소 이름(라틴어) carboneum	원소 기호 C

분자식

H_2O	CO_2	NH_3
물	이산화 탄소	암모니아

전하를 띠는 이온

양이온
원자가 전자를 ❸[   ](+)전하를 띠는 입자

원자 → → 양이온

음이온
원자가 전자를 ❹[   ](−)전하를 띠는 입자

원자 → → 음이온

이온을 확인 하는 방법

앙금 생성 반응으로 ❺[   ]의 종류 확인 가능

| 은 이온 Ag^+ + 염화 이온 Cl^- → 염화 은 $AgCl$ | 납 이온 Pb^{2+} + 아이오딘화 이온 I^- → 아이오딘화 납 PbI_2 | 칼슘 이온 Ca^{2+} + 탄산 이온 CO_3^{2-} → 탄산 칼슘 $CaCO_3$ |

▲ 앙금 생성 반응

✏️ 재미있는 개념 완성 퀴즈

다음 설명에 해당하는 용어를 사다리를 타며 옳게 연결하시오.

❶ 물질을 이루는 기본 성분

❷ 물질의 성질을 가지는 가장 작은 입자

❸ 원자가 전자를 잃어 전하를 띤 입자

❹ 전류가 흐를 때 (+)극 쪽으로 이동하는 입자

❺ 원자핵 한 개와 전자 한 개로 이루어진 입자

물이 물질을 이루는 기본 성분이라고 할 수 있을까?

수소 · 양이온 · 음이온 · 원소 · 분자

답 ❶ 원소 ❷ 분자 ❸ 양이온 ❹ 음이온 ❺ 수소

과학의 다양한 유형 문제를 해결하는 방법을 연습하면서 사고력을 기르자.

1 그림은 어떤 물질 A와 리튬, 스트론튬, 칼슘의 선 스펙트럼을 나타낸 것이다.

물질 A
리튬
스트론튬
칼슘

문제 해결 Tip
선 스펙트럼은 빛을 분광기로 관찰했을 때 원소의 종류에 따라 선의 위치, 개수, 굵기, 색깔 등이 다르게 나타나.

(1) 리튬, 스트론튬, 칼슘 중 물질 A에 포함된 원소를 쓰시오.

(2) 리튬과 스트론튬은 모두 불꽃색이 빨간색으로 같아서 구분하기 어렵다. 두 물질을 구분하는 방법을 선 스펙트럼을 이용하여 서술하시오.

2 그림은 물 분해 실험 과정을 나타낸 것이다.

문제 해결 Tip
물을 분해하여 수소와 산소가 발생하므로 물은 물질을 이루는 기본 성분이 될 수 없어.

❶ 한쪽 끝을 막은 빨대 2개에 수산화 나트륨을 조금 녹인 물을 가득 채운다.

❷ 홈 판에 플라스틱병을 꽂고 두 빨대를 뒤집어 세운다.

❸ 빨대에 각각 9V 전지를 연결한 후 빨대 안에 기체가 모이는 것을 관찰한다.

❹ 기체가 모이면 각각의 빨대의 마개를 열면서 성냥불을 가까이 가져간다.

아리스토텔레스는 모든 물질은 물, 불, 흙, 공기로 이루어졌다고 주장하였다. 이 실험을 통해 아리스토텔레스의 주장이 옳은지 아니면 옳지 않은지 서술하시오.

3 다음은 세 학생이 원소의 불꽃색에 대해 이야기를 하는 모습이다.

잘못 말한 학생을 고르고, 그 내용을 바르게 고쳐 쓰시오.

● 문제 해결 Tip
금속 원소의 종류에 따라 독특한 불꽃색을 나타내며, 불꽃색으로 일부 금속 원소를 구별할 수 있지.

4 그림은 분자식을 나타내는 방법을 나타낸 것이다.

1단계: 분자를 이루는 원소의 원자 기호를 표시한다.

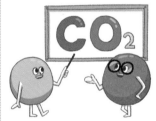

2단계: 분자를 이루는 원자의 개수를 원소 기호의 오른쪽 아래에 작은 숫자로 표시한다(단, 1은 생략한다).

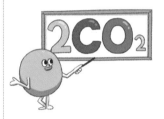

3단계: 분자가 여러 개일 때 분자의 개수는 분자식 앞에 숫자로 나타낸다.

● 문제 해결 Tip
분자식은 분자를 이루는 원자의 원소 기호와 개수를 적어 나타낸 거야. 원자의 종류는 원소 기호로 표현하고, 원자의 개수는 오른쪽 아래 작은 숫자로 표시해.

다음 분자 모형을 보고 분자식으로 나타내시오.

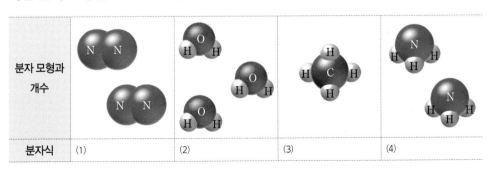

분자 모형과 개수				
분자식	(1)	(2)	(3)	(4)

5 다음은 일산화 탄소와 이산화 탄소의 특성과 분자 모형을 나타낸 것이다.

> • 일산화 탄소: 화석 연료가 불완전 연소할 때 발생하며, 인체에 독성이 있다.
> • 이산화 탄소: 공기보다 무겁고, 고체 상태의 이산화 탄소인 드라이아이스는 식품의 냉동 보관에 사용된다.

일산화 탄소

이산화 탄소

일산화 탄소와 이산화 탄소를 구성하는 원자의 종류가 같지만, 성질이 다르고 다른 종류의 분자인 까닭을 서술하시오.

문제 해결 Tip
분자는 결합하는 분자의 종류와 수에 따라 분자의 종류가 달라져.

6 다음은 이온의 전하를 확인하기 위한 실험 과정이다.

❶ 페트리 접시에 클립 전극을 설치하고, 10 % 질산 칼륨 수용액을 페트리 접시 높이의 절반 정도까지 넣는다.

❷ 클립과 전원 장치를 집게 달린 전선으로 연결한 다음, 전원을 켠다.

❸ 페트리 접시 가운데에 황산 구리(II) 수용액을 몇 방울 떨어뜨린 후 변화를 관찰한다.

❹ 과망가니즈산 칼륨 수용액을 이용하여 과정 ❶~❸을 반복한다.

문제 해결 Tip
황산 구리(II) 수용액의 파란색 성분은 구리 이온이며, 과망가니즈산 칼륨 수용액의 보라색 성분은 과망가니즈산 이온이야.

(1) 황산 구리(II) 수용액의 파란색 성분과 과망가니즈산 칼륨 수용액의 보라색 성분의 변화를 서술하시오.

(2) 황산 구리(II) 수용액의 파란색 성분과 과망가니즈산 칼륨 수용액의 보라색 성분의 이온의 이름과 전하의 종류를 서술하시오.

(3) 과정 ❸~❹와 같은 변화가 일어난 까닭을 서술하시오.

7 다음은 염화 나트륨 수용액과 질산 은 수용액의 앙금 생성 반응을 모형으로 나타낸 것이다.

염화 나트륨 수용액 ＋ 질산 은 수용액 ➡ 혼합 용액

(1) 혼합 용액 속에 생성되는 앙금의 이름과 색깔을 쓰시오.

(2) 앙금 생성 반응에 참여하지 않는 이온의 종류를 쓰시오.

문제 해결 **Tip**
서로 다른 두 용액을 섞었을 때 이온들이 반응하여 앙금을 생성해.

8 광산이나 공장 폐수에서 검출될 수 있는 카드뮴은 뼈를 약하게 만들고, 또한 호흡 곤란, 심폐 기능 부진 등 심각한 질병을 일으키는 중금속이다.

아래 제시한 물질을 이용하여 폐수에 카드뮴이 포함되어 있는지 확인할 수 있는 방법을 다음 단어를 포함한 앙금 생성 반응과 관련지어 서술하시오.

> 카드뮴 이온(Cd^{2+}), 황화 수소(H_2S), 황화 이온(S^{2-}), 황화 카드뮴(CdS)

문제 해결 **Tip**
수용액 속의 특정 양이온은 음이온과 결합하여 물에 녹지 않는 앙금을 생성하지.

나도 한 마디 할까? 전기로 자석의 성질이 나타나게 할 수 있어!

아아~ 전자석 말이구나.

전기가 자석의 성질을 내는 것은 우연히 발견됐대.

전류가 흐르는 도선 주위에 놓인 나침반 자침이 움직여요. 전류가 흐르는 도선도 자석처럼 자기장을 만드는 것 같아요.

맞아! 그로부터 전기와 자석은 아주 친밀한 사이가 되었어.

자석 주위에서 전류가 힘을 받는다는 사실을 통해 전동기도 발명되었지.

스윽

척

선풍기, 믹서, 세탁기 등은 전동기를 사용하는 전기 제품들이야.

배울 내용

1일	마찰 전기	**4일**	전류가 만드는 자기장
2일	전류와 전압	**5일**	자기장에서 전류가 받는 힘
3일	전류, 전압, 저항의 관계		

2주에는 무엇을 공부할까? ❷

● 자석의 이용

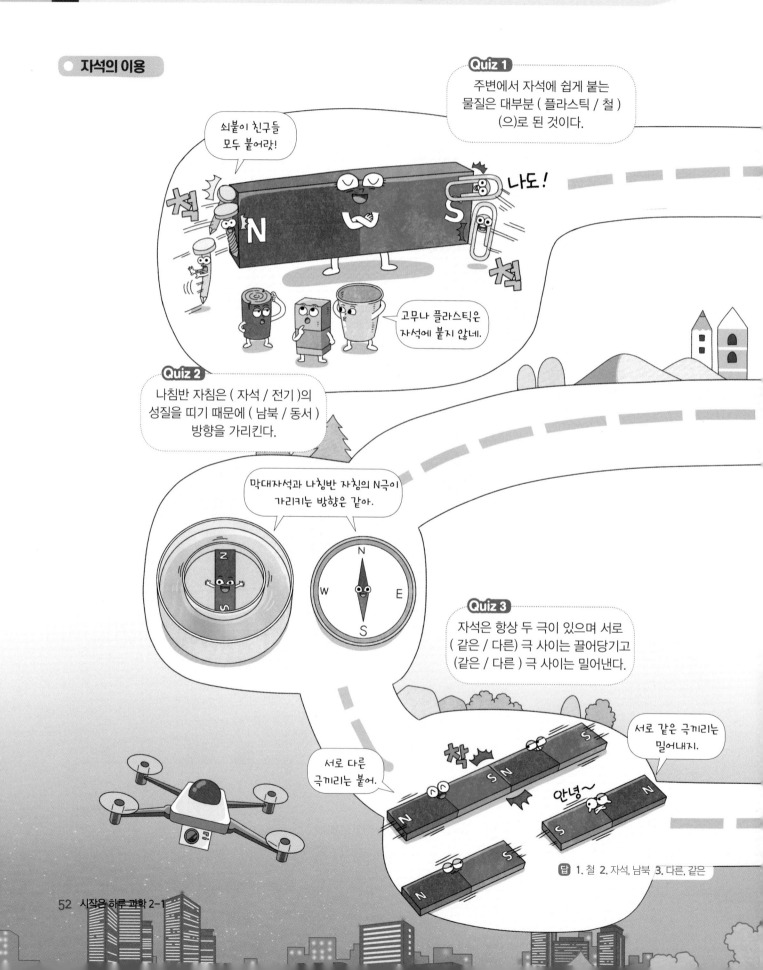

Quiz 1
주변에서 자석에 쉽게 붙는
물질은 대부분 (플라스틱 / 철)
(으)로 된 것이다.

쇠붙이 친구들
모두 붙어랏!

나도!

고무나 플라스틱은
자석에 붙지 않네.

Quiz 2
나침반 자침은 (자석 / 전기)의
성질을 띠기 때문에 (남북 / 동서)
방향을 가리킨다.

막대자석과 나침반 자침의 N극이
가리키는 방향은 같아.

Quiz 3
자석은 항상 두 극이 있으며 서로
(같은 / 다른) 극 사이는 끌어당기고
(같은 / 다른) 극 사이는 밀어낸다.

서로 같은 극끼리는
밀어내지.

서로 다른
극끼리는 붙어.

안녕~

답 1. 철 2. 자석, 남북 3. 다른, 같은

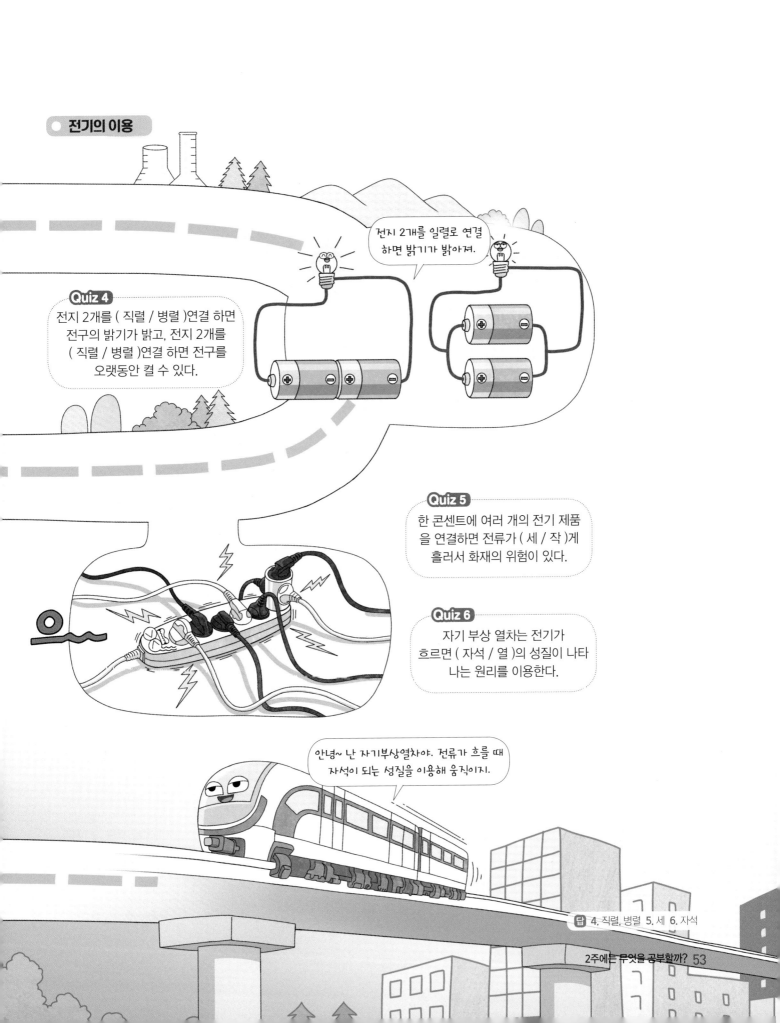

전기의 이용

전지 2개를 일렬로 연결하면 밝기가 밝아져.

Quiz 4
전지 2개를 (직렬 / 병렬)연결 하면 전구의 밝기가 밝고, 전지 2개를 (직렬 / 병렬)연결 하면 전구를 오랫동안 켤 수 있다.

Quiz 5
한 콘센트에 여러 개의 전기 제품을 연결하면 전류가 (세 / 작)게 흘러서 화재의 위험이 있다.

Quiz 6
자기 부상 열차는 전기가 흐르면 (자석 / 열)의 성질이 나타나는 원리를 이용한다.

안녕~ 난 자기부상열차야. 전류가 흐를 때 자석이 되는 성질을 이용해 움직이지.

답 4. 직렬, 병렬 5. 세 6. 자석

주제 1 **마찰 전기의 발생**

서로 다른 두 물체를 마찰하면 한 물체에서 다른 물체로 전자가 이동하고 전자를 잃은 물체는 (＋)전하, 전자를 얻은 물체는 (－)전하로 대전된다. 이때 두 물체를 가까이하면 서로 당기는 전기력을 작용한다.

└ (－) 전하를 띤다.

└ 당기는 힘과 밀어내는 힘이 있다.

중요 개념

● **마찰 전기** 서로 다른 두 물체를 마찰할 때 발생하는 전기
  (1) 마찰 전기의 발생 원인: 마찰할 때 한 물체에서 다른 물체로 ❶(ㅈㅈ)가 이동하기 때문
  (2) 마찰 전기의 종류: (＋)전하와 (－)전하가 있음
    ➡ ❷(ㅈㅈ)를 잃은 물체는 (＋)전하, ❸(ㅈㅈ)를 얻은 물체는 (－)전하로*대전됨
● **전기력** 전하를 띤 물체 사이에 작용하는 힘
  (1) 인력: 서로 ❹(ㄷㄹ) 전하 사이에서 끌어당기는 전기력
  (2) 척력: 서로 ❺(ㄱㅇ) 전하 사이에서 밀어 내는 전기력

Tip

마찰 전기에 의한 현상
• 머리를 빗을 때 머리카락이 빗에 달라붙는다.
• 털옷을 벗을 때 '지지직' 하는 소리가 난다.
• 비닐 종이가 손에 달라붙는다.

답 ❶ 전자 ❷ 전자 ❸ 전자
❹ 다른 ❺ 같은

개념 원리 확인

1-1

다음은 마찰 전기에 대한 설명이다. ( ) 안에서 알맞은 말을 고르시오.

(1) 마찰 전기는 마찰에 의해 한 물체에서 다른 물체로 (원자핵 / 전자)(이)가 이동하기 때문에 발생한다.

(2) 서로 다른 두 물체를 마찰할 때 전자를 ⊙(잃은 / 얻은) 물체는 (＋)전하로, 전자를 ⓛ(잃은 / 얻은) 물체는 (－)전하로 대전된다.

(3) 서로 다른 전하들 사이에는 ⊙(인력 / 척력)이 작용하고, 서로 같은 전하들 사이에는 ⓛ(인력 / 척력)이 작용한다.

마찰 전기는 서로 다른 물체를 마찰할 때 발생해.

1-2

마찰 전기에 대한 설명으로 옳은 것을 보기 에서 모두 고른 것은?

> **보기**
>
> ㄱ. 서로 같은 두 물체를 마찰하여도 마찰 전기는 발생한다.
>
> ㄴ. 마찰한 서로 다른 두 물체 사이에는 밀어내는 힘이 작용한다.
>
> ㄷ. 서로 다른 두 물체를 마찰하면 두 물체는 각각 다른 종류의 전하로 대전된다.

① ㄱ   ② ㄴ   ③ ㄷ

④ ㄱ, ㄴ   ⑤ ㄱ, ㄷ

전자는 (－)전하를 띠고 있어.

1-3

고무풍선을 털뭉치로 마찰한 다음, 고무풍선을 털뭉치에 가까이하였다. 빈칸에 알맞은 말을 쓰시오.

(1) 고무풍선과 털뭉치는 서로 다른 종류의 ( )로 각각 대전된다.

(2) 마찰할 때 털뭉치에서 고무풍선으로 ( )를 띠는 전자가 이동한다.

(3) 마찰한 후 털뭉치의 털들 사이에는 서로 ( )이 작용한다.

(4) 마찰 후 고무풍선을 털뭉치에 가까이하면 털과 고무풍선 사이에는 ( )이 작용한다.

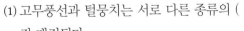

용어 풀이

＊ **전하**(電 전기, 荷 담당하다): 물질에서 전기적인 성질을 나타나게 하는 것

＊ **대전**(帶 띠다, 電 전기): 물체가 전기를 띠는 현상

주제 2 **정전기 유도**

금속에 대전체를 가까이하면 대전체가 띠는 전하에 의해 금속 내 전자가 대전체 쪽으로 모이거나 대전체로부터 먼 쪽으로 이동하여 금속의 양끝이 전하를 띠는 현상을 정전기 유도라고 한다.

중요 개념

*정전기 유도   대전체를 대전되지 않은 금속에 가까이할 때 금속의 양끝이 전기를 띠는 현상
(1) 대전체와 가까운 쪽: 대전체와 ❶(ㄷㄹ) 종류의 전하로 대전
(2) 대전체와 먼 쪽: 대전체와 ❷(ㄱㅇ) 종류의 전하로 대전
● 검전기   ❸(ㅈㅈㄱ) 유도를 이용해 물체의 대전 여부를 알아보는 기구
(1) (−)대전체를 금속판에 가까이할 때: 금속박은 (−)전하로 대전, 두 가닥이 서로 벌어짐
(2) (+)대전체를 금속판에 가까이할 때: 금속박은 (+)전하로 대전, 두 가닥이 서로 벌어짐

> **Tip**
>
> 검전기 구조
> ➡ 금속판, 금속 막대, 두 가닥의 금속박으로 되어 있음

답 ❶ 다른 ❷ 같은 ❸ 정전기

2-1

다음과 같은 현상을 무엇이라고 하는지 쓰시오.   (   )

> 전기를 띠지 않은 금속 물체에 대전체를 가까이할 때 금속 내의 전자가 이동하여 금속의 양쪽 끝이 전하를 띠게 된다.

금속 내의 전자들은 대전체의 영향을 받아 쉽게 이동해.

2-2

그림과 같이 (−)전하로 대전된 플라스틱 막대를 금속 깡통에 가까이 가져갔다. 이에 대한 설명으로 옳은 것을 보기 에서 모두 고른 것은?

> **보기**
>
> ㄱ. 정전기 유도 현상을 확인하기 위한 실험이다.
> ㄴ. 금속 깡통은 플라스틱 막대와 가까운 쪽이 (−)전하를 띤다.
> ㄷ. 금속 깡통 내의 전자들은 플라스틱 막대에서 먼 쪽으로 이동한다.
> ㄹ. 깡통과 플라스틱 막대 사이에 인력이 작용하여 깡통이 플라스틱 막대 쪽으로 끌려온다.

① ㄱ   ② ㄱ, ㄹ   ③ ㄴ, ㄷ

④ ㄱ, ㄷ, ㄹ   ⑤ ㄱ, ㄴ, ㄷ, ㄹ

전자는 (−)전하를 띠고 있으므로 대전체가 띠고 있는 전하가 (−)이면 전자는 멀리 이동해.

2-3

그림과 같이 (−)대전체를 대전되지 않은 금속 막대에 가까이 가져갔다. (   ) 안에서 알맞은 말을 고르시오.

(1) 금속 막대 내부에서 전자가 이동하는 방향은 (A → B / B → A)이다.

(2) 금속 막대의 A 부분이 띠는 전하의 종류는 ((+) / (−)) 전하이다.

(3) (−)대전체와 금속 막대 사이에 작용하는 전기력은 (척력 / 인력)이다.

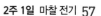

용어 풀이

＊**정전기**(靜 고요하다, 電 전기, 氣 기운): 물체 위에 정지해 있는 전기. 마찰에 의해 발생하는 마찰 전기도 정전기이다.

대표 기출문제 주제 1 마찰 전기의 발생

1-1

그림과 같이 고무풍선으로 털뭉치를 문질렀더니 털뭉치의 털들이 고무풍선에 달라붙었다.

이에 대한 설명으로 옳지 <u>않은</u> 것은?

① 털뭉치의 털들 사이에는 척력이 작용한다.

② 털뭉치에서 고무풍선으로 전자가 이동하였다.

③ 고무풍선과 털뭉치 사이에는 인력이 작용한다.

④ 고무풍선은 (−)전하로, 털뭉치는 (+)전하를 띠고 있다.

⑤ 고무풍선에는 (−)전하를 띠는 전자가 많아졌고 털뭉치에는 (+)전하를 띠는 원자핵이 많아졌다.

문제 해결 Point

가이드 | 전자는 (−)전하를 띠고 있으며 같은 전하 사이에는 척력, 다른 전하 사이에는 인력이 작용한다는 사실을 반드시 알아 두어야 한다.

해결 Point | ① 마찰 후 털뭉치는 (+)전하를 띤다. 이때 털들은 같은 (+)전하를 띠므로 서로 척력이 작용한다.
② 고무풍선은 (−)전하가 많고, 털뭉치는 (+)전하가 많은 것으로 보아 털뭉치에서 고무풍선으로 전자가 이동하였다.
③ 서로 다른 종류의 전하끼리는 인력이 작용한다.
④ 고무풍선은 (−)전하가 (+)전하보다 상대적으로 많으므로 (−)전하를, 털뭉치는 (+)전하가 (−)전하보다 상대적으로 많으므로 (+)전하를 띠고 있다.
⑤ 털뭉치에서 고무풍선으로 전자가 이동하여 전기를 발생한 것이고, 원자핵은 이동하지는 않는다.

1-2

전기적으로 중성이었던 털가죽과 플라스틱 빨대를 마찰했더니 털가죽은 (+)전하, 빨대는 (−)전하로 대전되었다.

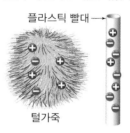

이에 대한 설명으로 옳은 것을 보기 에서 모두 고른 것은?

보기

ㄱ. 빨대에서 털가죽으로 (+)전하가 이동하였다.

ㄴ. 털가죽에서 빨대로 전자가 이동하였다.

ㄷ. 털가죽과 빨대 사이에는 인력이 작용한다.

① ㄱ   ② ㄴ   ③ ㄱ, ㄴ

④ ㄴ, ㄷ   ⑤ ㄱ, ㄴ, ㄷ

1-3

고무풍선 2개를 실에 매달고 털가죽으로 문질렀을 때 고무풍선이 띠고 있는 전하의 종류와 전기력을 옳게 나타낸 것은?

①  ②   ③

④   ⑤

Hint 고무풍선을 털가죽으로 문지르면 털가죽에서 고무풍선 쪽으로 전자가 이동한다.

대표 **기출문제** 주제**2** 정전기 유도

2-1

그림과 같이 (−)전하로 대전된 플라스틱 막대를 대전되지 않은 금속 깡통에 가까이하였다.

이에 대한 설명으로 옳은 것은?

① A쪽은 (+)전하로 대전된다.

② B쪽은 (−)전하로 대전된다.

③ 금속 내의 전자가 B에서 A쪽으로 이동한다.

④ 금속 내의 원자핵이 A에서 B쪽으로 이동한다.

⑤ 대전체를 금속 깡통에 가까이할수록 금속 깡통은 대 전체로부터 멀리 굴러간다.

문제 해결 Point

가이드 **정전기 유도**는, 대전체의 전하와 금속 내의 전자 사 이에 전기력이 작용하고 이때 전자가 이동하여 전기 를 띠는 현상이라는 것을 알아 두어야 한다.

해결 Point ①, ② 대전체와 가까운 쪽은 대전체와 다른 종류의 전하로 대전되고, 먼 쪽은 대전체와 같은 종류의 전 하로 대전된다.

③ 금속 내의 전자는 대전체가 띠는 (−)전하와 척력 이 작용하여 대전체로부터 먼 쪽으로 이동한다. 따 라서 전자는 B에서 A쪽으로 이동한다.

④ 물질은 원자핵과 전자로 이루어져 있으며 원자핵 에 비해 매우 가벼운 전자가 쉽게 이동한다.

⑤ 정전기 유도에 의해 대전체와 가까운 쪽은 대전 체와 다른 종류의 전하를 띠기 때문에 대전체와 금 속 사이에는 항상 인력이 작용한다.

2-2

마술사가 펼쳐 보이는 마술을 보고 두 학생이 대화하고 있다.

이에 대한 설명으로 옳은 것은?

① 금속 깡통에 마찰 전기가 발생하였다.

② 금속 깡통 내의 전자가 플라스틱 막대로 이동한다.

③ (가)에 들어갈 말은 '플라스틱 막대로부터 멀리 굴러간다.' 이다.

④ 플라스틱 막대가 띠는 전하에 의해 금속 깡통에 정전기 유 도 현상이 일어난다.

⑤ (나)에 들어갈 말은 '플라스틱 막대와 가까운 쪽 금속 깡통 에는 플라스틱 막대와 같은 종류의 전하가 유도된다.'이다.

Hint 금속 내 전자가 대전체가 띠는 전하에 의한 전기력을 받아 이동한다.

2-3

그림과 같이 대전되지 않은 검 전기의 금속판에 (+)대전체를 가까이하였다. 이에 대한 설명 으로 옳지 않은 것은?

① 금속판에는 (−)전하가 유도된다.

② 금속박에는 (+)전하가 유도된다.

③ 금속박의 전자가 금속판으로 이동한다.

④ 금속판의 전자가 금속박으로 이동한다.

⑤ 두 금속박 사이에는 척력이 작용하여 벌어진다.

주제 1 전류

도선에 전지와 전구를 연결하고 스위치를 닫으면 전구에 불이 켜진다. 전지는 전자를 계속 이동할 수 있도록 하며, 전자는 이동하면서 전하를 운반한다. 이러한 전하의 흐름을 전류라고 한다.
└ 전자 및 이온 등은 전하를 운반하는 역할을 한다.

중요 개념

- **전류** ❶(ㅈㅎ)의 흐름, 세기는 전류계로 측정
- **전류의 방향과 전자의 이동 방향** 전류가 흐르는 방향과 전자의 이동 방향은 서로 ❷(ㅂㄷ).
  - (1) 전자의 이동 방향: ❸(ㅈㅈ)는 전지의 (−)극에서 나와 도선을 따라 (+)극 쪽으로 이동
  - (2) 전류의 방향: ❹(ㅈㄹ)는 전지의 (+)극에서 도선을 따라 (−)극 쪽으로 흐름
    └ 전류와 전자의 이동 방향이 서로 반대인 이유: 전류의 방향을 정한 후 나중에 전자가 발견되었기 때문

물의 흐름	전기 회로
물의 흐름	전류
펌프	전지
파이프	도선
물레방아	전구

▲ 물의 흐름과 전기 회로 비교

Tip

전류의 세기
➡ 도선을 통과하는 전하의 양으로 나타내며, 단위로는 A(암페어)를 사용한다.
1 A = 1000 mA

답 ❶ 전하 ❷ 반대 ❸ 전자 ❹ 전류

개념 원리 확인

1-1

전자에 대한 설명에는 '전자', 전류에 대한 설명에는 '전류'라고 쓰시오.

(1) (ㅡ)전하를 띠고 있다. ( )

(2) 전하의 흐름을 의미한다. ( )

(3) 전지의 (＋)극에서 도선을 따라 (ㅡ)극 쪽으로 흐른다. ( )

(4) 전지의 (ㅡ)극에서 도선을 따라 (＋)극 쪽으로 이동한다. ( )

(5) 전기 회로에서 실제로 도선을 따라 이동하는 것이다. ( )

(6) 세기를 나타내는 단위로 A(암페어)를 사용한다. ( )

도선 속 전자는
전지의 (＋)극 쪽으로
끌려가.

1-2

그림은 전구가 연결된 전기 회로에서 전류의 흐름을 모형으로 나타낸 것이다. ( ) 안에서 알맞은 말을 고르시오.

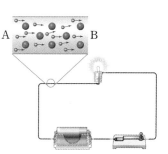

(1) A에서 B쪽으로 이동하는 것은 (전자 / 원자)이다.

(2) 전류의 방향은 (A → B / B → A)이다.

(3) A는 전지의 ㉠((＋) / (ㅡ))극 쪽에, B는 전지의
㉡((＋) / (ㅡ))극 쪽에 연결되어 있다.

수도관을 따라 물이 흐르는
것처럼 전기 회로에서
도선을 따라 전류가 흘러.

1-3

그림은 전기 회로를 수로에 비유하여 나타낸 것이다. 수로에서 **보기**와 같은 역할을 하는 것은 전기 회로의 무엇에 비유되는가?

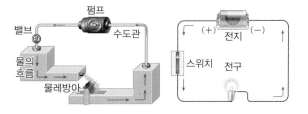

> **보기**
>
> 낮은 곳의 물을 높은 곳으로 끌어올려 물이 흐르도록 한다.

① 전지　　　　　　② 전구　　　　　　③ 도선

④ 전류　　　　　　⑤ 스위치

용어 풀이

＊**전자**(電 전기, 子 아들): 원자를 이루는 기본 입자로 (ㅡ)전하를 띠고 있는 입자이다.

주제 2 전압

수로에서 펌프는 낮은 곳의 물을 높은 곳으로 끌어올려 물이 계속 흐르도록 한다. 전기 회로에서 전지는 전류를 계속 흐르도록 하는데, 이처럼 전류를 흐르게 하는 능력을 <u>전압</u>이라고 한다. ── 수조의 펌프와 같은 역할
└─ 물의 높이 차에 비유

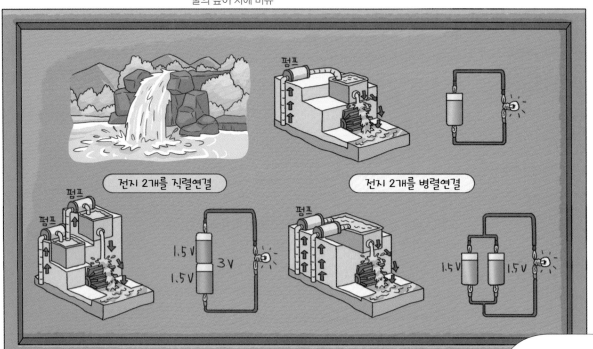

전지 2개를 직렬연결

전지 2개를 병렬연결

1.5 V / 1.5 V

3 V

1.5 V 1.5 V

펌프로 물을 끌어올리면 물의 높이 차이로 생긴 수압에 의해 물이 흐르듯이 전기 회로에서는 전지의 전압에 의해 전류가 흘러. 퍼올리는 물의 양이 많을수록 물레방아를 더 오랫동안 돌리네.

물을 높이 퍼올리면 물레방아가 세차게 돌 듯 전지를 직렬연결 하면 전구가 밝고, 퍼올리는 물의 양이 많을수록 물레방아를 오랫동안 돌리듯 전지를 병렬연결 하면 전구를 오랫동안 켤 수 있어.

중요 개념

- **전압** 전기 회로에서 ❶(ㅈㄹ)를 흐르게 하는 능력
  (1) 단위: V(볼트)를 사용
  (2) 측정: ❷(ㅈㅇㄱ)를 이용하여 측정
- **전류계와 전압계** 전류계는 회로에 *직렬연결, 전압계는 회로에 *병렬연결
  (1) 기기의 (+), (−)단자를 전지의 (+), (−)극과 일치되게 연결
  (2) 전류계는 전구 없이 전지에 직접 연결하지 않음
  (3) 값을 읽을 때는 연결한 (−)단자에 해당하는 눈금을 읽음
  (4) (−)단자는 최댓값이 큰 단자부터 연결
  └─ 실제는 저항이 있는 회로 요소를 말함

Tip

전기 회로도

└ 전압계
└ 전류계
긴 것+ └┤├┘ 짧은 것−

답 ❶ 전류 ❷ 전압계

2-1

전압에 대한 설명이다. 빈칸에 알맞은 말을 보기 에서 모두 골라 쓰시오.

> 보기
>
> 전자   전류   전류계   전압계   높이 차   펌프

(1) 전압은 전기 회로에 (   )를 흐르게 하는 능력이다.

(2) 전압은 단위로 V(볼트)를 사용하며 (   )로 측정한다.

(3) 전기 회로를 물이 흐르는 수로에 비유할 때 전압은 물의 (   )에 해당한다.

수도관에서 물이 흐르듯이 전기 회로에서 전류가 흘러.

2-2

그림은 전기 회로를 물의 흐름에 비유하기 위해 나타낸 것이다. (가), (나)에서 역할이 비슷한 것끼리 선으로 연결하시오.

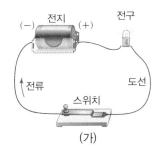

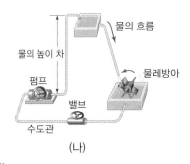

(가)		(나)
(1) 전지 •		• ㉠ 물의 흐름
(2) 전구 •		• ㉡ 물의 높이 차
(3) 전류 •		• ㉢ 펌프
(4) 전압 •		• ㉣ 물레방아

전류계는 한 줄로 연결하지만 전압계는 두 줄로 연결해.

2-3

전류계와 전압계에 대한 설명으로 옳은 것을 모두 고르면? (정답 2개)

① 전류계는 회로에 병렬로, 전압계는 회로에 직렬로 연결한다.

② (+)단자는 전지의 (+)극 쪽에, (−)단자는 전지의 (−)극 쪽에 연결한다.

③ 전류계와 전압계 모두 전구나 저항 없이 전지에 직접 연결해도 된다.

④ 눈금을 읽을 때는 연결된 (−)단자에 표시된 눈금에 해당하는 값을 읽는다.

⑤ 측정값을 모를 때는 (−)단자 중 최댓값이 가장 작은 값의 단자부터 연결한다.

대표 기출문제 주제 **1** 전류

1-1

그림과 같은 전기 회로에 전류가 흐르고 있다.

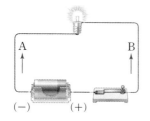

이에 대한 설명으로 옳은 것을 보기 에서 모두 고른 것은?

보기

ㄱ. 전류는 B 방향으로 흐른다.

ㄴ. 전자는 A 방향으로 이동한다.

ㄷ. 전지의 극을 반대로 바꾸어 연결하여도 전류의 방향은 바뀌지 않는다.

① ㄱ   ② ㄴ   ③ ㄱ, ㄴ

④ ㄱ, ㄷ   ⑤ ㄴ, ㄷ

1-2

전류에 대한 설명으로 옳지 않은 것은?

① 전류는 전하의 흐름이다.

② 세기를 나타내는 단위로 A(암페어)를 쓴다.

③ 전류는 전지의 (−)극에서 도선을 따라 (+)극 쪽으로 흐른다.

④ 전기 회로에서 실제로는 전자의 이동에 의해 전류의 흐름이 발생한다.

⑤ 전류의 세기는 전류계로 측정하며 (−)단자에 연결된 값에 해당하는 눈금을 읽는다.

1-3

그림과 같은 전기 회로의 A 지점에서 전류가 흐르는 것을 모형으로 옳게 나타낸 것은?

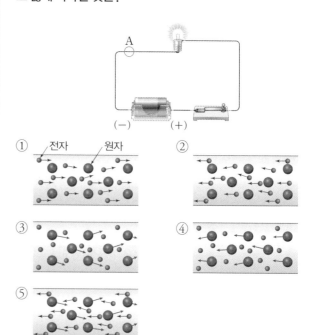

Hint 전자는 (−)전하를 띠고 있으므로 전지의 (+)극 쪽으로 전기력을 받아 이동한다.

문제 해결 Point

가이드   전기 회로에서 **전류와 전자의 이동 방향**은 전지의 극을 기준으로 정한다는 사실을 알아 두어야 한다.

해결 Point   ㄱ. 전류는 전지의 (+)극에서 도선을 따라 (−)극 쪽으로 흐르기 때문에 B 방향이다.

ㄴ. 전자는 전지의 (−)극에서 나와 도선을 따라 (+)극 쪽으로 이동하기 때문에 A 방향이다.

ㄷ. 전지의 극을 바꾸어 연결하면 전류와 전자의 방향이 현재와는 정반대가 된다.

2-1

그림과 같은 전압계의 사용법에 대한 설명으로 옳지 <u>않은</u> 것은?

① 측정하고자 하는 회로에 병렬로 연결한다.

② 눈금판에 표시된 최댓값을 넘지 않는 범위 내에서 측정한다.

③ 전압계의 단자를 전지의 극에 반대로 연결하면 바늘이 왼쪽으로 끝으로 돌아간다.

④ 전압계의 (+)단자는 전지의 (+)극 쪽에, (−)단자는 전지의 (−)극 쪽에 연결한다.

⑤ 전압의 크기를 알 수 없을 경우 (−)단자의 최댓값이 가장 작은 것부터 먼저 연결한다.

문제 해결 Point

가이드 **전압계**의 사용 방법을 숙지하고 회로에 잘못 연결하였을 때 나타나는 현상들을 알아 두어야 한다.

해결 Point ① **전압계**는 전기 기구에 걸리는 전압을 측정하기 위해 병렬로 연결한다.

③ (+)단자와 (−)단자를 전지의 극에 잘못 연결하였을 때는 바늘이 눈금판의 0보다 더 아래, 즉 왼쪽 끝으로 회전하여 전압의 크기를 측정할 수 없다.

⑤ 최댓값이 작은 단자에 연결하였을 때는 예상보다 큰 전압이 걸리므로 바늘이 측정 범위를 넘어 오른쪽 끝까지 넘어가므로 정확한 값을 측정할 수 없다. 따라서 최댓값이 가장 큰 단자부터 연결하고 바늘이 너무 작게 움직이면 작은 단자에 옮겨 연결한다.

2-2

그림은 어떤 회로의 전구에 연결한 전류계와 전압계의 모습을 각각 나타낸 것이다.

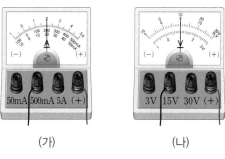

(가)   (나)

이 전구에 흐르는 전류의 세기와 전압을 옳게 말하고 있는 사람을 쓰시오.

전류는 2 A이고 전압은 5 V야.

전류는 0.2 A이고 전압은 5 V야.

전류는 20 A이고 전압은 10 V야.

수진   준우   예은

2-3

전구에 걸리는 전압과 흐르는 전류의 세기를 측정하려고 할 때 전압계와 전류계를 옳게 연결한 회로는?

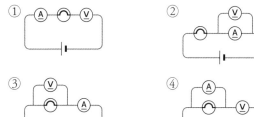

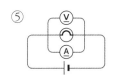

전기 회로에서 니크롬선에 걸리는 전압이 2배, 3배, …로 증가하면 전류의 세기도 2배, 3배, …로 증가한다. 이처럼 전류의 세기는 전압에 비례하여 커진다. 이러한 관계를 옴의 법칙이라고 한다.

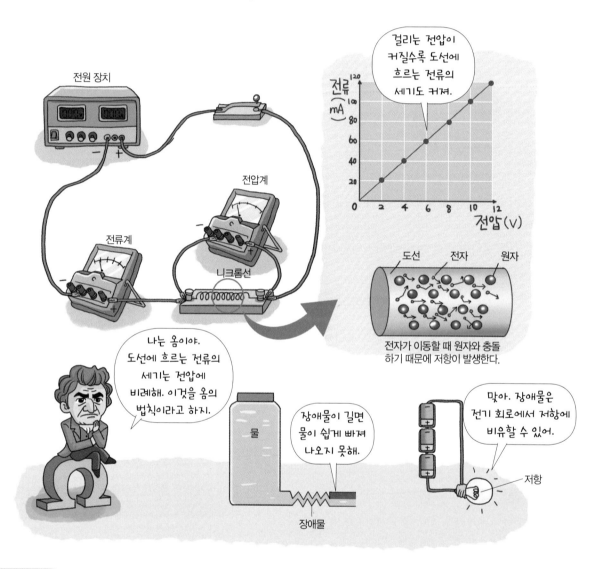

걸리는 전압이 커질수록 도선에 흐르는 전류의 세기도 커져.

전자가 이동할 때 원자와 충돌하기 때문에 저항이 발생한다.

나는 옴이야. 도선에 흐르는 전류의 세기는 전압에 비례해. 이것을 옴의 법칙이라고 하지.

장애물이 길면 물이 쉽게 빠져 나오지 못해.

물

장애물

맞아. 장애물은 전기 회로에서 저항에 비유할 수 있어.

저항

중요 개념

● **전압과 전류의 관계** 회로에 흐르는 전류의 세기는 전압에 ❶(ㅂㄹ)하여 커짐
  (1) 전기 저항: ❷(ㅈㄹ)의 흐름을 방해하는 정도
  (2) 저항의 단위: Ω(옴)을 사용

● **옴의 법칙** 도선에 흐르는 전류의 세기는 ❸(ㅈㅇ)에 *비례, 전기 저항에 *반비례함

$$전류의 세기 = \frac{전압}{전기 저항}, \quad I = \frac{V}{R}, V = IR, R = \frac{V}{I}$$

Tip

옴
➡ 옴의 법칙을 발견한 옴(Ohm, 1789~1854)의 이름에서 저항을 나타내는 단위로 Ω(옴)을 사용

답 ❶ 비례 ❷ 전류 ❸ 전압

개념 원리 확인

○ 정답과 해설 **11**쪽

1-1

다음은 다음은 전기 회로에 대한 설명이다. (　) 안에서 알맞은 말을 고르시오.

(1) 전기 회로에서 전류의 흐름을 방해하는 정도를 (전기 저항 / 자유 전자)(이)라고 한다.

(2) 전기 회로에서 전기 저항이 일정할 때 걸리는 (전류 / 전압)(가)이 클수록 (전류 / 전압)의 세기는 (커 / 약해)진다.

(3) 전기 회로에서 전압이 일정할 때 (전기 저항 / 전류)의 크기가 클수록 (전기 저항 / 전류)의 세기는 (커 / 약해)진다.

(4) 전기 회로에서 전류의 세기는 걸리는 (전압 / 전기 저항)에 비례하고 (전기 저항 / 전류)에 반비례한다.

전기 회로에서 전류의 세기는 걸리는 전압에 비례하고 저항에 반비례해.

1-2

전압(V), 전류(I), 저항(R)의 관계를 나타낸 그래프로 옳은 것을 보기 에서 모두 고른 것은?

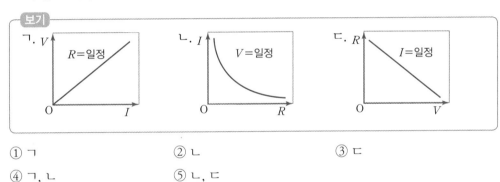

보기
ㄱ. V, R=일정
ㄴ. I, V=일정
ㄷ. R, I=일정

① ㄱ　　　　　　② ㄴ　　　　　　③ ㄷ

④ ㄱ, ㄴ　　　　⑤ ㄴ, ㄷ

같은 전압이 걸릴 때 전류의 세기를 보면 A＞B＞C야. 전류는 저항에 반비례하니까 저항은 A＜B＜C지.

용어 풀이

＊비례(比 따르다, 例 규칙): 한쪽의 양이 증가하는 만큼 그와 관련 있는 다른 쪽 양도 증가하는 관계

＊반비례(反 되돌리다, 比 따르다, 例 규칙): 어떤 양이 커질 때 다른 쪽 양이 그와 같은 비율로 작아지는 관계

1-3

그래프는 도선 A, B, C에 걸리는 전압과 전류 사이의 관계를 나타낸 것이다. 이에 대한 설명으로 옳은 것은? (정답 2개)

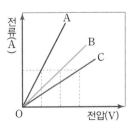

① 전류의 세기는 전압에 비례한다.

② A의 저항은 B의 저항보다 크다.

③ C의 저항은 A의 저항보다 크다.

④ 도선 A, B, C에 흐르는 전류의 세기는 같다.

⑤ 세 도선의 저항을 비교해 보면 A＞B＞C이다.

2주 3일 전류, 전압, 저항의 관계

주제 2 **저항의 연결**

저항은 도선이 길어지면 커지고 도선이 ~~굵어지면~~ 작아진다. 따라서 저항을 직
~~도선의 단면적이 커지면~~
렬연결하면 도선의 길이가 길어져 전류의 세기가 작아지고, 병렬연결하면 도
선이 굵어져 전류의 세기가 커진다.
└─ 도선의 단면적이 커져서

> 도선의 전기 저항은
> 도선의 길이에 비례하고
> 단면적에 반비례해.

중요 개념

● **저항에 영향을 주는 요인** 도선의 ❶(ㅈㄹ), 도선의 ❷(ㄱㅇ)와 *단면적
➡ 같은 도선이어도 도선의 길이가 길수록, 단면적이 작을수록 저항이 크다.
● **저항의 연결** 직렬연결과 병렬연결

구분	직렬연결	병렬연결
기호	—〰〰〰—	⊏〰〰⊐
특징	• 전체 저항이 커짐 • 각 저항에 흐르는 전류의 세기가 같음	• 전체 저항이 작아짐 • 각 저항에 걸리는 전압의 크기가 같음
쓰임	한 줄로 연결된 작은 전구들, 퓨즈	멀티탭, 가정용 전기 배선

Tip

가정용 배선
➡ 가정의 전기 기구는 모
두 병렬연결 하여 사용한
다. 각각의 기구를 따로따
로 켜거나 끌 수 있기 때
문이다.

답 ❶ 종류 ❷ 길이

개념 원리 확인

2-1

전기 저항에 대한 설명으로 옳은 것을 보기 에서 모두 고르시오.　　　　　　（　　　　　）

> 보기
>
> ㄱ. 전기 저항은 전자가 이동하면서 원자와 충돌하기 때문에 발생한다.
> ㄴ. 도선의 단면적이 같을 때 길이가 길수록 전기 저항이 크다.
> ㄷ. 도선의 길이가 같을 때 단면적이 클수록 전기 저항이 크다.

저항을 직렬연결 하면 각 저항에 흐르는 전류의 세기가 같고 병렬연결 하면 각 저항에 걸리는 전압이 같아.

2-2

저항의 직렬연결에 대한 것은 '직렬', 병렬연결에 대한 것은 '병렬'이라고 쓰시오.

(1) 연결하는 저항의 개수를 늘리면 전체 저항은 커진다.　　　　　　（　　　　　）
(2) 연결하는 저항의 개수를 늘리면 전체 저항은 작아진다.　　　　　　（　　　　　）
(3) 각 저항에 흐르는 전류의 세기가 같다.　　　　　　（　　　　　）
(4) 각 저항에 걸리는 전압의 크기가 같다.　　　　　　（　　　　　）
(5) 가정의 전기 배선, 멀티탭 등에 사용된다.　　　　　　（　　　　　）

가정의 전기 기구를 병렬연결 하여 사용하는 것은 각 기구마다 독립적으로 켰다 껐다 할 수 있기 때문이야.

2-3

그림은 가정에서 사용하는 전기 기구들이 전원에 연결된 모습을 간단히 나타낸 것이다. (　　) 안에서 알맞은 말을 고르시오.

전원　　전등　　냉장고　　세탁기　　텔레비전

(1) 전기 기구들은 모두 전원에 (직렬 / 병렬)연결 하여 사용한다.
(2) 각 전기 기구에 흐르는 전류의 세기는 (같다 / 다르다).
(3) 모든 전기 기구에는 (같은 / 다른) 크기의 전압이 걸린다.
(4) 만약 전등의 스위치를 열면 나머지 전기 기구에 흐르는 전류는 (차단된다 / 상관없다).

용어 풀이

＊ **단면적**(斷 끊는다, 面 표면, 積 되다): 물체를 한 평면으로 잘랐을 때 그 절단 부분인 단면의 넓이, 단위는 m², cm²

대표 기출문제 **주제 1** 전압과 전류의 관계

1-1

그래프는 두 니크롬선 A와 B에 걸리는 전류와 전압 세기 관계를 나타낸 것이다.

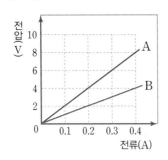

이에 대한 설명으로 옳지 <u>않은</u> 것은?

① A의 저항은 20 Ω이다.

② A의 저항은 B의 2배이다.

③ 그래프의 기울기는 저항을 나타낸다.

④ 전류의 세기가 같을 때 B에 걸리는 전압은 A에 걸리는 전압의 2배이다.

⑤ 같은 전압이 걸릴 때 B에 흐르는 전류의 세기는 A에 흐르는 전류의 2배이다.

가이드 전류와 전압의 그래프가 주어졌을 때 전류와 전압의 관계를 이해하고 **옴의 법칙**을 이용하여 전기 저항을 구할 수 있어야 한다.

해결 Point ① A의 저항$=\dfrac{\text{전압}}{\text{전류}}=\dfrac{4\,\text{V}}{0.2\,\text{A}}=20\,\Omega$이다.

② B의 저항$=\dfrac{\text{전압}}{\text{전류}}=\dfrac{2\,\text{V}}{0.2\,\text{A}}=10\,\Omega$, 따라서 A의 저항은 B의 2배이다.

③ 기울기$=\dfrac{\text{세로}}{\text{가로}}=\dfrac{\text{전압}}{\text{전류}}=$저항

④ 전류의 세기가 0.2 A일 때 B에 걸리는 전압은 2 V, A에 걸리는 전압은 4 V이다.

⑤ 전압이 4 V 걸릴 때 A는 0.2 A, B는 0.4 A의 전류가 흐른다.

1-2

그림과 같은 회로에서 니크롬선에 걸리는 전압을 2배, 3배, …로 증가하면서 이때 흐르는 전류의 세기를 측정한 값을 표로 나타낸 것이다.

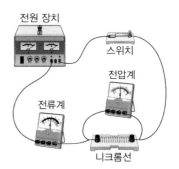

전압(V)	전류(A)
0	0
1.5	0.15
3.0	0.30
4.5	0.45
6.0	(가)

(가)에 들어갈 값과 이 니크롬선의 저항을 옳게 짝 지은 것은?

	(가)	저항(Ω)		(가)	저항(Ω)
①	0.6	10	②	0.6	20
③	6.0	30	④	6.0	40
⑤	6.0	60			

Hint 전류의 세기는 전압의 크기에 비례한다.

1-3

저항이 일정한 어떤 니크롬선에 걸리는 전압과 전류의 세기의 관계를 나타내는 그래프로 옳은 것은?

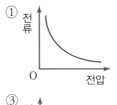
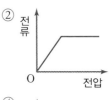
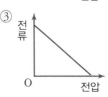
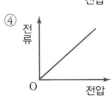
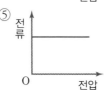

대표 기출문제 주제 **2** 저항의 연결

2-1

똑같은 전구 5개를 그림과 같이 연결하고 같은 3 V의 전압을 걸어주었다.

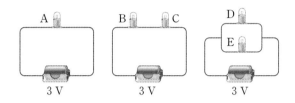

이에 대한 설명으로 옳은 것을 보기 에서 모두 고른 것은?

보기

ㄱ. 걸리는 전압이 같은 전구는 A, D, E이다.
ㄴ. 전구 A, D, E에 흐르는 전류의 세기는 같다.
ㄷ. 전구의 밝기를 비교해 보면 A>D=E>B=C이다.

① ㄱ　　　　② ㄴ　　　　③ ㄷ

④ ㄱ, ㄴ　　　⑤ ㄴ, ㄷ

문제 해결 Point

가이드 　똑같은 전구이므로 저항 값은 같고 각각의 전구에 걸리는 전압의 크기를 확인한 후 전구에 흐르는 전류의 세기를 **옴의 법칙**을 이용해 구할 수 있어야 한다.

해결 Point　ㄱ. 전구 A, D, E에 걸린 전압의 크기는 모두 3 V로 같다.
ㄴ. 똑같은 전구 A, D, E에 걸리는 전압이 각각 같으므로 전류의 세기가 같다.
ㄷ. 전구의 밝기를 비교하면, A=D=E>B=C이다.

2-2

그림과 같이 전압이 18 V인 전지에 3 Ω, 6 Ω인 저항 두 개를 직렬 연결하였다.

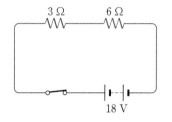

이에 대한 설명으로 옳지 **않은** 것은?

① 전체 저항은 9 Ω이다.
② 전체 회로에 흐르는 전류의 세기는 2 A이다.
③ 저항 3 Ω에 흐르는 전류의 세기는 2 A이다
④ 두 저항에 걸리는 전압은 각각 18 V로 같다.
⑤ 만약 저항 3 Ω이 끊어지면 회로 전체에 전류가 흐르지 못한다.

Hint 저항 2개를 직렬연결하면 각 저항에 걸리는 전압의 합은 전체 전압과 같다.

2-3

그림과 같이 전압이 18 V인 전지에 3 Ω, 6 Ω인 저항 두 개를 병렬 연결하였다.

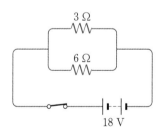

이에 대한 설명으로 옳지 **않은** 것은?

① 전체 저항은 2 Ω이다.
② 전체 회로에 흐르는 전류의 세기는 9 A이다.
③ 저항 3 Ω에 흐르는 전류의 세기는 6 A이다.
④ 각각의 저항에 걸리는 전압은 모두 18 V로 같다.
⑤ 만약 저항 3 Ω이 끊어지면 회로 전체에 흐르는 전류의 세기는 커진다.

Hint 저항 2개를 병렬연결하면 각 저항에 걸리는 전압의 크기는 같다.

주제 1 **자기장과 자기력선**

자석 사이에는 서로 밀거나 당기는 자기력을 작용한다. 자기력이 미치는 공간
┌ 자석이 미치는 힘, 인력이나 척력으로 작용
을 자기장이라고 하며 자기장의 방향은 자침의 N극이 가리키는 방향, 즉 자석
의 N극에서 나와 S극으로 들어가는 방향이다.

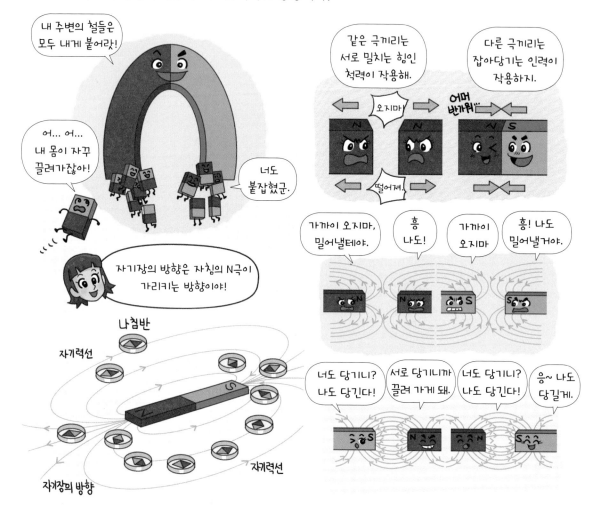

중요 개념

● **자기장:** ❶ (ㅈㄱㄹ)이 작용하는 공간 ┌ 자침의 N극이 가리키는 방향
(1) 자기장의 방향: 자석의 N극에서 나와 S극으로 들어가는 방향
(2) 자기장의 세기: 자석의 양끝 쪽이 가장 세고 자석으로부터 멀수록 세기가 약하다.
● **자기력선** ❷ (ㅈㄱㅈ)의 모습을 선으로 나타낸 것
(1) 자기력선은 중간에 끊어지지 않으며 교차하지 않는다.
(2) 자기력선이 촘촘할수록 자기장의 세기가 세다.

Tip

자기력
➡ 자석의 같은 극끼리는
서로 밀어내고 다른 극끼
리는 당기는 힘을 작용

답 ❶ 자기력 ❷ 자기장

1-1

자기장에 대한 설명이다. ( ) 안에서 알맞은 말을 고르시오.

(1) (자기력 / 전기력)이 작용하는 공간을 자기장이라고 한다..

(2) 자기장의 방향은 자석의 (N / S)극에서 나와 (N / S)극으로 들어가는 방향이다.

(3) 자기장의 세기는 자석의 (중앙 / 양쪽 끝)에 가까울수록 세다.

1-2

그림은 두 개의 자석 주위의 자기장을 선으로 나타낸 것이다. 두 자석의 끝 부분 (가)와 (나)에 해당하는 극의 종류와 A 위치에 놓인 나침반 자침의 모습을 옳게 짝 지은 것은? (단, 나침반 자침의 N극은 빨간색, S극은 파란색이다.)

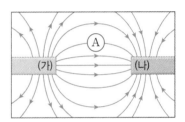

자기장의 방향은 나침반 자침의 N극이 가리키는 방향이야.

	(가)	(나)	A
①	N극	S극	
②	N극	S극	
③	S극	N극	
④	S극	N극	
⑤	N극	S극	

같은 극 사이에는 서로 밀어내는 척력, 다른 극 사이에는 끌어당기는 인력이 작용해.

1-3

두 자석 주위의 자기장을 자기력선으로 옳게 나타낸 것은?

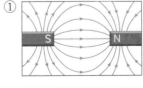

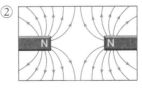

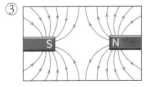

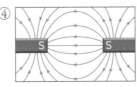

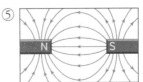

용어 풀이

* **자기장**(磁 자석, 氣 기운, 場 마당): 자석이나 전류 주위에 발생하는 자기력이 작용하는 공간
* **자극**(磁 자석, 極 끝): 자기력이 가장 센 부분, 자석의 양쪽 끝 부분

2주 4일 전류가 만드는 자기장

주제 2 **도선 주위의 자기장**

전류가 흐르는 ⌐같은 중심을 갖는 원 도선 주위에도 자석 주위와 같은 자기장이 생긴다. 직선 도선 주위에는 동심원 모양의 자기장이 생기고, 코일 주위에는 막대자석 주위와 같은 자기장이 생긴다. 이러한 원리를 이용한 대표적인 예로 전자석이 있다.
└ 전류가 흐를 때 자석의 성질이 있다.

중요 개념

- **직선 도선 주위의 자기장** 전류 주위에도 ❶(ㅈㄱㅈ)이 발생
➡ 자기장의 방향: 오른손의 엄지를 전류의 방향과 일치시키고 네 손가락으로 도선을 감아줄 때, 네 손가락이 감기는 방향
- **코일 주위의 자기장** 오른손의 네 손가락을 ❷(ㅈㄹ)의 방향으로 감아쥐고 엄지를 펼 때, 엄지가 가리키는 방향 ⇨ 엄지가 가리키는 쪽이 N극의 방향
- **전자석** 코일 속에 철심을 넣어 만든 자석 ⇨ 코일에 전류가 흐르는 동안에만 ❸(ㅈㅅ)이 됨, 전류의 방향이 바뀌면 전자석의 극도 바뀜

Tip

전자석
➡ 원통 모양으로 도선을 여러 번 감아 만든 코일 속에 철심을 넣어 만든 것으로 코일에 전류가 흐를 때만 자석이 된다.

답 ❶ 자기장 ❷ 전류 ❸ 자석

2-1

다음은 전기와 전기에 대한 설명을 정리한 것이다. 빈칸에 알맞은 말을 쓰시오.

> 그림과 같이 도선에 전류가 흐르면 도선 주위에 놓아 둔 나침반의 자침이 움직인다.
> 이것은 전류가 흐르는 도선 주위에 (　　　　　)이 생겼기 때문이다.

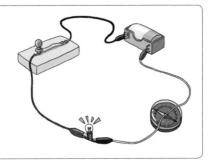

2-2

그림과 같이 직선 도선에 전류가 흐르고 있고, 도선을 중심으로 A, B, C 위치에 나침반이 놓여 있다. 나침반 자침의 모습을 옳게 나타낸 것은? (단, 지구 자기장은 무시하고 자침은 N◆S 이다.)

	A	B	C
①			
②			
③			
④			
⑤			

> 자기장의 방향은 자석의 N극에서 나와 S극으로 들어가.

> 코일에 전류가 오른손의 네 손가락 방향으로 흐를 때 엄지는 자기장의 방향을 가리켜.

용어 풀이

＊**코일**(coil): 도선을 나사 모양이나 원통형 모양으로 여러 번 감은 도선

2-3

전류가 흐르는 코일 주위의 자기장 방향은 그림과 같이 오른손을 이용하면 쉽게 알 수 있다. 그림에서 화살표 A, B는 각각 무엇을 나타내는지 쓰시오.

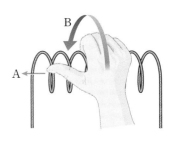

A: (　　　　　)
B: (　　　　　)

2주 4일 기초 집중 연습

대표 기출문제 주제 1 자기장과 자기력선

1-1

자기장과 자기력선에 대한 설명으로 옳은 것을 보기 에서 모두 고른 것은?

보기
ㄱ. 자기력선이 굵게 표시된 곳에서의 자기장의 세기가 가장 세다.
ㄴ. 자기장의 방향은 자석의 N극에서 나와 S극으로 들어가는 방향이다.
ㄷ. 자기장 내의 한 곳에 나침반을 놓을 때 자침의 N극이 가리키는 방향은 그 위치에서의 자기장 방향이다.

① ㄱ ② ㄴ ③ ㄱ, ㄴ
④ ㄱ, ㄷ ⑤ ㄴ, ㄷ

문제 해결 Point

가이드 자기장은 자기력이 작용하는 공간으로 방향과 세기가 있는 물리량이다. 자기장의 세기는 자석의 끝(극) 부분이 가장 세고, 방향은 **자석의 N극**이 가리키는 방향이라는 것을 꼭 알아 두어야 한다.

해결 Point ㄱ. 자기장은 눈에 보이지 않으므로 자기력선을 이용하여 나타낸다. 자기력선을 그릴 때는 자석의 N극에서 나와서 S극으로 들어가게 그린다. 자기력선이 조밀할수록 자기장의 세기가 세다. 자기력선의 굵기와 자기장의 세기와는 관계없다.
ㄴ. 자기장의 방향은 자석의 N극에서 나와 S극으로 들어가는 방향이다.
ㄷ. 자기장 내의 한 곳에 나침반을 놓을 때 나침반 자침의 N극이 가리키는 방향이 그 위치에서의 자기장의 방향이다.

1-2

자석과 자기장에 대한 설명으로 옳은 것은? (정답 2개)

① 자석 주위에만 자기장이 형성된다.
② 자석에 가까운 곳일수록 자기장의 세기가 세다.
③ 자석의 양 끝 쪽에 가까울수록 자기력선들은 하나로 합쳐진다.
④ 자석의 N극과 S극 사이에는 서로 밀어내는 자기장이 형성된다.
⑤ 자기장의 방향은 자석 주위에 놓은 나침반 자침의 N극이 가리키는 방향이다.

Hint 도선에 전류가 흐르면 도선 주위에도 자기장이 생성된다. 자석의 서로 다른 극 사이에는 당기는 힘이 작용한다.

1-3

그림과 같이 막대자석 주변의 A, B, C 지점에 나침반을 놓았을 때 나침반 자침의 방향을 옳게 나타낸 것은? (단, N◆S이고, 지구 자기장은 무시한다.)

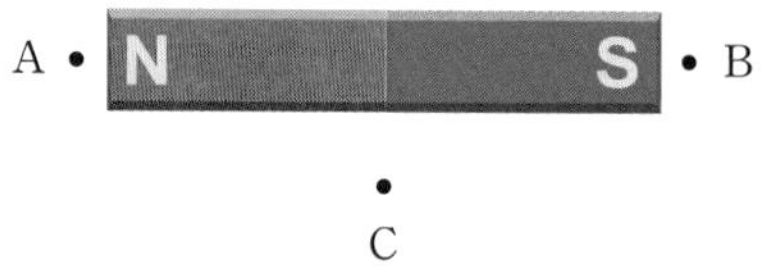

A
N
S
B
C

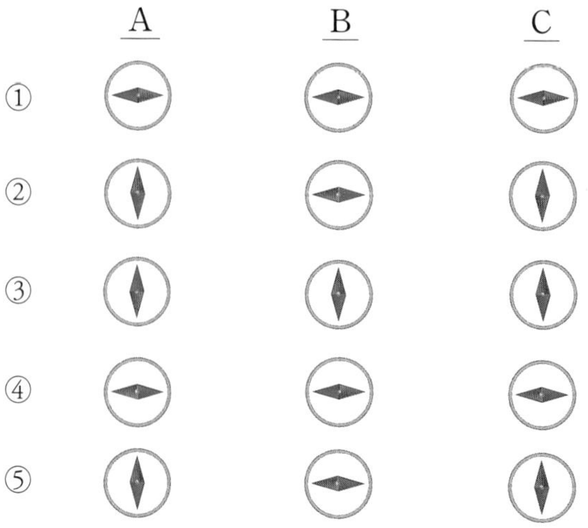

A
B
C
①
②
③
④
⑤

대표 기출문제 **주제 2** 전류 주위의 자기장

2-1

직선 도선에 나침반을 위와 아래에 각각 놓고 전류를 화살표 방향으로 흘려 주었을 때, 나침반 자침의 방향을 옳게 나타낸 것은? (단, 지구 자기장은 무시하고 N ◆ S 이다.)

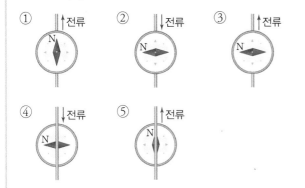

2-2

자석이나 전류가 흐르는 도선 주위에 생기는 자기장의 방향을 화살표로 나타낸 것으로 옳지 않은 것은?

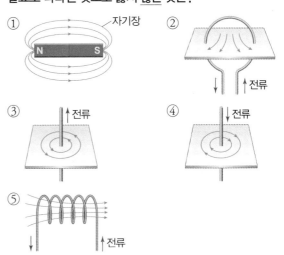

2-3

그림과 같이 도선을 여러 번 감은 코일에 화살표 방향으로 전류가 흐르고 있다.

이에 대한 설명으로 옳은 것을 보기 에서 모두 고른 것은?

보기
ㄱ. 코일 내부에서 자기장의 방향은 (나) → (가)이다.
ㄴ. (가) 위치에 나침반을 놓으면 자침의 N극은 (나) 쪽을 가리킨다.
ㄷ. (나) 위치에 나침반을 놓으면 자침의 N극은 (가) 쪽을 가리킨다.

① ㄱ   ② ㄴ   ③ ㄱ, ㄴ
④ ㄱ, ㄷ   ⑤ ㄴ, ㄷ

Hint 코일을 오른손의 네 손가락으로 전류 방향에 맞게 감싸 쥐고 엄지를 폈을 때 엄지가 가리키는 방향이 코일 내부에서 자기장의 방향이다. 자기장의 방향은 항상 자침의 N극이 가리키는 방향이다.

문제 해결 Point

가이드 전류의 방향으로 오른손의 엄지손가락이 향하도록 펴고 도선을 감아쥘 때 네 손가락이 감기는 방향이 직선 도선 주위의 자기장 방향이 된다는 것을 알아두어야 한다.

해결 Point **자기장의 방향**은 자석의 N극에서 나와 S극으로 들어가는 방향이므로 전류가 위쪽으로 흐르는 직선 도선 위에 나침반을 놓으면 자침의 N극이 반시계 방향을 가리킨다.
또한 전류가 아래쪽으로 흐르는 직선 도선 위에 나침반을 놓으면 자침의 N극이 시계 방향을 가리키게 된다.

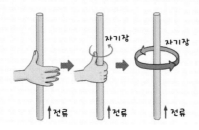

5일 자기장에서 전류가 받는 힘

주제 1 **자기장 내에서 도선이 받는 힘**

전류가 흐르는 도선 주위에 놓인 나침반 자침이 힘을 받아 움직이는 것처럼 자석 가까이에 전류가 흐르는 도선이 놓이면 도선이 힘을 받아 움직인다. 이처럼 자기장 내에 놓인 전류가 흐르는 도선은 힘을 받는다.

중요 개념

● **자기장 내에서 전류가 받는 힘** 자석 사이에 있는 도선에 ❶(ㅈㄹ)가 흐르면 도선은 ❷(ㅎ)을 받아 움직인다.
(1) 힘의 방향: 전류와 자기장의 방향에 각각 수직인 방향
➡ 힘의 방향을 찾는 방법: 오른손의 엄지와 네 손가락을 수직으로 펴고 엄지를 ❸(ㅈㄹ) 방향, 네 손가락을 ❹(ㅈㄱㅈ) 방향으로 향하게 할 때 손바닥이 향하는 방향으로 도선은 힘을 받는다.
(2) 힘의 크기: 전류의 세기가 클수록, ❺(ㅈㄱㅈ)의 세기가 셀수록 크다.
● **힘의 이용** 전동기, 스피커, 전류계, 전압계 등

> **Tip**
>
> 자기장 속에서 전류가 받는 힘의 크기
> ➡ 자기장의 방향과 전류의 방향이 수직일 때 가장 큰 힘, 자기장의 방향과 전류의 방향이 나란할 때 받는 힘의 크기는 0

답 ❶ 전류 ❷ 힘 ❸ 전류
❹ 자기장 ❺ 자기장

개념 원리 확인

1-1

자기장 안에 놓인 도선이 받는 힘의 세기는 자기장의 세기가 클수록 전류의 세기가 클수록 커.

자기장 속에 놓여 있는 도선에 전류가 흐를 때 도선이 받는 힘에 대한 설명이다. (   ) 안에서 알맞은 말을 고르시오.

(1) 도선은 자석에 의한 자기장과 (전압 / 전류)에 의한 자기장이 서로 상호 작용으로 힘을 받게 된다.

(2) 오른손을 펴고 엄지손가락은 (전류 / 자기장)의 방향, 네 손가락은 (전류 / 자기장)의 방향으로 했을 때 손바닥이 향하는 쪽으로 도선은 힘을 받는다.

(3) 도선이 받는 힘의 방향은 (전류나 자석의 방향을 바꿀 때 / 전류와 자기장의 방향을 동시에 바꿀 때) 정반대가 된다.

(4) 자기장 안에서 도선이 받는 힘의 크기는 (전류 / 저항)의 세기가 클수록 자석의 세기가 클수록 크다.

1-2

그림과 같이 말굽자석 사이에 ㄷ자형 도선을 놓고 화살표 방향으로 전류를 흐르게 하였다. 이에 대한 설명으로 옳은 것을 보기 에서 모두 고른 것은?

ㄷ자형 도선 / 전류

보기

ㄱ. 도선이 자석 바깥쪽으로 움직인다.

ㄴ. 도선이 자석 안쪽으로 움직인다.

ㄷ. 전류의 방향을 반대로 바꾸면 안쪽으로 움직인다.

① ㄱ   ② ㄴ   ③ ㄷ

④ ㄱ, ㄴ   ⑤ ㄱ, ㄷ

자기장 방향으로 오른손의 네 손가락을 펴고 전류 방향으로 엄지손가락을 네 손가락과 수직되게 폈을 때 손가락이 향하는 방향은 자기장 및 전류의 방향과 각각 수직이다.

1-3

자기장에서 전류가 받는 힘 크기에 대한 설명으로 옳지 <u>않은</u> 것은?

① 전류가 셀수록 힘의 크기가 크다.

② 자기장이 셀수록 힘의 크기가 크다.

③ 자기장과 전류의 방향이 수직일 때 가장 크다.

④ 자기장과 전류의 방향이 나란하면 힘을 받지 않는다.

⑤ 전류와 자기장의 방향이 정반대일 때 가장 큰 힘을 받는다.

주제 2 **전동기**

┌일상에서는 모터라고 함
전동기는 자기장에서 전류가 받는 힘을 이용하는 대표적인 장치로, 자석과 코일로 이루어져 있다. 선풍기나 세탁기를 돌리는 모터에서부터 산업체의 대형 모터에 이르기까지 매우 유용하게 활용되고 있다.

전동기의 원리

전동기가 사용되는 전기제품들

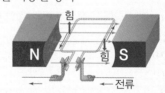

회전하는 물체에는 모두 전동기가 들어 있어요.

전동기 덕분에 요리도, 청소도 편하게 하네.

중요 개념

● *전동기* 자기장 안에서 ❶(ㅈㄹ)가 흐르는 코일이 받은 힘을 이용한 장치
  (1) 회전 원리: 자기장 안에서 코일의 한쪽과 마주 보는 쪽에 흐르는 전류의 방향이 서로 반대이므로 받는 힘의 방향도 서로 ❷(ㅂㄷ)가 되어 코일이 회전함
  (2) 전동기의 세기: 코일의 감은 수가 많을수록, 자석의 세기가 셀수록 크다.
● 전동기의 이용 세탁기, 선풍기, 전기 자동차, 엘리베이터 등

Tip

전류계 원리
➡ 영구 자석의 극 사이에 있는 코일에 전류가 흐르면 코일이 회전하는데 이때 전류가 셀수록 바늘이 크게 움직인다.

답 ❶ 전류 ❷ 반대

개념 원리 확인

o 정답과 해설 **14**쪽

자기장 내에서 전류가 받은 힘의 방향은 오른손을 이용하면 쉽게 알 수 있어.

힘 ↑ 전류
자기장
참 쉽지?

2-1

그림과 같이 전동기는 자석과 코일로 구성되어 있다. 자석 사이에 있는 코일에 화살표 방향으로 전류가 흐를 때 ( ) 안에서 알맞은 말을 고르시오.

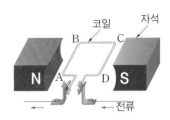

(1) 코일의 AB 부분에 흐르는 전류의 방향은 (A → B / B → A) 이고, 이때 받는 힘의 방향은 (위쪽 / 아래쪽)이다.

(2) 코일의 CD 부분에 흐르는 전류의 방향은 (C → D / D → C)이고, 이때 받는 힘의 방향은 (위쪽 / 아래쪽)이다.

(3) 코일이 회전하는 방향은 (시계 / 반시계) 방향이다.

2-2

간이 전동기를 만들 때 코일의 끝단 처리 방법으로 한쪽 끝은 에나멜을 완전히 벗기고, 다른 쪽 끝은 에나멜을 반만 벗기는 까닭을 옳게 설명한 것은?

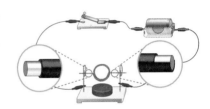

① 코일의 저항을 작게 하기 위해

② 전류의 세기를 증가시키기 위해

③ 전동기를 더 빠르게 회전시키기 위해

④ 자석에 의해 생긴 자기장이 코일에 영향을 미치지 못하게 하기 위해

⑤ 코일이 반 바퀴 회전할 때마다 전류를 차단하여 계속 같은 방향으로 회전시키기 위해

Hint 코일의 에나멜을 완전히 벗기면 반 바퀴 회전할 때마다 전류의 방향이 반대가 되어 계속 한 방향으로 회전하지 못한다.

전류에 의한 자기장과 자석에 의한 자기장의 상호 작용을 이용하는 대표적인 장치가 전동기라는 것을 꼭 기억해.

2-3

다음은 스피커의 원리를 나타낸 것이다.

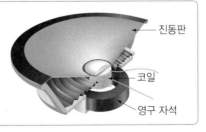

스피커 내부 코일에 전류가 흐르면 코일이 자석에 의한 자기장의 영향으로 힘을 받아 코일을 밀거나 당긴다. 이때 코일에 흐르는 전류의 방향이 계속 바뀌면 힘의 방향도 계속 바뀌기 때문에 코일이 앞뒤로 움직이면서 진동판을 진동시켜 소리를 낸다.

─ 진동판
─ 코일
─ 영구 자석

─ 용어 풀이 ─

＊**전동기**(電 전기, 動 움직이다, 機 기계): 자기장에 의한 자기력과 전기에 의한 자기력에 의해 회전력이 발생하는 장치로 전기 모터라고 부름

스피커와 같이 전류가 자기장에서 받는 힘을 이용하는 기기로 옳은 것은? (정답 2개)

① 선풍기　　　　　② 전기밥솥　　　　　③ 세탁기

④ 자전거 발전기　　⑤ 전기다리미

대표 기출문제 주제 1 자기장 내에서 도선이 받는 힘

1-1

그림과 같이 자석 사이에 코일을 놓고 자기장에서 전류가 받는 힘을 알아보았다.

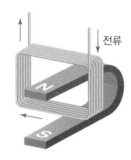

이에 대한 설명으로 옳은 것을 보기 에서 모두 고른 것은?

보기

ㄱ. 코일은 자석 바깥쪽으로 움직인다.
ㄴ. 자석의 극을 서로 바꾸어 놓으면 코일은 자석 안쪽으로 움직인다.
ㄷ. 전류의 방향을 반대로 흐르게 하면 코일은 자석 안쪽으로 움직인다.
ㄹ. 자석의 극과 전류의 방향을 동시에 현재와 정반대로 하면 코일은 자석 안쪽으로 움직인다.

① ㄱ, ㄴ   ② ㄱ, ㄷ   ③ ㄴ, ㄹ
④ ㄷ, ㄹ   ⑤ ㄱ, ㄴ, ㄷ

문제 해결 Point

가이드 | 오른손을 이용하여 자기장 내에서 **전류가 받는 힘**의 방향을 찾는 방법을 알아 둔다.

해결 Point | ㄱ. 오른손의 네 손가락을 자기장의 방향으로 향하게 하고, 엄지손가락을 전류의 방향으로 향하게 하였을 때 손바닥이 향하는 방향으로 코일이 힘을 받는다.
ㄴ. 전류의 방향이나 자기장의 방향이 바뀌면 코일이 받는 힘의 방향이 바뀐다.
ㄹ. 전류와 자기장의 방향을 동시에 바꾸면 힘의 방향은 변하지 않는다.

1-2

그림과 같이 자기장 속에 같은 세기의 전류가 흐르는 도선이 각각 다른 방향으로 놓여 있다.

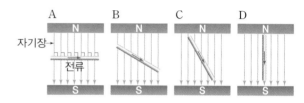

가장 큰 힘을 받는 도선(가)와 힘을 받지 않는 도선(나)를 옳게 짝지은 것은?

	(가)	(나)			(가)	(나)
①	A	B		②	A	D
③	B	C		④	D	A
⑤	D	C				

Hint 자기장 내의 전류가 받는 힘의 크기는 자기장과 전류의 방향이 수직일 때 최대이다.

1-3

말굽자석 사이에 놓인 도선에 화살표 방향으로 전류가 흐를 때, 도선이 자석의 바깥쪽으로 움직이는 경우를 보기 에서 옳게 고른 것은?

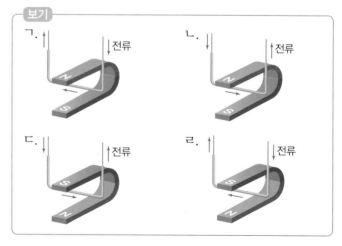

① ㄱ, ㄴ   ② ㄱ, ㄷ   ③ ㄴ, ㄷ
④ ㄴ, ㄹ   ⑤ ㄱ, ㄷ, ㄹ

Hint 자기장과 전류의 방향이 동시에 바뀌면 힘의 방향이 바뀌지 않는다.

대표 기출문제 주제2 전동기

2-1

그림과 같이 전동기는 자석과 자석 사이에 놓인 전류가 흐르는 코일로 이루어져 있다.

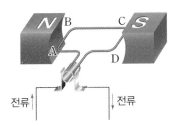

이에 대한 설명으로 옳은 것을 보기 에서 모두 고른 것은?

보기

ㄱ. 코일의 BC 부분은 힘을 받지 않는다.
ㄴ. 코일의 AB 부분은 위쪽으로 힘을 받는다.
ㄷ. 코일은 시계 반대 방향으로 회전한다.
ㄹ. 이러한 전동기의 힘을 이용하는 장치에는 세탁기, 선풍기가 있다.

① ㄱ   ② ㄱ, ㄷ   ③ ㄴ, ㄷ
④ ㄴ, ㄹ   ⑤ ㄱ, ㄷ, ㄹ

문제 해결 Point

가이드   오른손을 이용하여 코일의 각 지점에서 받는 힘의 방향을 찾을 수 있어야 하며 **전동기의 회전 원리를** 알아 둔다.

해결 Point   ㄱ. 자기장과 전류의 방향이 나란하면 전류가 받는 힘의 크기는 0이다.
ㄴ. 오른손의 네 손가락을 자기장의 방향으로 향하게 하고, 엄지손가락을 전류의 방향으로 향하게 하였을 때 손바닥이 향하는 방향으로 코일이 힘을 받는다.
ㄷ. 자기장 내에 놓인 코일이 회전하기 위해서는 마주보는 두 지점이 받는 힘의 방향이 서로 반대여야 한다.
ㄹ. 전동기의 힘을 이용하는 장치에는 각종 모터가 쓰인 제품들이다.

2-2

그림과 같이 자기장 내에 놓인 코일에 화살표 방향으로 전류가 흐르고 있다. 도선 A, B, C가 받는 힘의 방향을 옳게 짝 지은 것은?

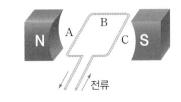

	A	B	C
①	위쪽	아래쪽	아래쪽
②	위쪽	아래쪽	힘을 받지 않음
③	위쪽	힘을 받지 않음	아래쪽
④	아래쪽	위쪽	아래쪽
⑤	아래쪽	힘을 받지 않음	위쪽

2-3

그림과 같이 장치하고 전류를 흐르게 하였더니 알루미늄 막대가 오른쪽으로 움직였다.

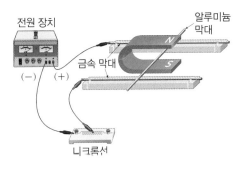

막대를 왼쪽으로 움직이게 하는 방법을 보기 에서 모두 고른 것은?

보기

ㄱ. 자석의 두 극의 위치를 바꾼다.
ㄴ. 전원 장치의 두 극만 바꾸어 연결한다.
ㄷ. 자석의 두 극의 위치와 전원 장치의 두 극을 동시에 바꾸어 연결한다.

① ㄱ   ② ㄴ   ③ ㄷ
④ ㄱ, ㄴ   ⑤ ㄴ, ㄷ

Hint 자기장의 방향이나 전류의 방향 중 하나만 바뀌면 도선이 받는 힘의 방향이 반대로 바뀐다.

누구나 100점 테스트

마찰 전기 ▶ p.54

01 그림과 같이 미끄럼틀을 타고 내려오면 머리카락이 사방으로 뻗치곤 한다.

이와 같은 현상의 예로 옳은 것을 보기에서 모두 고른 것은?

> **보기**
> ㄱ. 작은 클립들이 자석에 끌려가 붙는다.
> ㄴ. 사탕 싼 얇은 비닐이 손에 자꾸 달라붙는다.
> ㄷ. 고철 처리장에서 전자석 기중기를 이용하여 고철을 분리한다.

① ㄱ   ② ㄴ   ③ ㄷ
④ ㄱ, ㄴ   ⑤ ㄴ, ㄷ

정전기 유도 ▶ p.56

02 대전되지 않은 검전기에 대전체를 가까이했을 때 검전기의 금속판과 금속박의 전하를 옳게 나타낸 것은?

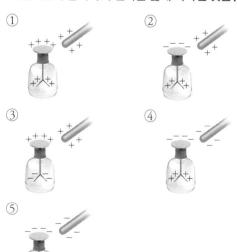

정전기 유도 ▶ p.56

03 정전기 유도 과정을 설명한 것이다. 빈칸에 알맞은 말을 쓰시오.

> 대전되지 않은 검전기의 금속판에 (−)대전체를 가까이하면 금속판의 ㉠(   )들이 금속박으로 이동하여 두 금속박이 ㉡(   )전하를 띤다. 이때 두 금속박 사이에는 ㉢(   )이 작용하여 금속박이 벌어진다.

전류와 전자의 이동 ▶ p.66

04 그림은 어떤 전기 회로에 전류가 흐를 때를 나타낸 것이다. 화살표 A, B가 의미하는 것을 각각 쓰시오.

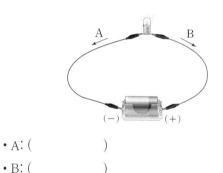

- A: (   )
- B: (   )

전기 회로와 물의 흐름 비교 ▶ p.62

05 그림 (가)는 전기 회로를 (나)는 물의 흐름을 나타낸 것이다. (가)를 (나)에 비유할 때 연결이 옳지 않은 것은?

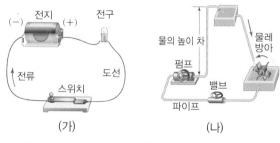

(가)   (나)

① 전류−물의 흐름   ② 전압−물의 높이 차
③ 도선−파이프   ④ 스위치−펌프
⑤ 전구−물레방아

전압계 ▶ p.62

06 그림은 어떤 전압계의 눈금을 나타낸 것이다. 이 전압계가 가리키는 값은 몇 V인가?

① 1.05 V   ② 1.5 V   ③ 3.0 V

④ 7.5 V   ⑤ 15.0 V

전기 저항 ▶ p.74

07 전기 저항에 대한 설명으로 옳지 <u>않은</u> 것은?

① 전류의 흐름을 방해하는 정도를 나타낸다.

② 전기 저항의 크기는 도선이 길수록 커진다.

③ 전기 저항의 크기는 도선이 굵을수록 커진다.

④ 도선의 전기 저항이 작을수록 전류가 잘 흐른다.

⑤ 전기 저항은 도선 내에서 이동하는 전자들이 원 자들과 충돌하기 때문에 생긴다.

전류에 의한 자기장 ▶ p.74

08 그림과 같은 전기 회로의 도선 위와 아래인 (가), (나) 위치 에 나침반을 놓고 스위치를 닫을 때 나침반 자침의 N극이 가리키는 방향을 옳게 짝 지은 것은?

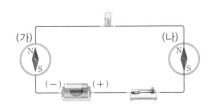

	(가)	(나)		(가)	(나)
①	왼쪽	왼쪽	②	왼쪽	오른쪽
③	오른쪽	왼쪽	④	오른쪽	오른쪽
⑤	왼쪽	위쪽			

전류에 의한 자기장 ▶ p.74

09 그림은 전류가 흐르는 코일의 한 부분만 나타낸 것이다.

이에 대한 설명으로 옳은 것을 보기 중에서 모두 고른 것은?

보기
ㄱ. 코일 주위에는 자기장이 생긴다.
ㄴ. ㉠에 나침반을 놓으면 자침의 N극은 A쪽을 가 리킨다.
ㄷ. 전류의 방향을 바꾸면 코일 주위에 생기는 자기 장의 방향도 변한다.

① ㄱ   ② ㄴ   ③ ㄷ

④ ㄴ, ㄷ   ⑤ ㄱ, ㄴ, ㄷ

자기장에서 전류가 받는 힘 ▶ p.78

10 그림은 전동기의 구조를 간단히 나타낸 것이다.

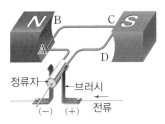

다음 단어를 모두 포함하여 전동기의 회전 원리를 설명하 시오.

자기장, 코일 AB, 코일 CD, 전류, 반대

특강 | 창의·융합·코딩

✏️ **2주**에 배운 개념을 그림으로 저장

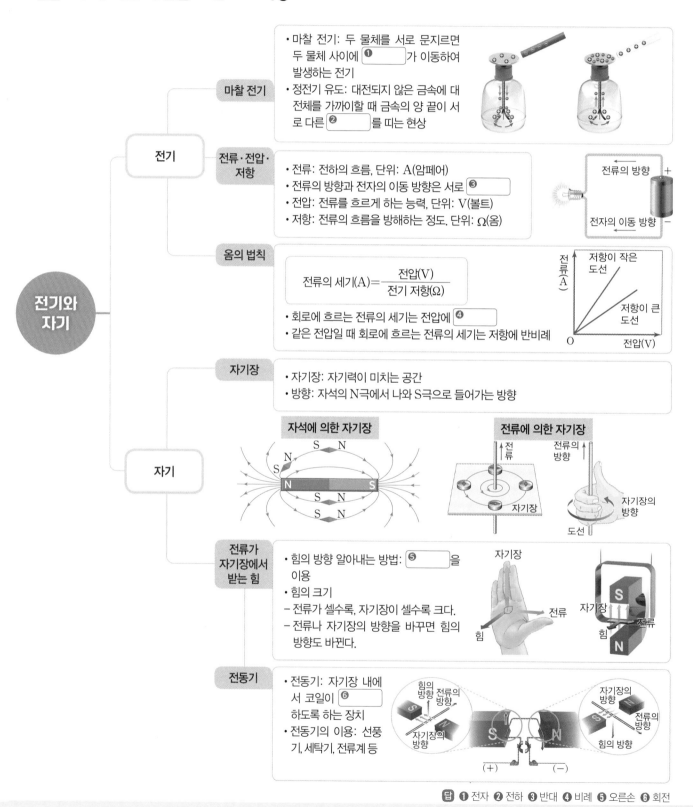

전기와 자기

전기

마찰 전기
- 마찰 전기: 두 물체를 서로 문지르면 두 물체 사이에 **❶ [   ]** 가 이동하여 발생하는 전기
- 정전기 유도: 대전되지 않은 금속에 대전체를 가까이할 때 금속의 양 끝이 서로 다른 **❷ [   ]** 를 띠는 현상

전류·전압·저항
- 전류: 전하의 흐름, 단위: A(암페어)
- 전류의 방향과 전자의 이동 방향은 서로 **❸ [   ]**
- 전압: 전류를 흐르게 하는 능력, 단위: V(볼트)
- 저항: 전류의 흐름을 방해하는 정도. 단위: Ω(옴)

전류의 방향 / 전자의 이동 방향

옴의 법칙

$$전류의 세기(A) = \frac{전압(V)}{전기 저항(Ω)}$$

- 회로에 흐르는 전류의 세기는 전압에 **❹ [   ]**
- 같은 전압일 때 회로에 흐르는 전류의 세기는 저항에 반비례

전류(A) / 저항이 작은 도선 / 저항이 큰 도선 / O / 전압(V)

자기

자기장
- 자기장: 자기력이 미치는 공간
- 방향: 자석의 N극에서 나와 S극으로 들어가는 방향

자석에 의한 자기장 / **전류에 의한 자기장**

자기장 / 전류 / 전류의 방향 / 자기장의 방향 / 도선

전류가 자기장에서 받는 힘
- 힘의 방향 알아내는 방법: **❺ [   ]** 을 이용
- 힘의 크기
  - 전류가 셀수록, 자기장이 셀수록 크다.
  - 전류나 자기장의 방향을 바꾸면 힘의 방향도 바뀐다.

자기장 / 전류 / 힘 / 자기장 / 전류 / 힘

전동기
- 전동기: 자기장 내에서 코일이 **❻ [   ]** 하도록 하는 장치
- 전동기의 이용: 선풍기, 세탁기, 전류계 등

힘의 방향 / 전류의 방향 / 자기장의 방향 / 자기장의 방향 / 전류의 방향 / 힘의 방향 / (+) / (−)

답 ❶ 전자 ❷ 전하 ❸ 반대 ❹ 비례 ❺ 오른손 ❻ 회전

✏️ 재미있는 개념 완성 퀴즈

전기와 자기에 대한 문제를 풀고, 각 문제의 답을 암호 해독표에서 찾아 암호문을 쓰시오.

❶ 같은 종류의 전하끼리는 서로 밀고 다른 종류의 전하끼리는 서로 당기는 힘은?

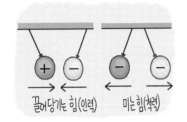

❷ 전기를 띠지 않은 금속 물체에 대전체를 가까이할 때 금속의 끝 부분이 전기를 띠는 현상은?

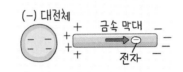

❸ 전하의 흐름으로, 전자가 이동하는 방향과 반대로 흐르는 것은?

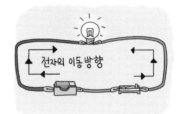

❹ 전류를 흐르게 하는 능력으로, 단위로는 V(볼트)를 사용하는 것은?

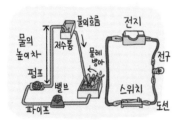

❺ 전류의 흐름을 방해하는 정도로, 단위로는 Ω(옴)을 사용하는 것은?

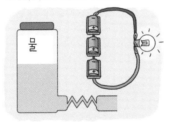

❻ 전류의 세기는 걸리는 전압에 비례한다는 법칙은?

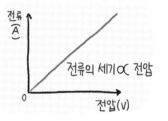

❼ 두 개의 저항을 직렬과 병렬연결 중 전체 저항의 크기가 작아지는 연결 방법은?

❽ 오른손의 네 손가락이 감기는 방향은 무엇을 나타내는가?

❾ 자기장 안에서 전류가 흐르는 도선이 회전하는 힘을 이용하는 장치는?

★암호 해독표★

자기력	전기력	전압계	전동기	전압	마찰 전기	전기 저항	전자	자기장
과	너	학	해	짜	이	최	재	룡

자석	정전기 유도	자극	전류	자기 유도	옴의 법칙	직렬연결	발전기	병렬연결
총	는	은	진	다	고	있	미	훌

★암호문: _____

🔑 너는 진짜 최고 훌륭해

과학의 다양한 유형 문제를 해결하는 방법을 연습하면서 사고력을 기르자.

특강 | 창의·융합·코딩

1

검전기의 금속판에 (−)대전체와 (+)대전체를 각각 가까이했을 때 원 안에 금속 박의 상태를 그려 넣으시오. 이때의 전자 이동 방향을 화살표로 나타내고, 금속박 이 띠고 있는 전하의 종류를 각각 쓰시오.

(1) (−)대전체를 가까이할 때:

금속판

① 전자의 이동 방향:

금속판 (　　　) 금속박

② 금속박이 띠고 있는 전하의 종류:

(　　　)

(2) (+)대전체를 가까이할 때:

금속판

① 전자의 이동 방향:

금속판 (　　　) 금속박

② 금속박이 띠고 있는 전하의 종류:

(　　　)

문제 해결 Tip

전자는 (−)전하를 띠고 있으므로 대전체가 띠고 있는 전하의 종류에 따라 전자가 밀려나기도 하고 당겨져서 이동하기도 해.

2

그림은 저항의 크기가 같은 전구를 서로 다른 방법으로 연결한 것이다. (　) 안에 서 알맞은 말을 고르시오. (단, (가)와 (나)의 전체 전압은 같다.)

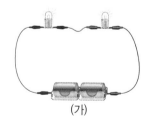

(가)

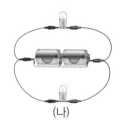

(나)

(1) 병렬연결 회로는 ((가) / (나))이다.

(2) 전체 저항의 크기는 (가)가 (나)보다 (크 / 작)다.

(3) 전구 한 개의 밝기는 (나)가 (가)보다 (밝 / 어둡)다.

(4) 전구 중 하나가 고장 나더라도 나머지 전구가 꺼지지 않는 회로는 ((가) / (나))이다.

문제 해결 Tip

두 전구를 직렬연결하면 전체 저항이 커지기 때문 에 전류의 세기가 작아져. 하지만 두 전구를 병렬연 결하면 전체 저항은 작아 지기 때문에 전류의 세기 는 커져. 전구에 흐르는 전류의 세기가 셀수록 전 구의 밝기는 밝아.

3 표와 그림은 전압의 변화에 따라 니크롬선에 흐르는 전류의 세기를 측정한 결과를 나타낸 것이다. (　) 안에서 알맞은 말을 고르시오.

전압(V)	전류의 세기(mA)	
	긴 니크롬선	짧은 니크롬선
1.5	50	100
3.0	100	200
4.5	150	300
6.0	200	400

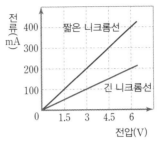

(1) 니크롬선의 길이가 일정할 때 전류의 세기는 (저항 / 전압)에 비례한다.

(2) 같은 전압이 걸릴 때 전류의 세기는 (짧은 니크롬선 / 긴 니크롬선)이 더 크다.

(3) 저항의 크기가 더 큰 것은 (짧은 니크롬선 / 긴 니크롬선)이다.

(4) 니크롬선에 흐르는 전류의 세기와 저항의 관계를 설명하시오.

문제 해결 Tip

전압–전류 그래프에서 기울기가 일정한 직선은 전류와 전압이 서로 비례한다는 뜻이야. 전압이 일정할 때 짧은 니크롬선이 긴 니크롬선보다 전류의 세기가 큰 것으로 보아 전류의 세기는 저항의 길이가 짧을수록 크지.

4 그림 (가)는 전류가 흐르는 코일 주위에 놓여 있는 나침반의 모습을, (나)는 전류가 흐르는 코일의 자기장 방향을 쉽게 찾는 방법을 설명하기 위한 것이다.

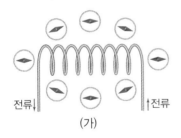

(가)

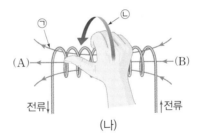

(나)

(1) 그림 (나)에서 오른손의 엄지손가락이 가리키는 방향 ㉠과 네 손가락이 감기는 방향 ㉡은 각각 무엇을 나타내는지 쓰시오.

㉠: (　　　　　　　), ㉡: (　　　　　　　)

(2) 그림 (나)에서 (A), (B)에 나침반을 놓을 때 자침의 모습을 그림 (가)를 참고하여 나타내시오. (단, N◆ S이다.)

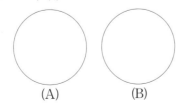

(A)　　　(B)

문제 해결 Tip

전류가 흐르는 코일 주위의 자기장의 방향은 오른손을 이용하면 쉽게 찾을 수 있어. 자기장의 방향은 자침의 N극이 가리키는 방향이야.

5 그림과 같은 전기 회로에서 전구에 흐르는 전류와 전압, 저항의 특징을 구분하는 과정을 다음과 같이 나타내었다. ㉠, ㉡, ㉢에 해당하는 것을 각각 쓰시오.

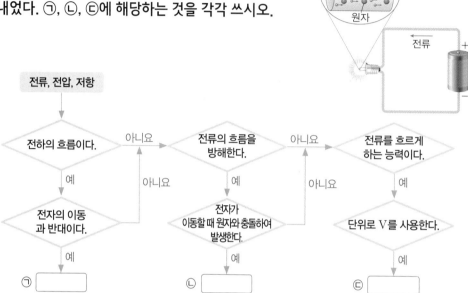

문제 해결 **Tip**

전류는 전지의 (＋)극에서 (－)극 쪽으로 도선을 따라 흐르고 전지의 전압에 의해 전류가 흐르지. 또한 저항은 전자가 이동할 때 원자와 충돌로 발생하며 전류의 흐름을 방해하는 거야.

6 그림과 같이 전동기는 자석의 두 극 사이에서 전류가 흐르는 코일이 회전하는 원리를 이용하는 장치이다. 전동기가 회전하는 힘은 어떻게 발생하는지 ( ) 안에서 알맞은 말을 고르시오.

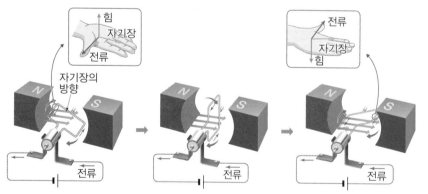

문제 해결 **Tip**

전동기는 자석 사이에 전류가 흐르는 코일이 놓여 있는 구조로, 자석에 의한 자기장과 전류에 의한 자기장이 서로 상호 작용하여 발생하는 힘으로 회전하게 돼.

(1) 전동기가 회전하는 힘은 자석에 의한 ㉠(전기장 / 자기장)과 ㉡(자석 / 전류)에 의한 자기장이 서로 상호 작용하여 발생한다.

(2) 전동기가 회전하는 힘의 방향은 오른손을 이용하면 쉽게 찾을 수 있다. 위 그림과 같이 코일에 전류가 흐를 때 전동기의 회전 방향은 (시계 / 반시계) 방향이다.

7 다음은 간이 전동기를 만드는 과정을 순서대로 나타낸 것이다.

❶ 에나멜선을 전지에 여러 번 감아 코일 모양으로 만든다.

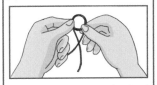

❷ 양쪽에 약 5 cm 여분을 만든 후 풀리지 않도록 묶는다.

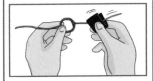

❸ 코일의 한쪽은 칼이나 사포를 이용해 완전히 벗겨낸다.

❹ _____

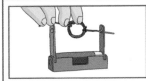

❺ 클립으로 받침대를 만들어 전지 끼우개의 양 단자에 고정한 후 코일을 올린다.

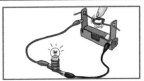

❻ 꼬마전구를 연결하고 코일을 회전시킬 때 불이 꺼졌다 켜졌다 하는지 확인한다.

❼ 전지 위에 네오디뮴 자석을 고정한 후 회전 방향을 관찰한다.

❽ 전지의 극을 바꾸어 연결하고 코일의 회전 방향을 관찰한다.

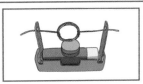

❾ 과정 ❼에서 네오디뮴 자석을 뒤집어 놓고 회전 방향을 관찰한다.

문제 해결 **Tip**
코일 한쪽 끝의 에나멜을 모두 벗겨내고 다른 쪽 코일의 에나멜은 반만 벗겨내야 코일이 한쪽 방향으로 계속 회전할 수 있어. 또 코일에 흐르는 전류의 방향이 바뀌거나 자기장의 방향이 바뀌면 코일의 회전 방향도 바뀌게 돼.

(1) 과정 ❻은 과정 ❸, ❹의 결과를 확인하는 방법이다. ❹에 알맞은 과정을 옳게 말하고 있는 학생을 쓰시오.

전지의 극을 바꾸어 꼬마전구에 흐르는 전류의 방향을 바꿔야 해 — 상기

코일을 계속 한 방향으로 돌리기 위해 자석의 극을 바꿔야 해. — 경희

코일을 계속 한 방향으로 돌리기 위해 코일의 한쪽은 에나멜을 반쪽만 벗겨야 해. — 병구

(2) 과정 ❽과 같이 전지의 방향을 반대로 연결하였을 경우 코일의 회전 방향은 어떻게 달라지는지 설명하시오.

(3) 과정 ❾와 같이 자석의 극을 반대로 놓을 때 코일의 회전 방향은 어떻게 달라지는지 설명하시오.

3주에는 무엇을 공부할까? ❷

달의 위상 변화

Quiz 1
달은 초승달에서
(   )달, 보름달로
모양이 달라진다.

Quiz 2
달은 약 (   )
일을 주기로
모양이 변한다.

지구와 천체의 운동

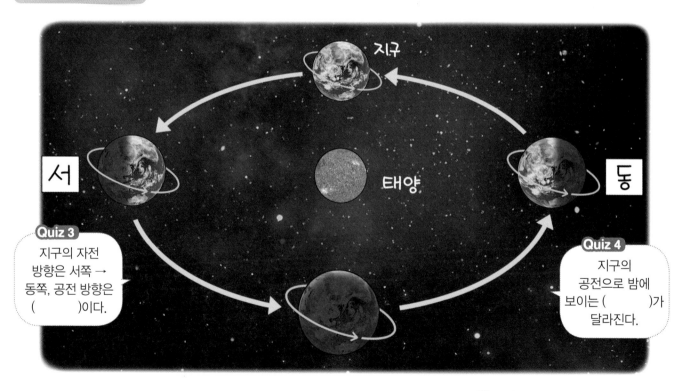

Quiz 3
지구의 자전
방향은 서쪽 →
동쪽, 공전 방향은
(   )이다.

Quiz 4
지구의
공전으로 밤에
보이는 (   )가
달라진다.

답 1. 상현 2. 30 3. 서쪽 → 동쪽 4. 별자리

지구와 천체의 운동

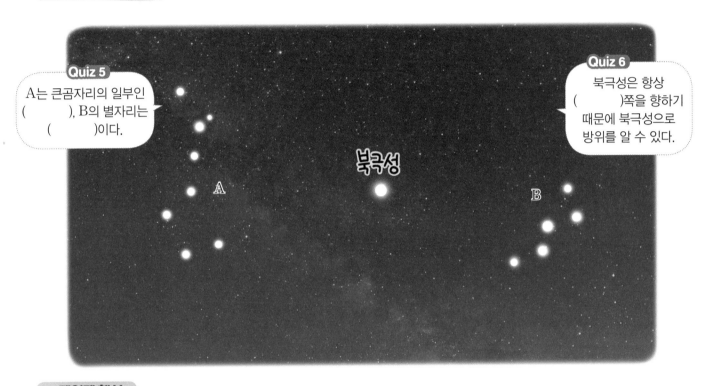

Quiz 5
A는 큰곰자리의 일부인
(   ), B의 별자리는
(   )이다.

Quiz 6
북극성은 항상
(   )쪽을 향하기
때문에 북극성으로
방위를 알 수 있다.

북극성

A

B

태양계 행성

해왕성

천왕성

토성

혜성

태양

Quiz 7
(   )은 태양계에서
유일하게 스스로 빛을
내는 천체이다.

화성

목성

Quiz 8
태양계의 행성 중
목성, 토성, 천왕성,
해왕성은 행성 주위에
둥근 모양의 (   )
가 있다.

수성   금성   지구

소행성

답 5. 북두칠성, 카시오페이아 6. 북 7. 태양 8. 고리

지구와 달의 크기

주제 1 지구의 크기

에라토스테네스는 알렉산드리아와 시에네의 두 지역에서 그림자의 길이가 다르다는 것으로부터 두 지역 사이의 중심각을 구하고, 비례식으로 지구의 둘레를 계산하였다.

시에네에서 그림자가 없어지는 것은 해가 지면을 수직으로 비춘다는 의미지.

알렉산드리아에서 그림자가 생긴다는 것은 해가 지면을 비스듬히 비춘다는 뜻이야.

지구 크기를 구하기 위해 먼저, 지구로 들어오는 빛이 평행하고, 지구는 완전 구형이라고 가정한다.

하짓날 알렉산드리아의 막대 그림자 끝이 이루는 각도는 7.2°이므로, 시에네와 알렉산드리아가 지구 중심과 이루는 각(엇각)과 같다.

시에네와 알렉산드리아 사이의 거리는 925 km이므로 비례식을 이용하면,
$7.2° : 925\ km = 360° :$ 지구의 둘레$(2\pi R)$

음~ 지구 둘레가 46250 km가 되는군.

중요 개념

● **에라토스테네스의 지구 둘레 측정** 원의 중심각은 호의 길이에 *비례한다는 것을 이용하여 지구의 둘레를 계산하였다.

> 중심각: 두 지점 사이의 거리＝360°: 지구의 둘레$(2\pi R)$

● **에라토스테네스가 지구 둘레를 측정하기 위한 가정**
(1) 지구로 들어오는 햇빛은 ❶(ㅍㅎ)하다.
(2) 지구는 완전한 ❷(ㄱㅎ)이다.

Tip

지구 둘레 측정
➡ 에라토스테네스가 지구 둘레를 구하는 원리는 지구 모형으로 지구 둘레를 측정하는 원리와 같다.

답 ❶ 평행 ❷ 구형

개념 원리 확인

○ 정답과 해설 **18**쪽

지구가 구형이라고 가정하고 지구 중심각을 간접적으로 구한 것이지.

1-1

그림은 에라토스테네스가 지구의 둘레를 구하는 방법을 나타낸 것이다. 지구 둘레를 구하기 위해 가정한 다음 두 가지 내용의 빈칸에 알맞은 말을 쓰시오.

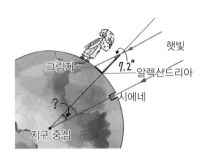

(1) 지구로 들어오는 햇빛은 (   )하다.

(2) 지구는 완전한 (   )이다.

평행한 두 직선이 이루는 엇각의 크기가 같아.

1-2

다음은 에라토스테네스가 지구의 크기를 구하는 과정에 대한 설명이다. 빈칸에 알맞은 말을 쓰시오.

(1) 에라토스테네스는 원에서 (   )과 호의 길이가 비례하는 원리를 이용하여 지구의 크기를 구하였다.

(2) 에라토스테네스는 하짓날 알렉산드리아에서 막대 끝과 (   ) 끝을 이은 선이 막대와 이루는 각도를 측정하였다.

1-3

다음은 에라토스테네스가 지구 둘레를 구했을 때 실제 지구의 둘레와 차이나는 까닭을 설명한 것이다.

보기

ㄱ. 지구는 자전한다.

ㄴ. 지구는 완전한 구형이 아니다.

ㄷ. 알렉산드리아와 시에네가 동일 위도 상에 있다.

ㄹ. 알렉산드리아와 시에네 사이의 거리가 정확하지 않았다.

이에 대한 설명 중 옳은 것을 보기 에서 모두 고르시오.   (   )

용어 풀이

＊ 비례(比 견줄, 例 규칙): 한쪽의 양이나 수가 증가하는 만큼 그와 관련 있는 다른 쪽의 양이나 수도 증가함.

주제 **2** 달의 크기

달까지의 거리와 겉보기 크기 사이의 관계와 삼각형의 닮음비를 이용하면 달의 크기를 구할 수 있다.

이번 한가위에는 슈퍼문이 뜬다더니 보름달이 더 밝아 보이네.

달의 거리가 지구와 가장 가까워서 가장 크게 보이는 거래.

그런데 실제 달의 크기는 얼마나 될까?

달의 크기는 삼각형의 닮음비를 이용해서 구할 수 있어.

관측자와 달 사이에 동전을 놓고 동전과 달이 같은 크기로 보이도록 동전의 위치를 조절하면 두 개의 삼각형이 생겨. 이 두 삼각형의 닮음비를 이용하면 달의 지름을 구할 수 있지.

이 방법으로 계산하니까 달의 지름은 약 3474 km로 나와.

그럼 달의 지름이 지구의 $\frac{1}{4}$ 정도 되네.

동전까지의 거리(l):동전의 지름(d)
=달까지의 거리(L):달의 지름(D)

중요 개념

● **달의 크기 측정** 달까지의 거리와 ❶(ㄱㅂㄱ) 크기 사이의 관계와 도형의 *닮음비를 이용하여 달의 크기를 구한다.

$$\text{달까지의 거리}(L) : \text{달의 지름}(D) = \text{동전까지의 거리}(l) : \text{동전의 지름}(d)$$

● **달의 물리량**
(1) 지구와의 평균 거리: 약 38만 km
(2) 지름: 지구의 약 ❷(　　　)

Tip

달의 크기 측정
➡ 달까지의 거리와 겉보기 크기 사이의 관계와 도형의 닮음비를 이용하여 구한다.

답 ❶ 겉보기 ❷ $\frac{1}{4}$

2-1

동전을 이용한 달의 크기 측정에 대한 설명이다. 빈칸에 알맞은 말을 쓰시오.

지구의 크기를 구할 때와 마찬가지로 비례식으로 구할 수 있지.

(1) 같은 물체라도 가까이 있으면 ㉠(　　　　　　) 보이고, 멀리 있으면 ㉡(　　　　　　) 보이는데, 이를 겉보기 크기라고 한다.

(2) 관측자와 달 사이에 동전을 놓고 동전의 크기가 달의 크기와 ㉠(　　　　) 보이도록 동전의 위치를 조절하면 두 개의 닮은 삼각형이 생긴다. 이때 두 삼각형의 닮음비를 이용하면 달의 ㉡(　　　　)을 구할 수 있다.

(3) 동전을 이용하여 달의 지름을 구하려면 관측자와 동전까지의 거리, 동전의 지름, (　　　　　　)를 알아야 한다.

2-2

두 삼각형의 닮음비를 이용하여 구해!

그림은 달의 크기를 측정하는 원리를 나타낸 것이다. (단, l은 관찰자와 동전까지의 거리, d는 동전의 지름, L은 달까지의 거리, D는 달의 시름을 나타낸 것이다.)

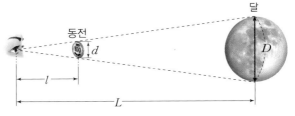

(1) 달의 크기를 측정하기 위해 미리 알고 있어야 하는 값의 기호를 쓰시오. (　　　　　)
(2) 달의 크기를 측정하기 위해 직접 측정해야 하는 값의 기호를 쓰시오. (　　　　　)
(3) 달의 지름(D)를 구하기 위한 비례식을 완성하시오.

$$L : D = ㉠(\quad\quad\quad) : ㉡(\quad\quad\quad)$$

대표 기출문제 주제① 지구의 크기

1-1

다음은 지구 모형의 크기를 구하는 과정을 나타낸 것이다.

> (가) 햇빛이 잘 비치는 곳에서 지구 모형의 같은 경도에 있는 두 지점에 각각 막대 A와 B를 붙인다. 이때 막대 A에는 그림자가 생기지 않도록 한다.
>
> (나) 막대 B의 끝과 그림자의 끝을 실로 연결한 다음, 막대 B와 실이 이루는 각 θ를 측정한다.
>
>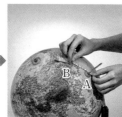
>
> (다) 줄자를 이용하여 막대 A와 B 사이의 거리 l을 측정한다.

θ가 15°, l이 5 cm일 때 지구 모형의 둘레와 반지름으로 옳은 것은? (단, 햇빛은 평행하며, 지구 모형은 완전한 구형으로 가정한다. 또한, π는 3.14로 계산하고, 반지름은 소수 첫째자리에서 반올림한다.)

	둘레(cm)	반지름(cm)
①	90	19
②	90	22
③	110	25
④	120	19
⑤	120	25

문제 해결 Point

가이드 햇빛이 평행하다고 가정하면 측정한 각 θ는 지구 중심각과 엇각으로 같다. 또한 지구 모형이 완전한 구형이라고 가정하면 부채꼴의 중심각 크기는 호의 길이에 비례한다.

해결 Point 15° : 5 cm = 360° : 지구 모형의 둘레($2\pi R$)에서
지구 모형의 둘레($2\pi R$)
$=(360° \div 15°) \times 5$ cm = 120 cm
지구 모형의 반지름(R) = 120 cm $\div 2\pi ≒ 19$ cm

1-2

보기 에라토스테네스가 지구를 측정하는 방법에 대한 설명으로 옳은 것을 **보기**에서 모두 고른 것은?

> **보기**
> ㄱ. 지구가 매우 커서 편평하다고 가정하였다.
> ㄴ. 지구로 들어오는 햇빛은 평행하다고 가정하였다.
> ㄷ. 원의 중심각과 호의 길이는 반비례한다.
> ㄹ. 하짓날 두 지역의 그림자가 다르다는 것을 이용하여 측정한 값과 원의 성질에 따른 비례식으로 지구의 크기를 구하였다.

① ㄱ, ㄴ   ② ㄱ, ㄹ   ③ ㄴ, ㄷ
④ ㄴ, ㄹ   ⑤ ㄷ, ㄹ

Hint 지구가 편평하고 햇빛이 평행하다고 가정하면 모든 지점에서 그림자는 동일하게 나타난다.

1-3

그림은 에라토스테네스가 지구의 둘레를 구하기 위한 방법을 나타낸 것이다.

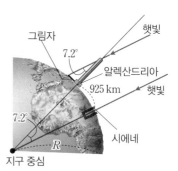

에라토스테네스가 실제 측정한 값으로 옳은 것을 **보기**에서 모두 고른 것은?

> **보기**
> ㄱ. 지구 반지름의 크기
> ㄴ. 시에네와 알렉산드리아 사이의 거리
> ㄷ. 알렉산드리아에 세운 막대와 그림자 끝이 이루는 각도

① ㄱ   ② ㄴ   ③ ㄷ
④ ㄱ, ㄴ   ⑤ ㄴ, ㄷ

대표 기출문제 **주제2** 달의 크기

2-1

그림은 동전을 이용하여 달의 크기를 측정하기 위한 방법을
나타낸 것이다.

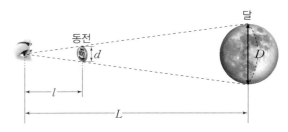

달의 지름을 구하기 위한 비례식으로 옳은 것은?

① $l:D=L:d$

② $l:d=L:D$

③ $l:L=D:2\pi D$

④ $l:2\pi D=L:d$

⑤ $l:d=L:2\pi D$

문제 해결 Point

가이드 달의 크기를 측정하기 위해서는 동전의 지름, 동전
까지의 거리, 달까지의 거리를 실험으로 직접 측정
하거나 알고 있어야 하며, 이 값을 통해 비례식으로
달의 지름을 구할 수 있다.

해결 Point 동전의 지름이 d, 동전까지의 거리가 l, 달까지의 거
리는 L일 때 달의 지름 D는
$$l:d=L:D$$
따라서 $D=\dfrac{L}{l}d$
이다.

2-2

다음은 달 모형의 크기를 구하기 위한 실험 과정이다.

> (가) 두꺼운 종이에 구멍을 뚫고 구멍의 지름(d)을 측정한
> 후 30 cm 자에 수직으로 끼운다.
>
> (나) 달 모형에서 6 m 떨어진 곳에서 자의 한쪽 끝을 눈 밑
> 에 대고 구멍으로 달 모형을 관찰한다.
>
> (다) 종이를 앞뒤로 움직여 달 모형이 구멍에 꽉 차게 보일
> 때 눈과 구멍 사이의 거리(l)를 측정한다.

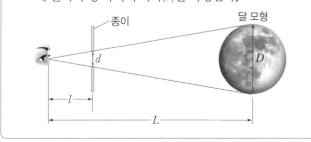

구멍의 지름(d)이 0.5 cm, 눈과 구멍 사이의 거리(l)가 15 cm일
때 달 모형의 지름으로 옳은 것은?

① 15   ② 17   ③ 20

④ 25   ⑤ 30

Hint 눈과 구멍 사이의 거리는 15 cm, 눈과 달 모형 사이의 거리는 6 cm
이므로 길이의 단위를 같게 맞춘다.

2-3

달의 크기 측정에 대한 설명으로 옳은 것을 보기 에서 모두 고른
것은?

> **보기**
>
> ㄱ. 물체의 크기는 거리가 가까울수록 작게 보인다.
>
> ㄴ. 달의 크기는 삼각형의 닮음비를 이용하여 구할 수 있다.
>
> ㄷ. 달의 지름은 지구 지름의 약 $\dfrac{1}{4}$이다.

① ㄱ   ② ㄴ   ③ ㄷ

④ ㄱ, ㄴ   ⑤ ㄴ, ㄷ

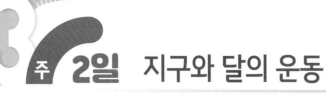 

3주 2일 지구와 달의 운동

주제 1 지구의 자전과 공전

지구의 자전으로 천체의 일주 운동이 나타나며, 지구의 공전으로 태양의 연주 운동이 나타나고 계절에 따라 별자리가 달라진다.

> 지구가 자전하기 때문이야.

> 8월 한밤중에 보이는 별자리는 염소자리야.

> 8월에 태양이 게자리에 위치한 것으로 보여.

중요 개념

- **지구의 자전** 지구가 자전축을 중심으로 하루에 한 바퀴씩 서에서 동으로 도는 운동
  (1) *천체의 *일주 운동 방향: 동 → 서(지구 자전 방향과 반대)
  (2) 천체의 일주 운동 속도: 1시간에 ❶(15   )°씩 이동
- **지구의 공전** 지구가 태양을 중심으로 1년에 한 바퀴씩 서에서 동으로 도는 운동
  (1) 태양의 연주 운동 방향: 서 → 동(지구 공전 방향과 같음)
  (2) 태양의 연주 운동 속도: 하루에 약 ❷(1   )°씩 이동(지구 공전 속도와 같음)
  (3) *황도 12궁: 태양이 지나는 길에 위치한 12개의 별자리
  (4) 계절별 별자리 변화: 지구 공전에 의해 태양 위치가 달라지면서 계절별 별자리가 달라진다.

> **Tip**
> 천체의 일주 운동 방향
> ➡ 태양, 달, 별과 같은 천체가 지구 자전과 반대 방향으로 하루에 한 바퀴씩 원을 그리며 회전하는 것처럼 보이는 현상 ⇨ 지구가 하루에 한 바퀴씩 서쪽에서 동쪽으로 자전하기 때문에 나타나는 겉보기 운동

답 ❶ 15 ❷ 1

개념 원리 확인

1-1

다음 설명이 지구의 자전에 의한 현상이면 '자전', 공전에 의한 현상이면 '공전'이라고 쓰시오.

(1) 우리나라에서 태양, 달, 별이 매일 동쪽에서 떠서 서쪽으로 진다. (　　　　)

(2) 태양이 하루에 1°씩 서에서 동으로 별자리 사이를 이동하여 1년 후에 처음 위치로 되돌아 온다. (　　　　)

(3) 북쪽 하늘의 별들이 북극성을 중심으로 시계 반대 방향으로 원을 그리며 회전한다.

(　　　　)

(4) 계절에 따라 지구에서 관측되는 별자리가 달라진다. (　　　　)

천체의 일주 운동은 지구의 자전 때문에 나타나는 현상이지.

1-2

그림은 우리나라에서 어느 날 밤 여러 방향의 하늘에서 본 별의 움직임을 나타낸 것이다. 각각에 해당하는 하늘의 방향을 쓰시오.

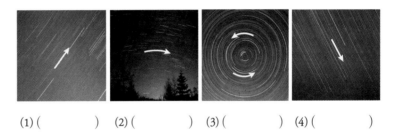

(1) (　　　)　(2) (　　　)　(3) (　　　)　(4) (　　　)

태양이 별자리 사이를 이동하는 것은 지구의 공전에 의한 겉보기 운동이야!

1-3

그림은 지구의 공전 궤도면과 황도 12궁을 나타낸 것이다.

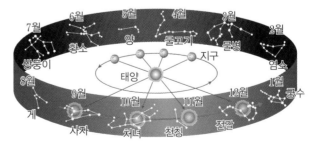

(1) 지구에서 한밤중 남쪽 하늘에서 물병자리가 관측될 때 태양이 위치하는 별자리를 쓰시오.

(　　　　)

(2) 지구에서 한밤중 남쪽 하늘에서 황소자리가 관측될 때 태양이 위치하는 별자리를 쓰시오.

(　　　　)

용어 풀이

* **천체**(天 하늘, 體 몸): 우주에 존재하는 모든 물체, 즉 별, 행성, 혜성 등을 통틀어 이르는 말
* **일주**(日 날, 週 돌) 운동: 지구의 자전 운동으로 인하여 모든 천체가 천구와 함께 지구의 자전 방향과 반대 방향으로 도는 것처럼 보이는 운동
* **황도**(黃 누를, 道 길): 천구상에서 태양이 지나는 길

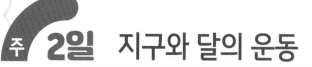
주제 2 · 달의 공전과 위상 변화

달이 지구 주위를 공전하므로, 지구에서 볼 때 햇빛을 반사하여 밝게 보이는 달의 모양이 약 한 달 주기로 달라진다.

중요 개념

● **달의 공전** 달이 지구를 중심으로 약 한 달에 한 바퀴씩 서에서 동으로 회전하는 운동
● **달의 위상 변화** 초승달 → ❶(ㅅㅎㄷ) → ❷보름달(ㅁ) → 하현달 → 그믐달

　(1) ＊망, 삭: 보름달로 보일 때를 망, 달이 보이지 않을 때를 삭이라고 함.

　(2) 상현: 음력 7~8일 경에 오른쪽에 둥근 반달로 보이는 때

　(3) 하현: 음력 22~23일 경에 왼쪽에 둥근 반달로 보이는 때

Tip

달의 위상 변화
➡ 달은 스스로 빛을 내지 못하므로 햇빛을 반사하여 밝게 보이는 부분만 볼 수 있다. 따라서 달의 상대적 위치에 따라 우리 눈에 보이는 모양이 달라진다.

답 ❶ 상현달 ❷ 망

2-1

달의 위상 변화에 대한 설명에서 빈칸에 알맞은 말을 넣으시오.

(1) 태양 — 지구 — 달의 순서로 일직선상에 위치할 때를 (   )이라고 한다.

(2) 태양 — 달 — 지구의 순서로 일직선상에 위치할 때를 (   )이라고 한다.

(3) 태양, 지구, 달이 직각을 이루어 달의 왼쪽이 둥근 반달로 보일 때를 (   )이라고 한다.

달의 위상 변화는 달의 공전으로 달과 태양, 지구의 상대적 위치가 달라지기 때문이야.

2-2

그림은 달의 위상 변화를 확인하기 위한 실험을 나타낸 것이다. 이에 대한 설명으로 옳은 것은 ○표, 옳지 않은 것은 ×표를 하시오. (단, 스타이로폼 공은 달, 전등은 태양, 스마트폰을 든 사람은 지구에서 관측자를 나타낸 것이다.)

(1) 스타이로폼 공을 든 사람이 (가)~(라)의 방향으로 한 바퀴 도는 것은 달의 공전을 의미한다.

(   )

(2) 달의 위상에서 (가)의 위치는 망, (다)의 위치는 삭에 해당한다.

(   )

(3) 스타이로폼 공의 밝은 부분이 오른쪽이 둥근 반달로 보이는 위치는 (나)에 해당한다.

(   )

달의 자전 주기와 공전 주기는 약 27.3일로 같아.

용어 풀이

* **삭**(朔 하루초): 음력 1일 경에 달이 지구와 태양 사이에 놓여 보이지 않는 위치

* **망**(望 보름): 음력 15일 경에 지구를 기준으로 달이 태양 반대 방향에 놓여 둥글게 보이는 위치

2-3

달이 한 달을 주기로 위상이 변하는 동안 항상 달의 같은 면만 볼 수 있다. 그 까닭을 다음 단어를 포함하여 설명하시오

공전 주기, 자전 주기

1-1

그림은 우리나라에서 북쪽 하늘의 별을 관측한 모습을 나타낸 것이다.

이에 대한 설명으로 옳은 것을 보기 에서 모두 고른 것은?

보기

ㄱ. 지구의 공전에 의한 겉보기 운동이다.

ㄴ. 실제로 별이 하루에 한 바퀴씩 지구 주위를 회전한다.

ㄷ. 별의 일주 운동을 찍은 것으로 1시간 동안 시계 반대 방향으로 회전한 것을 나타낸 것이다.

① ㄱ   ② ㄴ   ③ ㄷ

④ ㄱ, ㄴ   ⑤ ㄴ, ㄷ

1-2

지구의 자전 및 공전과 관련된 설명으로 옳지 않은 것은?

① 지구는 1시간에 15°씩 자전한다.

② 지구의 자전 및 공전 방향은 서에서 동이다.

③ 지구의 공전에 의해 계절별 별자리가 달라진다.

④ 지구의 자전에 의해 모든 천체가 동에서 서로 겉보기 일주 운동을 한다.

⑤ 지구의 공전에 의해 태양이 별자리를 배경으로 매일 약 1°씩 동에서 서로 이동한다.

1-3

그림은 태양의 연주 운동과 황도 12궁을 나타낸 것이다.

이에 대한 보기 의 설명으로 옳은 것을 모두 고른 것은?

보기

ㄱ. 별자리는 태양을 기준으로 하루에 약 1°씩 동에서 서로 이동한다.

ㄴ. 태양이 하루에 1°씩 서에서 동으로 별자리 사이를 이동한다.

ㄷ. 지구가 A 위치에 있을 때 태양은 물고기자리를 지나며, 자정에 남쪽하늘에서 처녀자리가 보인다.

① ㄱ   ② ㄴ   ③ ㄷ

④ ㄱ, ㄴ   ⑤ ㄴ, ㄷ

Hint 지구상에서는 태양의 반대편에 있는 별자리가 관측된다.

문제 해결 Point

가이드 천체의 일주 운동은 태양, 달, 별과 같은 천체가 하루에 한 바퀴씩 원을 그리며 움직이는 운동으로, 지구가 자전하기 때문에 나타나는 **겉보기 운동**이다.

해결 Point 북쪽 하늘의 별은 시계 반대 방향으로 1시간에 15°씩 회전한다.

오개념 주의 ㄱ, ㄴ 천체의 일주 운동은 지구의 자전에 의한 겉보기 운동이다.

대표 기출문제 주제 2 달의 공전과 위상 변화

2-1

그림은 지구 주위를 공전하는 달의 위치를 나타낸 것이다.

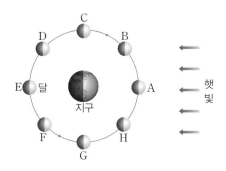

음력 7~8일경에 볼 수 있는 달의 위치와 위상으로 옳은 것은?

	달의 위치	달의 위상
①	A	
②	C	
③	E	
④	F	
⑤	G	

2-2

달의 위상 변화에 대한 설명으로 옳지 <u>않은</u> 것은?

① 초승달은 삭을 지나 달의 오른쪽 일부가 보일 때이다.

② 망은 달−지구−태양으로 위치할 때이며, 보름달로 보인다.

③ 달의 위상은 달의 공전으로 인해 약 한 달을 주기로 변한다.

④ 삭은 지구−달−태양으로 위치할 때이며, 달이 보이지 않는다.

⑤ 상현은 태양−지구−달이 직각을 이룰 때이며, 왼쪽이 둥근 반달로 보인다.

Hint 초승달은 달의 오른쪽 일부가 보일 때이고, 그믐달은 달의 왼쪽 일부가 보일 때이다.

2-3

그림은 달의 위상이 달라지는 것을 나타낸 것이다.

이에 대한 설명으로 옳은 것을 보기 에서 모두 고른 것은?

┌─ 보기 ─────────────────────────┐

ㄱ. 달은 항상 같은 면만 지구를 향하고 있다.

ㄴ. 달이 보름달로 보일 때에는 지구를 기준으로 태양 반대쪽에 위치한다.

ㄷ. 달이 약 한 달을 주기로 동에서 서로 공전함으로 인해 달의 위상이 변한다.

└──────────────────────────────┘

① ㄱ   ② ㄴ   ③ ㄷ

④ ㄱ, ㄴ   ⑤ ㄴ, ㄷ

문제 해결 Point

가이드   A는 삭(음력 1일 경), B는 상현(음력 7~8일 경), E는 망(음력 15일 경), G는 하현(음력 22~23일 경)에 해당한다.

해결 Point   음력 7~8일경에 볼 수 있는 달은 상현달이며, 상현달은 오른쪽이 둥근 반달이다.

3일 일식과 월식

일식

일식은 달이 삭의 위치(태양-달-지구 순으로 일직선상)일 때 달이 태양의
전체 또는 일부를 가려 보이지 않는 현상이다.

〈달의 본그림자가 닿는 지역〉
개기 일식

와~. 해가 없어지면서
하늘이 어두워졌어.

태양과 지구 사이에
달이 있어서 태양이 가려지는
현상인데, 일식이라고 해.

부분 일식
〈달의 반그림자가 닿는 지역〉

중요 개념

- **일식이 일어나는 경우** 달의 위상이 ❶(ㅅ)
  일 때
- **일식 진행 방향** 태양의 오른쪽부터 가려짐

진행 방향

- **일식의 종류**

구분	개기 일식	부분 일식
정의	태양이 달에 완전히 가려지는 현상	태양이 달에 일부 가려지는 현상
관측 가능 지역	달의 ❷(ㅂㄱㄹㅈ)가 생기는 지역	달의 반그림자가 생기는 지역

Tip

일식의 진행 과정
➡ 달이 공전하며 태양의
앞을 지남에 따라 태양의
오른쪽부터 가려지고, 다
시 오른쪽부터 빠져 나온
다.

답 ❶ 삭 ❷ 본그림자

개념 원리 확인

1-1

일식에 대한 설명으로 옳은 것은 ○표, 옳지 않은 것은 ×표를 하시오.

(1) 일식은 달이 삭의 위치인 태양−달−지구의 순서로 일직선상에 위치할 때 일어난다.

(   )

(2) 개기 일식은 태양이 달에 의해 완전히 가려지는 현상을 말한다. (   )

(3) 부분 일식은 태양의 일부가 달에 가려지는 현상을 말하며, 달의 본그림자에 관측자가 있을

때 볼 수 있다. (   )

달은 지구를 중심으로 서에서 동으로 공전하므로 태양의 서쪽부터 가려져.

1-2

일식에 대한 설명이다. 빈칸에 들어갈 알맞은 말을 쓰시오.

(1) 일식은 달이 ㉠(서 → 동 / 동 → 서) 방향으로 공전하므로 태양의 ㉡(오른쪽 / 왼쪽)부터 가려진다.

(2) 달의 본그림자가 생기는 지역에서 관측 가능하며, 태양이 달에 완전히 가려지는 현상을 (개기 / 부분) 일식이라고 한다.

(가)는 본그림자, (나)는 반그림자를 나타낸거야.

용어 풀이

＊**본그림자**: 광원으로부터 오는 빛을 전혀 받지 못하여 생기는 그림자

＊**반그림자**: 광원으로부터 오는 빛의 일부를 받지 못해 생기는 흐릿한 그림자

1-3

그림은 일식이 일어날 때 태양, 달, 지구의 위치 관계를 나타낸 것이다. (가) 지역과 (나) 지역에서 관찰할 수 있는 일식의 종류를 각각 쓰시오. (   )

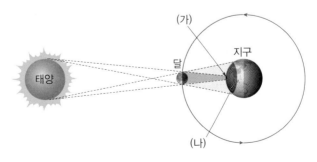

주제 2 월식

월식은 달이 망의 위치(태양─지구─달 순으로 일직선상)일 때 달이 지구 그림자 속에 들어가 달의 전체 또는 일부가 가려지는 현상이다.

중요 개념

● **월식이 일어나는 경우** 달의 위상이 ❶(▢)일 때

● **월식 진행 방향** 달의 ❷(▢쪽)부터 가려지고 왼쪽부터 빠져나옴

▲ 월식의 진행 과정

● **월식의 종류**

구분	개기 월식	부분 일식
정의	달 전체가 지구의 본 그림자에 가지려 붉게 보이는 현상	달 일부가 지구의 본그림자에 가려지는 현상
관측 가능 지역	밤이 되는 모든 지역	밤이 되는 모든 지역

• 달이 지구의 반그림자에 위치할 때 : 월식이 일어나지 않는다.

> **Tip**
>
> **월식의 관측**
> ➡ 일식은 달의 본그림자나 반그림자가 생기는 지역에서만 관측 가능하다. 하지만 월식은 지구상에서 밤이 되는 모든 지역에서 볼 수 있다.

답 ❶ 망 ❷ 왼쪽

2-1

월식에 대한 설명으로 옳은 것은 ○표, 옳지 않은 것은 ×표를 하시오.

달이 지구의 반그림자에 들어가면 월식이 일어나지 않고 조금 어두워지기만 해.

(1) 월식은 달이 망의 위치인 태양 — 지구 — 달의 순서로 될 때 일어난다. (   )

(2) 개기 월식은 달이 지구의 본그림자에 완전히 들어가서 달이 가려지는 현상을 말한다. (   )

(3) 부분 월식은 달이 지구의 반그림자에 일부가 들어가서 달이 가려지는 현상을 말한다. (   )

2-2

다음은 월식에 대한 설명이다. 빈칸에 알맞은 말을 쓰시오.

(1) 개기 월식이 일어나면 달이 전혀 보이지 않는 것이 아니라 (   )색으로 보인다.

(2) 월식은 밤이 되는 지구상의 모든 지역에서 볼 수 있으며, 지속 시간도 일식보다 훨씬 (   ).

2-3

(가)는 달이 지구 본그림자에 일부 들어가서 달이 부분적으로 가려진 거야.

그림은 월식이 일어날 때 태양, 지구, 달의 위치를 나타낸 것이다. 달이 (가)와 (나) 위치에 있을 때 관찰할 수 있는 월식의 종류를 각각 쓰시오. (   )

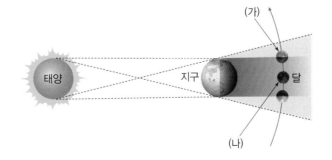

1-1

그림은 일식 중 부분 일식을 나타낸 것이다.

이에 대한 보기 의 설명으로 옳은 것을 모두 고른 것은?

보기
ㄱ. 달의 본그림자에 있는 관측자가 볼 수 있다.
ㄴ. 달이 지구를 공전하면서 일어나는 현상이다.
ㄷ. 달이 삭의 위치에 와서 태양—달—지구가 일직선
상에 있을 때 일어난다.

① ㄱ   ② ㄴ   ③ ㄱ, ㄴ
④ ㄱ, ㄷ   ⑤ ㄴ, ㄷ

1-2

일식에 대한 설명으로 옳지 <u>않은</u> 것은?

① 일식은 달이 삭의 위치에 있을 때 일어난다.
② 부분 일식은 달의 반그림자에 있는 관측자에게 보인다.
③ 지구에서 부분 일식은 개기 일식보다 더 넓은 지역에서
관측된다.
④ 개기 일식은 지구의 모든 지역에서 동시에 관측할 수 있
다.
⑤ 달은 지구를 중심으로 서에서 동으로 공전하므로 태양의
오른쪽부터 가려지기 시작한다.

Hint 부분 일식이 일어나는 달의 반그림자 지역이 개기 일식이 일어나는
달의 본그림자 지역보다 넓다.

1-3

그림은 일식이 일어날 때의 태양, 달, 지구의 위치를 나타낸 것이다.

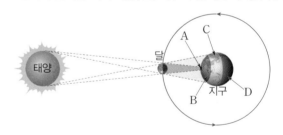

다음 빈칸에 들어갈 기호로 옳은 것은?

개기 일식을 관측할 수 있는 지구상의 위치는 ㉠(   )이
고, 부분 일식을 관측할 수 있는 위치는 ㉡(   )이다.

	㉠	㉡
①	A	B
②	A	C
③	B	A
④	B	C
⑤	C	A

가이드 일식은 **지구와 태양 사이에 달이 있을 때** 달이 태양
을 가려 태양의 전체 또는 일부가 보이지 않는 현상
이다.

해결 Point 일식은 달이 지구 주위를 공전하면서 일어나는 현상
으로, 달이 삭의 위치에 와서 태양—달—지구가 일
직선상에 있을 때 일어난다.

오개념 주의 ㄱ. 그림은 부분 일식을 나타낸 것이다. 부분 일식은
태양의 일부가 달에 가려지는 현상으로, 달의 반그
림자에 있는 관측자가 볼 수 있다.

대표 기출문제　주제2　월식

2-1

그림은 월식이 일어날 때 태양, 지구, 달의 위치 관계를 나타낸 것이다.

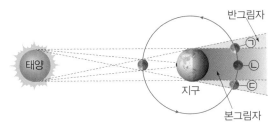

이에 대한 설명으로 옳지 <u>않은</u> 것은?

① 달이 왼쪽부터 가려지기 시작한다.

② 달이 망의 위치에 있을 때 월식이 일어난다.

③ ㉠의 위치에 있을 때 부분 월식이 일어난다.

④ ㉡의 위치에 있을 때 개기 월식이 일어난다.

⑤ 달이 지구의 본그림자 속에 있을 때 달은 보이지 않는다.

2-2

월식에 대한 설명으로 옳은 것을 보기 에서 모두 고른 것은?

보기

ㄱ. 월식은 달이 지구의 본그림자를 지날 때 관측된다.

ㄴ. 월식은 달이 태양－지구－달 순서로 일직선상에 위치할 때 일어난다.

ㄷ. 월식이 일어나면 달의 왼쪽부터 어두워지기 시작하여 전체가 가려졌다가 다시 달의 왼쪽부터 나타나기 시작한다.

① ㄱ　　　　　② ㄴ　　　　　③ ㄱ, ㄴ

④ ㄱ, ㄷ　　　　⑤ ㄱ, ㄴ, ㄷ

2-3

그림은 월식이 일어날 때의 모습을 모식적으로 나타낸 것이다.

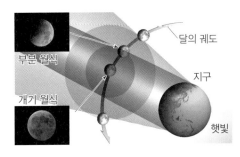

다음 빈칸에 알맞은 말을 쓰시오.

개기 월식은 달 전체가 지구의 ㉠(　　　　　)에 가려져 붉게 보일 때이며, 부분 월식은 지구의 ㉡(　　　　　)에 달의 일부가 들어가 부분적으로 가려지는 현상이다.

문제 해결 Point

가이드　달이 **망의 위치에 있을 때** 월식이 일어나는데, 지구에서 달을 본다면 ㉢ → ㉡ → ㉠으로 이동하므로 달의 왼쪽부터 가려진다.

해결 Point　월식은 태양－지구－달 순으로 일직선상에 놓일 때(망) 지구의 그림자가 달을 가려서 일어난다. 달 전체가 지구의 본그림자에 의해 가려질 때를 개기 월식, 일부가 가려질 때를 부분 월식이라고 한다.

오개념 주의　달이 지구의 본그림자 속에 있을 때 개기 월식이 일어나는데, 이때 달이 붉게 보인다.

태양계 행성과 천체 망원경

주제 1 태양계 행성

태양계는 태양 주위를 공전하는 8개의 행성, 왜소 행성, 소행성, 혜성 등의 천체와 행성 주위를 공전하는 위성들로 이루어져 있다.

중요 개념

● **태양계의 구성 천체** 태양,*행성, 위성, 왜소 행성, 소행성, 혜성 등으로 구성됨
● **지구형 행성과 목성형 행성**
　(1) 지구형 행성: 크기와 질량이 작고, 표면이 단단한 암석으로 되어 있으며, ❶(ㅇㅅ)이 없거나 적음.　예 수성, 금성, 지구, 화성
　(2) 목성형 행성: 크기와 질량이 크고, 평균 밀도가 작으며, 위성이 많고 ❷(ㄱㄹ)가 있음.　예 목성, 토성, 천왕성, 해왕성

Tip

내행성과 외행성
➡ 행성의 공전 궤도가 지구의 공전 궤도보다 안쪽에 있는 수성과 금성을 내행성, 바깥쪽에 있는 화성 등의 나머지 행성을 외행성이라고 한다.

답 ❶ 위성 ❷ 고리

개념 원리 확인

1-1

태양계의 구성 천체에 대한 설명으로 옳은 것은 ○표, 옳지 않은 것은 ×표를 하시오.

지구형 행성은 목성형 행성에 비해 작고 평균 밀도가 높아.

(1) 태양계를 구성하는 행성은 8개가 있다. ( )

(2) 수성, 금성, 지구, 화성은 지구형 행성이다. ( )

(3) 목성, 토성, 천왕성, 해왕성은 평균 밀도가 크다. ( )

(4) 수성과 화성은 위성을 가지고 있지 않다. ( )

1-2

지구형 행성과 목성형 행성을 설명한 것이다. 빈칸에 알맞은 말을 쓰시오.

(1) 지구형 행성에는 수성, ㉠( ), 지구, 화성이 있으며, 상대적으로 크기와 질량이 ㉡( ), 평균 밀도가 ㉢( ), 단단한 암석으로 된 표면을 가지고 있다.

(2) 목성형 행성에는 목성, 토성, 천왕성, ㉠( )이 있으며, 상대적으로 크기와 질량이 ㉡( ), 평균 밀도가 ㉢( ), 액체나 기체로 이루어진 표면을 가지고 있다.

3주

4일

1-3

행성과 행성의 특징에 대한 설명을 바르게 연결하시오.

목성형 행성은 모두 고리를 가지고 있어.

(1) 수성 •

(2) 금성 •

(3) 목성 •

(4) 토성 •

(5) 천왕성 •

• ㉠ 크기와 질량이 지구와 비슷하고, 이산화 탄소가 주성분인 두꺼운 대기를 가지며, 표면 온도가 470 ℃로 매우 높다.

• ㉡ 태양에서 가장 가까운 행성으로, 대기가 거의 없고, 표면은 운석 구덩이가 많다.

• ㉢ 태양계 최대 크기의 행성이고, 남반구에 대적점이 있으며, 희미한 고리가 있다.

• ㉣ 청록색을 띠고, 희미한 고리를 가지며, 자전축이 공전 궤도면과 거의 나란하다.

• ㉤ 태양계 행성 중 두 번째로 크고, 수소와 헬륨으로 이루어져 있으며, 뚜렷한 고리를 가진다.

용어 풀이

＊**행성**(行 다닐, 星 별): 중심 별의 강한 인력의 영향으로 타원 궤도를 그리며 중심 별의 주위를 도는 천체

태양계 행성과 천체 망원경

주제 2 천체 망원경

천체 망원경은 멀리 떨어져 있는 천체의 빛을 모으고 상을 확대해서 천체의 특징을 잘 관측할 수 있게 해준다.

중요 개념

● **망원경의 종류**
(1) 굴절 망원경: ❶(ㄹㅈ)로 빛을 굴절시킨 후 모아 *상을 맺음. 구조가 간단하며, 소형 망원경에 주로 사용
(2) 반사 망원경: ❷(ㄱㅇ)로 빛을 반사시킨 후 모아 상을 맺음. 대형 망원경에 주로 사용
● **굴절 망원경의 구조** 대물렌즈, 경통, 보조 망원경(파인더), 접안렌즈, 가대, 균형추, 삼각대, 미동 핸들, 초점 조절 나사
● **망원경의 조립 순서** 삼각대 설치 → 가대 설치 → 균형추 끼우기 → 경통 설치 → 보조 망원경과 접안렌즈 끼우기 → 균형추 맞추기 → 시야 정렬

Tip

망원경의 종류
➡ 빛을 모으는 렌즈나 거울에 따라 굴절 망원경과 반사 망원경으로 구분한다.

답 ❶ 렌즈 ❷ 거울

개념 원리 확인

2-1

천체 망원경에 대한 설명으로 옳은 것은 ○표, 옳지 않은 것은 ×표를 하시오.

(1) 굴절 망원경은 렌즈를 이용하여 빛을 모아 관측하는 기구로, 렌즈를 크게 만들기 어렵고 구조가 복잡하여 주로 대형 망원경에 사용한다. ( )

(2) 반사 망원경은 거울로 빛을 모아 관측하는 기구로, 렌즈에 비해 거울이 만들기 쉬우므로 주로 소형 망원경에 사용한다. ( )

(3) 굴절 망원경에서 대물렌즈(주경)의 지름이 클수록 어두운 천체를 보기가 쉬워진다. ( )

(4) 보조 망원경으로 대상 천체를 먼저 찾은 후 주 망원경으로 관측한다. ( )

렌즈는 크게 만들기 어렵고, 거울은 상대적으로 렌즈에 비해 가볍고 만들기가 쉬워.

2-2

다음은 굴절 망원경의 기능을 설명한 것이다. 이에 해당하는 천체 망원경의 구조를 그림에서 찾아 쓰시오.

(1) ( ): 볼록 렌즈를 이용하여 빛을 모아 상을 맺게 하는 부분

(2) ( ): 시야가 넓어 먼저 천체를 쉽게 찾기 위해 사용하는 부분

(3) ( ): 경통과 삼각대를 연결하는 부분

(4) ( ): 대물렌즈가 만든 상을 확대해서 보는 부분

(5) ( ): 천체 망원경이 흔들리지 않게 고정하는 부분

렌즈의 지름이 클수록 더 많은 빛을 모을 수 있어

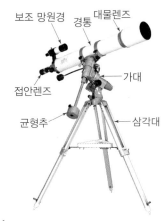

보조 망원경 경통 대물렌즈
접안렌즈
가대
균형추
삼각대

2-3

천체 망원경을 조립하는 순서를 나타낸 것이다. 빈칸에 알맞은 말을 쓰시오.

삼각대 설치 → ㉠( ) 설치 → 균형추 끼우기 → 경통 설치 → ㉡( ) 과 ㉢( ) 설치 → 균형 맞추기 → 보조 망원경과 주 망원경의 시야 정렬

대표 기출문제 **주제 1** 태양계 행성

1-1

태양계를 구성하고 있는 행성의 특징을 설명한 것으로 옳은 것을 보기 에서 모두 고른 것은?

보기
ㄱ. 수성 — 물과 대기가 거의 없어 표면에 운석 구덩이가 많이 남아 있다.
ㄴ. 금성 — 토양에 산화철이 포함되어 있어 붉게 보이며, 이산화 탄소와 물이 얼어붙은 흰색의 극관이 있다.
ㄷ. 목성 — 거대한 대기의 소용돌이인 대적점이 있고, 위성이 많다.
ㄹ. 해왕성 — 암석과 얼음으로 된 뚜렷한 고리가 있고, 위성이 많다.

① ㄱ, ㄴ　　② ㄱ, ㄷ　　③ ㄴ, ㄷ
④ ㄴ, ㄹ　　⑤ ㄷ, ㄹ

문제 해결 Point

가이드 금성은 주로 **이산화 탄소로 이루어진 두꺼운 대기**가 있다. 해왕성은 파란색으로 보이며, 대기의 소용돌이인 **대흑점**이 나타난다.

해결 Point 수성은 물과 대기가 거의 없어 표면에 운석 구덩이가 많이 남아 있어 달 표면과 비슷하다. 목성은 거대한 대기의 소용돌이인 대적점이 있고, 희미한 고리가 있으며, 수십 개의 위성을 가지고 있다.

오개념 주의 ㄴ. 화성은 토양에 산화철이 포함되어 붉게 보이며, 극관은 계절에 따라 그 크기가 변한다.
ㄹ. 토성은 표면에 가로줄무늬가 있고, 암석과 얼음으로 된 뚜렷한 고리가 있으며, 수십 개의 위성이 있다.

1-2

그림은 태양계를 이루는 행성들이다.

(가)　　　　　(나)　　　　　(다)

이들의 공통적 특징에 대한 설명을 보기 에서 모두 고른 것은?

보기
ㄱ. 크기와 질량이 크다.
ㄴ. 위성이 없거나 적다.
ㄷ. 표면이 단단한 암석으로 되어 있다.
ㄹ. 가벼운 원소로 되어 있어서 평균 밀도가 작다.

① ㄱ, ㄴ　　② ㄱ, ㄹ　　③ ㄴ, ㄷ
④ ㄴ, ㄹ　　⑤ ㄷ, ㄹ

Hint 그림 (가)는 토성, (나)는 목성, (다)는 천왕성을 나타낸 것이다.

1-3

그림은 태양계 행성들을 물리적 특성에 따라 A, B 집단으로 분류한 것이다. 이에 대한 설명으로 옳은 것을 보기 에서 모두 고른 것은?

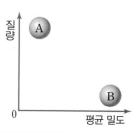

보기
ㄱ. A는 위성이 없거나 적고, B는 위성이 많다.
ㄴ. A에는 금성과 화성이 속하고, B에는 목성과 토성이 속한다.
ㄷ. A는 주로 가벼운 원소로 이루어져 있고, B는 주로 무거운 원소로 이루어져 있다.

① ㄱ　　　② ㄴ　　　③ ㄷ
④ ㄱ, ㄴ　　⑤ ㄴ, ㄷ

Hint A는 목성형 행성, B는 지구형 행성이다.

대표 기출문제 주제 2 천체 망원경

2-1

그림은 천체 망원경의 구조를 나타낸 것이다.

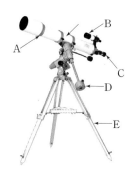

각 부분의 기호와 기능에 대한 설명으로 옳지 <u>않은</u> 것은?

① A − 볼록 렌즈로 이루어져 있으며, 빛을 모아 상을 맺게 한다.

② B − 대상 천체를 찾을 때 사용한다.

③ C − 상을 확대하며, 망원경의 배율을 조절한다.

④ D − 경통과 삼각대를 연결한다.

⑤ E − 천체 망원경을 세우고 고정해 준다.

문제 해결 Point

| 가이드 | 천체 망원경의 구조는 빛을 모으는 부분(**대물렌즈**), 상을 확대하는 부분(**접안렌즈**), 망원경을 지지하는 부분(**가대, 삼각대, 균형추**)으로 나눌 수 있다. |

| 해결 Point | 가대는 경통과 삼각대를 연결하며, 경통을 원하는 방향으로 움직이게 해 준다. |

| 오개념 주의 | D는 균형추로, 경통부와 무게 균형을 맞추어서 망원경이 원활하게 작동하도록 해 준다. |

2-2

망원경으로 천체를 관측할 때의 설명으로 옳은 것을 보기 에서 모두 고른 것은?

보기

ㄱ. 대물렌즈를 바꾸어 망원경의 배율을 조절한다.

ㄴ. 보조 망원경은 관측할 천체를 찾을 때 사용하며, 천체가 시야의 중앙에 오도록 조정한다.

ㄷ. 가대에 모터를 설치하여 일주 운동과 같은 속도로 망원경을 회전시키면 특정 천체를 계속 관찰할 수 있다.

① ㄱ   ② ㄴ   ③ ㄷ

④ ㄱ, ㄴ   ⑤ ㄴ, ㄷ

Hint 모든 천체는 일주 운동을 하므로 망원경을 일주 운동과 같은 속도로 회전시키면 천체를 계속 관측할 수 있다.

2-3

보기 는 망원경의 설치 방법을 순서 없이 나열한 것이다. 순서를 바르게 나열한 것은?

보기

ㄱ. 평평한 곳에 삼각대를 세운다.

ㄴ. 가대 위에 경통을 올린다.

ㄷ. 삼각대 위에 가대를 고정하고 균형추를 매단다.

ㄹ. 균형추와 경통의 위치를 조절하여 균형을 맞춘다.

ㅁ. 미동 핸들을 연결하고, 보조 망원경과 접안렌즈를 설치한다.

① ㄱ − ㄴ − ㄷ − ㄹ − ㅁ

② ㄱ − ㄷ − ㄴ − ㅁ − ㄹ

③ ㄴ − ㄱ − ㄷ − ㅁ − ㄹ

④ ㄴ − ㄱ − ㄷ − ㄹ − ㅁ

⑤ ㄷ − ㄱ − ㄹ − ㄴ − ㅁ

5일 태양

주제 **1** **태양의 표면과 대기**

태양의 표면에는 흑점과 쌀알무늬가 나타난다. 태양의 대기에는 대기층인 채층과 코로나가 있으며, 홍염과 플레어가 나타나기도 한다.

채층   코로나   홍염   플레어

중요 개념

● **태양의 표면** *광구라고 하며, 약 6000 ℃이다. 주변보다 온도가 낮아 검게 보이는 흑점과, 태양 내부의 대류 작용으로 쌀알 무늬가 나타남
● **태양의 대기에서 관측되는 현상**
　(1) 채층: 광구 바로 위의 붉은색 대기층
　(2) ❶(ㅋㄹㄴ): 채층 바깥의 청백색 대기층으로, 온도가 100만 ℃ 이상
　(3) 홍염: 채층의 물질이 불꽃처럼 솟아오르는 현상
　(4) ❷(ㅍㄹㅇ): 흑점 주변에서 일어나는 강한 폭발 현상

Tip

태양의 대기
➡ 태양의 대기에서는 특별한 장비를 이용하거나 개기 일식이 일어날 때 채층, 홍염 등의 현상을 볼 수 있다.

답 ❶ 코로나 ❷ 플레어

개념 원리 확인

1-1

태양에 대한 설명으로 옳은 것은 ○표, 옳지 않은 것은 ×표를 하시오.

(1) 태양을 관측하면 볼 수 있는 밝고 둥근 표면을 광구라고 한다. ( )

(2) 광구의 표면에 있는 쌀알을 뿌려놓은 듯한 무늬를 흑점이라고 한다. ( )

(3) 흑점은 주변보다 온도가 낮아 검게 보인다. ( )

(4) 태양의 대기인 코로나는 평소 육안으로도 쉽게 관찰할 수 있다. ( )

1-2

> 지구와 마찬가지로 태양도 자전을 해.

태양의 자전을 설명한 것이다. 빈칸에 알맞은 말을 쓰시오.

(1) 태양이 자전을 하기 때문에 흑점을 매일 관측하면 모양과 크기가 조금씩 변하면서 위치가 ㉠( )에서 ㉡( )로 이동하는 것을 볼 수 있다.

(2) 태양 표면은 지구처럼 딱딱한 고체가 아니라 ㉠( )이므로 위치에 따라 자전 ㉡( )가 다르다.

1-3

> 태양의 대기층에서는 채층, 코로나, 홍염, 플레어가 나타나.

그림 (가)~(다)는 태양에서 볼 수 있는 여러 가지 현상이다.

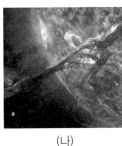
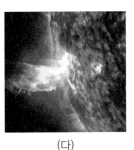

(가)　　　　　　(나)　　　　　　(다)

이에 대한 설명으로 옳은 것을 보기 에서 모두 고르시오.

> 보기
> ㄱ. (가)는 채층 바깥의 청백색의 대기층으로, 개기 일식 때 관측할 수 있다.
> ㄴ. (나)는 채층의 물질이 불꽃처럼 솟아오르는 현상으로, 고리 등 다양한 모양이 있다.
> ㄷ. (다)는 흑점 부근에서 강한 폭발이 일어나 많은 양의 물질과 에너지가 방출되는 현상으로 홍염이라고 한다.

( )

주제 **2** **태양의 활동**

태양의 활동이 활발해지면 오로라가 자주 발생하고 위성 위치 확인 시스템
(GPS)이 교란되는 등 지구에 여러 가지 영향을 미친다.

중요 개념

● **태양풍** 태양의 상부 대기층에서 방출된 ❶(ㅈㅎ)를 띤 입자의 흐름
● **태양의 활동** 태양의 활동이 활발해지면 흑점 수가 늘어나고 코로나 크기가 커지며, 홍염과
플레어도 자주 발생함(흑점 수의 변동 주기: 약 11년)
● **태양풍의 영향** 태양의 활동으로 태양풍이 강해지면 지구의*극지방에 ❷(ㅇㄹㄹ)가 자주 발
생하고, 위성 위치 확인 시스템(GPS)이 교란되며, 항공기나 인공위성 및 전력 장비가 손상
되는 등 지구에 여러 가지 영향을 끼침

Tip

태양풍의 영향
➡ 태양 활동이 활발해지
면 흑점 수가 늘어나고, 오
로라가 더 넓은 지역에서
발생하며, 홍염과 플레어
도 자주 발생한다.

답 ❶ 전하 ❷ 오로라

개념 원리 확인

2-1

태양의 활동에 대한 설명으로 옳은 것은 ○표, 옳지 않은 것은 ×표를 하시오.

(1) 태양의 활동이 활발해지면 코로나의 크기가 작아진다.   (   )

(2) 태양의 활동이 활발해지면 흑점의 수가 줄어든다.   (   )

(3) 태양의 활동이 활발해지면 홍염과 플레어가 자주 발생한다.   (   )

(4) 태양의 활동이 활발해지면 지구 자기장이 급격하게 변하는 자기 폭풍이 자주 발생할 수 있다.

                                                      (   )

2-2

태양의 활동에 대해 설명한 것이다. 빈칸에 알맞은 말을 쓰시오.

(1) 태양은 약 (   )년을 주기로 활동하고 있다.

(2) 태양풍이 지구 자기장에 이끌려 대기로 진입하면서 대기권 상층부의 기체와 마찰하여 빛을 내는 현상을 (   )라고 한다.

> 오로라는 태양 활동이 활발할 때 주로 극지방에서 관측돼.

2-3

태양의 활동이 활발할 때 일어나는 현상으로 옳은 것을 [보기]에서 모두 고르시오.   (   )

> **보기**
>
> ㄱ. 홍염과 플레어가 자주 발생한다.
> ㄴ. 인공위성이 제 기능을 못할 수 있다.
> ㄷ. 흑점 수가 감소하고 태양풍이 더 약해진다.
> ㄹ. 평상시보다 오로라가 발생하는 지역이 좁게 나타난다.

용어 풀이

＊**극지방**(極 다할, 地 땅, 方 방향): 남극과 북극을 중심으로 한 그 주변 지역

대표 기출문제 **주제 1** 태양의 표면과 대기

1-1

태양에 대한 설명으로 옳은 것을 보기 에서 모두 고른 것은?

보기

ㄱ. 태양의 표면인 광구의 온도는 약 6000 ℃이다.

ㄴ. 광구 위에 있는 얇고 붉게 보이는 대기층을 코로나라고 한다.

ㄷ. 광구에 쌀알을 뿌려놓은 듯한 무늬가 나타나는 것은 태양의 자전 때문이다.

ㄹ. 광구에는 주변보다 온도가 낮아 검은 얼룩처럼 보이는 흑점이 보이기도 한다.

① ㄱ, ㄴ   ② ㄱ, ㄹ   ③ ㄴ, ㄷ

④ ㄴ, ㄹ   ⑤ ㄷ, ㄹ

1-2

그림은 태양 표면의 일부를 확대한 모습이다.

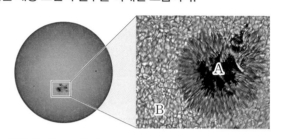

이에 대한 설명으로 옳지 않은 것은?

① A는 주변보다 온도가 낮아 어둡다.

② A는 약 11년을 주기로 그 수가 변한다.

③ A는 태양의 자전에 의해 동에서 서로 이동한다.

④ B는 광구 아래 대류 현상으로 나타난다.

⑤ B 부근에서는 홍염이나 플레어가 생기기도 한다.

Hint A는 흑점, B는 쌀알 무늬를 나타낸 것이다.

문제 해결 Point

가이드 태양의 표면인 광구에는 **흑점과 쌀알 무늬**가 나타나며, 태양의 대기에서는 **채층, 코로나, 홍염, 플레어**를 볼 수 있다.

해결 Point 광구는 우리가 육안으로 보는 태양의 둥근 구면으로 평균 온도는 약 6000 ℃이며, 광구에는 주변보다 온도가 낮아 검은 얼룩처럼 보이는 흑점이 나타나기도 한다.

오개념 주의 ㄴ. 개기 일식 때 태양의 광구 바로 위에 얇고 붉게 보이는 대기층을 채층이라 하며, 채층 위로 수백만 km 높이까지 뻗어 있는 고온의 청백색 대기층을 코로나라고 한다.
ㄷ. 태양의 광구에는 쌀알을 뿌려 놓은 듯한 무늬가 나타나는데, 이를 쌀알 무늬라고 하며, 광구 바로 아래에서 일어나는 대류 때문에 나타난다.

1-3

그림은 태양에서 볼 수 있는 여러 가지 현상들이다.

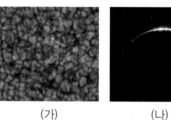 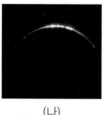 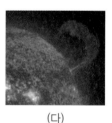

(가)   (나)   (다)

이에 대한 설명으로 옳지 않은 것은?

① (가)는 쌀알 무늬, (나)는 채층, (가)는 홍염이다.

② (가)에서 밝은 부분은 고온의 가스가 상승하는 곳이다.

③ (나)는 개기 일식 때 관측할 수 있다.

④ (다)는 주로 흑점 부근에서 발생한다.

⑤ (다)는 강한 폭발 현상으로, 막대한 물질과 에너지를 방출한다.

대표 기출문제 **주제 2** 태양의 활동

2-1

그림은 최근 100여 년 동안 흑점 수의 변화를 그래프로 나타낸 것이다.

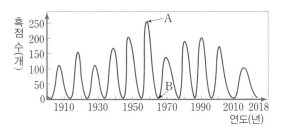

이에 대한 설명으로 옳은 것을 보기 에서 모두 고른 것은?

보기

ㄱ. 흑점 수는 약 11년을 주기로 변한다.

ㄴ. A 시기에 흑점 수가 많아지고, 태양풍도 더 많이 방출된다.

ㄷ. B 시기에 인공위성의 센서가 고장이 나거나 제 기능을 못할 수 있다.

ㄹ. A, B 시기 모두 지상의 송전 시설은 영향을 받지 않는다.

① ㄱ, ㄴ   ② ㄱ, ㄹ   ③ ㄴ, ㄷ
④ ㄴ, ㄹ   ⑤ ㄷ, ㄹ

2-2

태양의 활동이 더 활발해질 때 일어날 수 있는 현상으로 옳지 **않은** 것은?

① 태양풍이 더 강해진다.

② 오로라 발생 지역이 좁아진다.

③ 자기 폭풍이 발생할 수 있다.

④ 홍염과 플레어가 자주 발생한다.

⑤ 위성 위치 확인 시스템(GPS) 수신에 장애가 일어날 수 있다.

Hint 위성 위치 확인 시스템(GPS)은 인공위성에서 발신하는 신호를 이용하여 자신의 위치를 알 수 있는 시스템이다.

2-3

그림은 극지방에서 볼 수 있는 현상이다. 이러한 현상이 평소보다 자주 일어날 때의 상황을 보기 에서 모두 고른 것은?

보기

ㄱ. 흑점의 수가 줄어든다.

ㄴ. 방송 통신 시설에 장애가 발생할 수 있다.

ㄷ. 극 항로를 이용하는 항공기는 방사능에 노출될 위험이 있다.

① ㄱ   ② ㄱ, ㄴ   ③ ㄱ, ㄷ
④ ㄴ, ㄷ   ⑤ ㄱ, ㄴ, ㄷ

Hint 그림은 오로라를 나타낸 것이다.

문제 해결 Point

가이드   태양의 활동이 활발해지면 **태양풍**으로 인해 위성 위치 확인 시스템(GPS), 인공위성, 항공 분야, 전력 분야 등에 여러 가지 영향을 미친다.

해결 Point   태양은 약 11년을 주기로 활동하고 있다. 태양의 활동이 활발해지면 흑점 수가 늘어나고, 코로나의 크기도 더 커지며, 홍염과 플레어도 자주 발생한다.

오개념 주의   ㄷ. 태양의 활동이 활발해지는 A 시기에 태양풍으로 인해 인공위성의 다양한 센서들이 고장이 나거나 제 기능을 못할 수 있다.
ㄹ. 태양풍이 강해지는 A 시기에는 지상의 전력 장비가 손상되어 정전 사고를 일으킬 수 있다.

지구의 크기 ▶ p.96

01 에라토스테네스가 지구의 둘레를 구하기 위해 가정한 것을 보기에서 모두 고른 것은?

> 보기
>
> ㄱ. 지구는 자전한다.
> ㄴ. 지구는 완전한 구형이다.
> ㄷ. 햇빛은 지구에 평행하게 들어온다.

① ㄱ   ② ㄴ   ③ ㄷ
④ ㄱ, ㄴ   ⑤ ㄴ, ㄷ

달의 크기 ▶ p.35

02 그림은 달까지의 거리를 알고 있을 때 실험으로 달의 크기를 측정하는 방법을 나타낸 것이다.

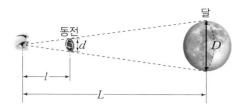

달의 크기를 측정하기 위해 직접 측정해야 하는 것을 보기에서 모두 고른 것은?

> 보기
>
> ㄱ. 동전의 지름   ㄴ. 달까지의 거리
> ㄷ. 동전까지의 거리

① ㄱ   ② ㄴ   ③ ㄷ
④ ㄱ, ㄷ   ⑤ ㄴ, ㄷ

지구와 천체의 운동 ▶ p.102

03 지구의 자전과 공전에 대한 설명으로 옳지 <u>않은</u> 것은?

① 지구는 서에서 동으로 자전한다.
② 지구의 자전으로 계절별 별자리가 변화한다.
③ 지구는 태양 주위를 하루에 약 1°씩 공전한다.
④ 지구의 공전으로 태양의 연주 운동이 나타난다.
⑤ 지구는 자전축을 중심으로 하루에 한 바퀴씩 회전한다.

지구와 천체의 운동 ▶ p.102

04 그림 (가)~(다)는 우리나라에서 관찰할 수 있는 별의 일주 운동 모습이다.

(가)   (나)   (다)

남쪽 하늘과 북쪽 하늘에서 관측할 수 있는 것으로 옳은 것은?

	남쪽 하늘	북쪽 하늘
①	(가)	(나)
②	(가)	(다)
③	(나)	(가)
④	(나)	(다)
⑤	(다)	(나)

달의 위상 ▶ p.104

05 그림은 달의 공전 궤도를 나타낸 것이다.

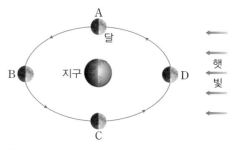

달의 위상이 삭과 망인 위치로 옳은 것은?

	삭	망
①	A	B
②	A	C
③	B	D
④	C	A
⑤	D	B

태양계 행성 ▶ p.114

06 다음은 태양계의 어떤 행성에 대한 설명이다.

> • 하루의 길이가 지구와 비슷하고, 계절 변화가 나
>   타난다.
> • 이산화 탄소가 대기의 주성분이며, 표면은 산화철
>   의 영향으로 붉게 보인다.
> • 얼음과 드라이아이스로 된 극관이 있다.

이 행성의 이름으로 옳은 것은?

① 수성　　　② 금성　　　③ 화성

④ 목성　　　⑤ 토성

지구와 천체의 운동 ▶ p.102

07 다음 빈칸에 알맞은 말을 쓰시오.

> 지구는 태양을 중심으로 서에서 동으로 1년에 한
> 바퀴씩 공전을 하며, 그 결과 태양이 서에서 동으로
> 움직이는 ㉠(　　)이 나타나고 계절에 따라 보이는
> ㉡(　　)가 달라진다.

일식 ▶ p.108

08 그림은 일식이 일어나는 모습을 나타낸 것이다.

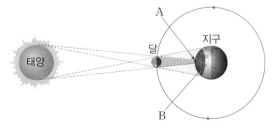

㉠개기 일식과 ㉡부분 일식을 관측할 수 있는 지역을 각각
쓰시오.

태양의 활동 ▶ p.122

09 그림은 태양의 대기층을 촬영한 것이다.

이와 관련된 설명으로 옳지 않은 것은?

① 개기 일식이 일어날 때 볼 수 있다.

② 태양 활동이 활발해지면 그 크기가 커진다.

③ 흑점 주변에서 일어나는 강력한 폭발 현상이다.

④ 온도는 매우 높으나 기체의 밀도는 매우 희박하다.

⑤ 채층 위로 수백만 km 높이까지 뻗어 있는 청백
　색의 대기층이다.

태양 ▶ p.120

10 그림은 태양 흑점의 이동을 나타낸 것이다.

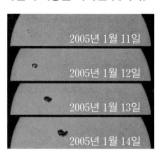

2005년 1월 11일
2005년 1월 12일
2005년 1월 13일
2005년 1월 14일

이처럼 흑점이 이동하는 까닭을 서술하시오.

✏️ 3주에 배운 개념을 그림으로 저장

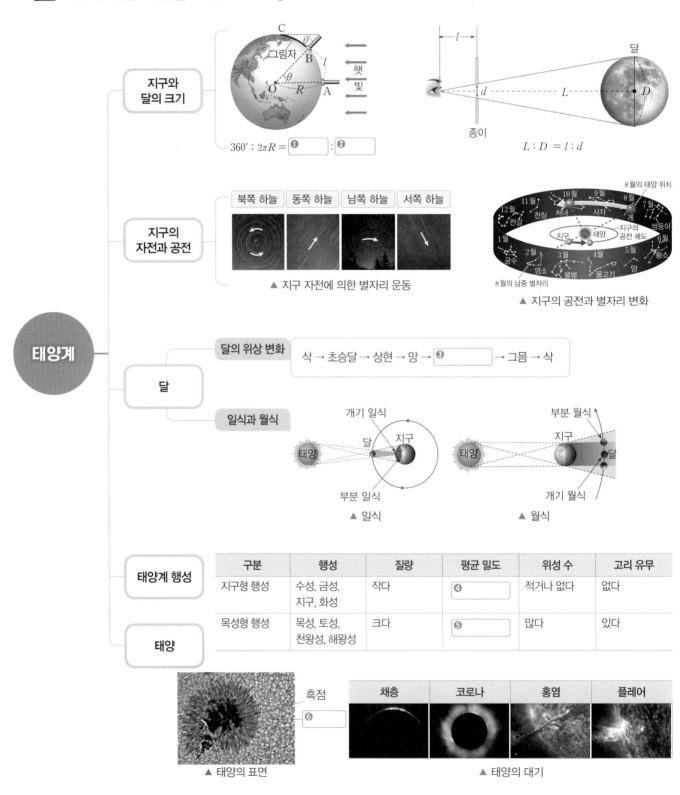

$360° : 2\pi R = $ ❶ ☐ : ❷ ☐

$L : D = l : d$

태양계

지구와 달의 크기

지구의 자전과 공전

| 북쪽 하늘 | 동쪽 하늘 | 남쪽 하늘 | 서쪽 하늘 |

▲ 지구 자전에 의한 별자리 운동

▲ 지구의 공전과 별자리 변화

달

달의 위상 변화

삭 → 초승달 → 상현 → 망 → ❸ ☐ → 그믐 → 삭

일식과 월식

▲ 일식   ▲ 월식

태양계 행성

태양

구분	행성	질량	평균 밀도	위성 수	고리 유무
지구형 행성	수성, 금성, 지구, 화성	작다	❹ ☐	적거나 없다	없다
목성형 행성	목성, 토성, 천왕성, 해왕성	크다	❺ ☐	많다	있다

흑점

❻ ☐

▲ 태양의 표면

| 채층 | 코로나 | 홍염 | 플레어 |

▲ 태양의 대기

답 ❶ θ ❷ l ❸ 하현 ❹ 크다 ❺ 작다 ❻ 쌀알 무늬

✏️ 재미있는 개념 완성 퀴즈

다음 가로 열쇠와 세로 열쇠를 이용하여 낱말 퍼즐을 완성하시오.

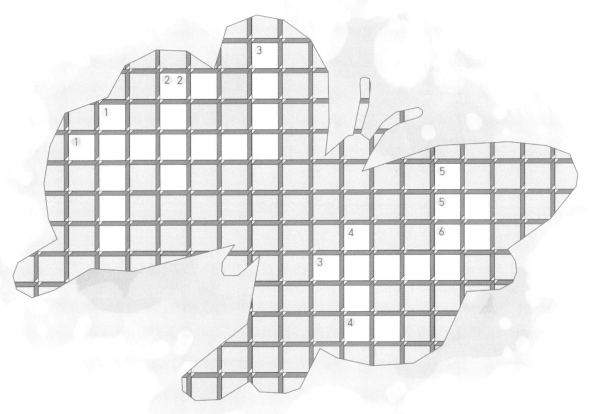

가로 열쇠
① 천구상의 천체가 하루에 한 바퀴씩 동에서 서로 원을 그리며 움직이는 운동
② 태양에서 두 번째로 가까운 행성
③ 상대적으로 크기와 질량이 작고 평균 밀도가 크며, 단단한 암석으로 된 표면을 가지고 있는 행성
④ 화성의 양 극 부근의 얼음과 눈으로 덮여 있는 흰 부분
⑤ 한 천체가 다른 천체의 둘레를 주기적으로 도는 일
⑥ 지구에서 보이는 달의 모양

세로 열쇠
① 천체를 관측할 때 사용하는 광학 기구
② 달이 태양을 가릴 때 달과 지구 사이의 거리가 멀어서 태양 전체를 가리지 못하고 가장자리 부분이 반지처럼 보이는 현상
③ 지구의 공전으로 인해 지구상의 관측자에게 태양이 별자리 사이를 하루에 약 1°씩 서에서 동으로 움직이는 것처럼 보이는 겉보기 운동
④ 지구의 자전축을 연장한 선이 천구와 만나는 두 점 중 북쪽의 점
⑤ 지구 둘레를 돌도록 로켓을 이용하여 쏘아 올린 인공물

> 과학의 다양한 유형 문제를 해결하는 방법을 연습하면서 사고력을 기르자.

특강 | 창의 · 융합 · 코딩

1 다음은 에라토스테네스의 지구 크기 측정 원리를 이용하여 지구 모형의 크기를 구하기 위한 실험 과정이다.

● 문제 해결 Tip
막대의 끝과 그림자의 끝을 연결한 선이 막대와 이루는 각은 두 지역 사이의 지구 중심각과 엇각으로 같으며, 이를 이용하여 비례식으로 지구의 둘레를 구할 수 있어.

[에라토스테네스의 지구 크기 측정 원리]

$7.2° : 925\ km = 360° : 지구의 둘레(2\pi R)$

[과정]
❶ 햇빛이 잘 드는 곳에 지구 모형을 놓고, 같은 경도의 두 지점에 각각 막대 A, B를 붙인다.
❷ 막대 A는 그림자가 생기지 않도록, 막대 B는 그림자가 생기도록 조절한다.
❸ 막대 B의 끝과 그림자의 끝을 실로 연결한 다음, 각도기를 이용하여 막대 B와 실이 이루는 각 θ를 측정한다.
❹ 막대 A와 B 사이의 거리 l을 줄자로 측정한다.

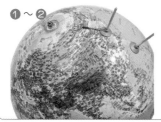

(1) 막대와 그림자 끝이 이루는 각도를 θ, 막대 사이의 거리를 l, 지구 모형의 반지름을 R라고 할 때, 비례식을 세워 지구 둘레를 구하는 관계식을 쓰시오.

(2) $\theta = 20°$, $l = 5\ cm$일 때 지구 모형의 둘레와 반지름을 구하시오.(단, π는 3.14로 계산하고, 반지름은 소수 첫째자리까지 구하시오.)

2 그림은 어느 날 북극성과 북두칠성의 움직임을 관측한 것이다.

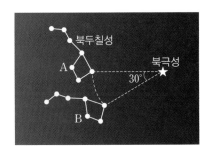

문제 해결 Tip

태양, 달, 별과 같은 천체는 지구 자전과 반대 방향으로 하루에 한 바퀴씩 원을 그리며 회전하는 것처럼 보이는 일주 운동을 하지.

(1) 북두칠성이 A 위치에 있을 때 저녁 9시였다면, B 위치에 있을 때의 시각을 쓰시오.

(2) 이처럼 북두칠성이 움직이는 까닭을 서술하시오.

3 다음은 계절별 별자리 변화에 대해 두 명의 친구가 대화를 나눈 것이다.

지구가 공전하면서 계절별 별자리가 나타나.

태양의 반대편에 있는 별자리가 잘 보여.

그런데 별자리는 어떤 방향으로 하루에 얼마씩 이동할까?

별자리는 하루에 ㉠□□씩, ㉡□□ 방향으로 이동해.

문제 해결 Tip

태양이 지나가는 쪽 별자리는 볼 수 없고, 태양의 반대쪽에 있는 별자리가 관측돼. 별자리의 이동은 지구가 공전하기 때문에 나타나는 겉보기 운동이야.

빈칸에 알맞은 말을 쓰시오.

4 다음은 지구의 공전에 의한 태양과 별자리의 겉보기 운동을 알아보기 위한 실험 과정이다.

그림은 가을철에 해가 진 후 서쪽 하늘을 15일 간격으로 관측한 것이다.

| (가) | (나) | (다) |

❶ 투명 필름에 그림 (가)의 태양과 별자리(천칭자리) 위치를 유성 펜으로 그린다.

❷ 과정 ❶에서 그린 투명 필름을 그림 (나)에 놓고 별자리가 서로 겹치도록 한 후, 태양의 위치를 그린다.

❸ 과정 ❷에서 그린 투명 필름을 그림 (다)에 놓고 별자리가 서로 겹치도록 한 후, 태양의 위치를 그린다.

❹ 새로운 투명 필름을 이용하여 이번에는 태양을 서로 겹치도록 하였을 때 별자리의 위치를 표시하면서 위의 과정을 반복한다.

(1) 별자리를 기준으로 태양이 움직이는 방향을 설명하시오.

(2) 태양을 기준으로 별자리가 움직이는 방향을 설명하시오.

(3) 위 실험 결과에 대한 다음 대화 중 잘못 말하고 있는 학생을 고르고, 잘못된 부분을 바르게 고쳐 쓰시오.

문제 해결 Tip

지구는 1년에 한 바퀴씩 (360°) 공전하므로 하루에 약 1°씩 움직이며, 지구의 공전으로 인해 지구 상의 관측자에게는 태양이 별자리 사이를 하루에 약 1°씩 서에서 동으로 움직이는 것으로 보이는 겉보기 운동이 나타나.

5 다음은 윤정, 은서, 영희가 대화를 나누는 장면이다.

세 명 중 틀리게 말한 사람을 쓰고, 내용을 바르게 고치시오.

6 다음 표는 태양계 행성들의 자료이다.

행성	A	B	C	D	E	F
태양과의 거리 (지구=1)	0.4	0.7	1.0	1.5	5.2	9.6
질량 (지구=1)	0.06	0.82	1.0	0.11	317.92	95.14
반지름 (지구=1)	0.38	095	1.00	0.53	11.21	9.45
평균 밀도 (g/cm³)	5.43	5.24	5.51	3.93	1.33	0.69
고리 유무	없음	없음	없음	없음	있음	있음

(1) 표의 물리량을 기준으로 행성을 크게 두 집단으로 분류하시오.

(2) 두 집단의 이름을 쓰고, 각 집단에 속한 행성들의 공통적인 특징을 서술하시오.

4주에는 무엇을 공부할까? ❷

● **식물이 자라는 데 필요한 조건**

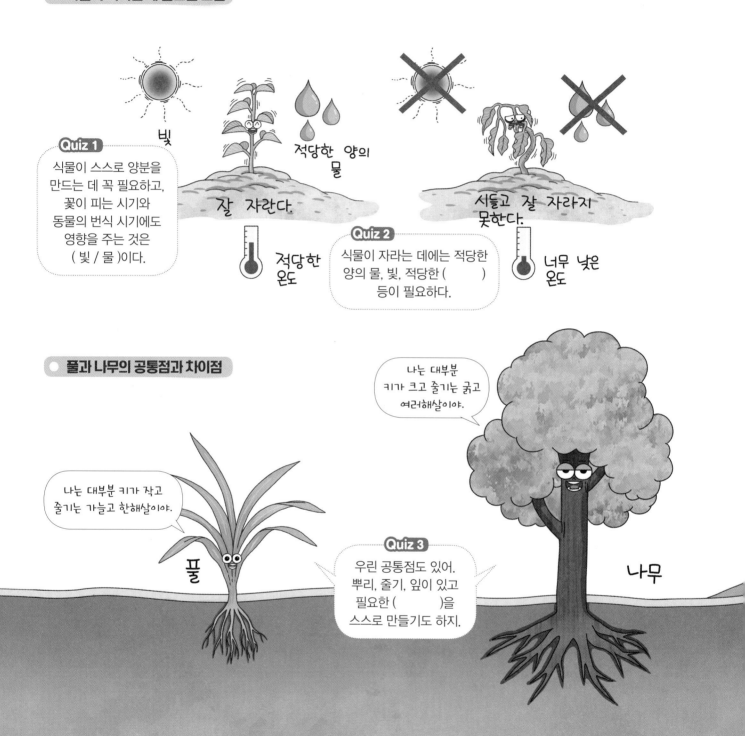

Quiz 1
식물이 스스로 양분을 만드는 데 꼭 필요하고, 꽃이 피는 시기와 동물의 번식 시기에도 영향을 주는 것은 (빛 / 물)이다.

빛

적당한 양의 물

잘 자란다.

적당한 온도

Quiz 2
식물이 자라는 데에는 적당한 양의 물, 빛, 적당한 (   ) 등이 필요하다.

시들고 잘 자라지 못한다.

너무 낮은 온도

● **풀과 나무의 공통점과 차이점**

나는 대부분 키가 크고 줄기는 굵고 여러해살이야.

나는 대부분 키가 작고 줄기는 가늘고 한해살이야.

풀

Quiz 3
우린 공통점도 있어. 뿌리, 줄기, 잎이 있고 필요한 (   )을 스스로 만들기도 하지.

나무

답 1. 빛 2. 온도 3. 양분

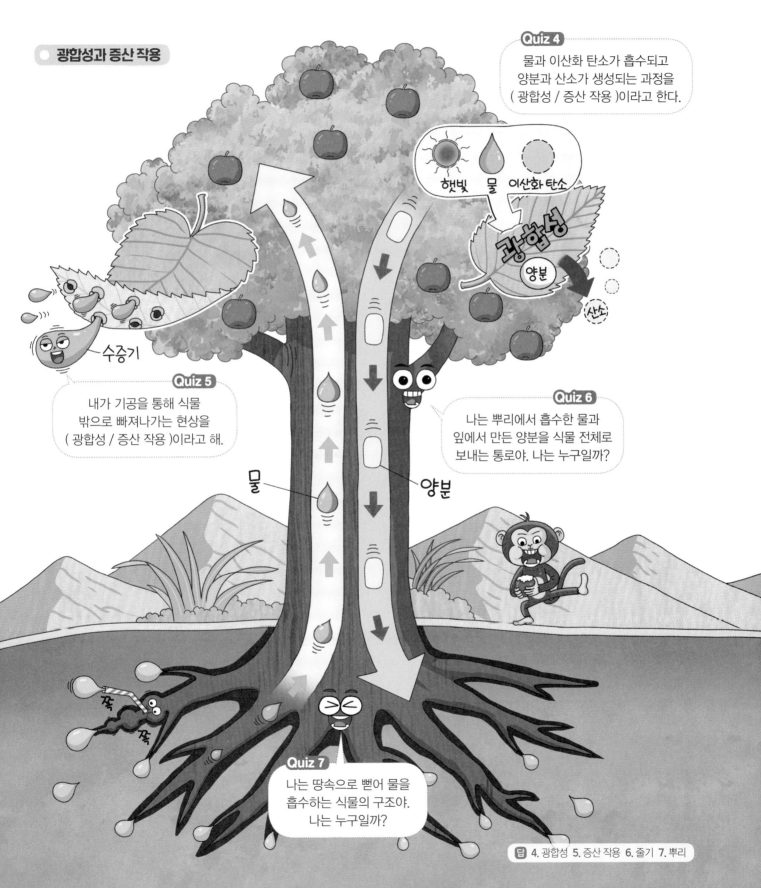

광합성과 증산 작용

Quiz 4
물과 이산화 탄소가 흡수되고
양분과 산소가 생성되는 과정을
(광합성 / 증산 작용)이라고 한다.

햇빛   물   이산화 탄소

광합성

양분

산소

수증기

Quiz 5
내가 기공을 통해 식물
밖으로 빠져나가는 현상을
(광합성 / 증산 작용)이라고 해.

물

양분

Quiz 6
나는 뿌리에서 흡수한 물과
잎에서 만든 양분을 식물 전체로
보내는 통로야. 나는 누구일까?

쭉

쭉

Quiz 7
나는 땅속으로 뻗어 물을
흡수하는 식물의 구조야.
나는 누구일까?

답 4. 광합성 5. 증산 작용 6. 줄기 7. 뿌리

주제 1 광합성

식물은 물과 이산화 탄소를 원료로 햇빛(빛에너지)을 이용하여 필요한 양분을 직접 만드는데, 이러한 과정을 광합성이라고 한다.

중요 개념

- **식물 잎의 배치와 구조** 많은 식물의 잎은 줄기에 어긋나 있거나 돌려나 있는 등의 모양으로 배열되어 있음 → 모든 잎이 햇빛을 최대한 골고루 받아 광합성이 잘 일어나도록 하기 위함
- **광합성** 식물이 ❶(　ㅂ　)에너지를 이용하여 물과 이산화 탄소를 원료로 양분을 만드는 과정으로 산소도 발생한다.
  - 광합성이 일어나는 장소: 식물 세포의 ❷(　ㅇㄹㅊ　)
    ⇨ 엽록체에 있는 초록색 색소인*엽록소가 광합성에 필요한 빛에너지 흡수

▲ 어긋나기   ▲ 돌려나기

Tip

식물 잎이 초록색인 까닭
→ 엽록체에는 초록색 색소인 엽록소가 들어 있어 식물의 잎이 초록색을 띤다.

답 ❶ 빛 ❷ 엽록체

개념 원리 확인

1-1

그림은 식물 잎의 배치와 구조를 보고 두 친구가 나눈 대화를 나타낸 것이다. 빈칸에 알맞은 말을 쓰시오.

많은 식물에서 잎은 줄기에 어긋나게 붙어 있거나 돌려난 모양으로 달려 있어서 위에서 보면 잎끼리 서로 겹치지 않도록 하고 있어.

많은 식물의 잎은 줄기에 어긋나 있거나 돌려나 있는 등의 모양으로 배열되어 있는데 왜 그럴까?

응, 그건 모든 잎이 햇빛을 최대한 골고루 받아 (   )이 잘 일어나도록 하기 위해서야.

▲ 삿갓나물

▲ 참나리

1-2

다음은 광합성에 대한 설명이다. (   ) 안에서 알맞은 말을 고르시오.

(1) 광합성은 (동물 / 식물)에서 일어난다.

(2) 광합성은 빛이 (있을 / 없을) 때 일어난다.

(3) 광합성은 식물 세포 속 (엽록체 / 미토콘드리아)에서 일어난다.

검정말 잎을 현미경으로 관찰하면 초록색의 작은 알갱이를 많이 볼 수 있는데 여기에서 광합성이 일어나.

용어 풀이

＊**엽록소**(葉 잎, 綠 푸를, 素 본디): 엽록체 내에 있는 녹색의 색소로, 빛을 흡수하는 역할을 함

1-3

그림은 검정말 잎으로 현미경 표본을 만들어 현미경으로 관찰한 결과를 나타낸 것이다. A의 이름을 쓰시오.   (   )

4주 1일 광합성

주제 2 **광합성 과정**

광합성은 식물이 빛에너지를 이용하여 물과 이산화 탄소를 원료로 포도당과 산소를 만드는 과정이다.

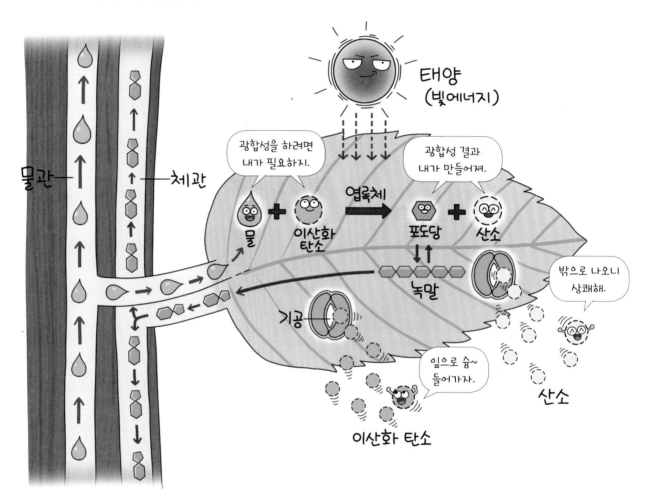

중요 개념

● **광합성 과정**

$$물 + 이산화 탄소 \xrightarrow{\text{빛에너지}} 포도당 + 산소$$

● **광합성에 필요한 물질** 물, 이산화 탄소   물관 – 뿌리에서 흡수한 물이 이동하는 통로
체관 – 잎에서 광합성으로 만들어진 양분이 이동하는 통로
   • 물: 뿌리에서 흡수 ➪ 물관을 통해 잎까지 이동
   • 이산화 탄소: 잎의 ❶(ㄱㄱ)을 통해 공기 중에서 흡수
● **광합성으로 생성되는 물질**   ┌ 물에 잘 녹지 않음
   • 포도당: 광합성 결과 생성되는 최초의 양분 ➪ 녹말로 바뀌어 엽록체에 일시적으로 저장
   • 산소: 일부는 호흡에 이용되고, 나머지는 잎의*기공을 통해 ❷(ㄱㄱ)중으로 방출

Tip

광합성으로 발생하는 기체
➡ 검정말에 빛을 비추면 검정말의 잎에서 기포가 발생한다. 이 기포를 모아 꺼져가는 성냥 불똥을 갖다 대면 불이 다시 타오르는데 이를 통해 광합성 결과 발생하는 기체는 산소임을 확인할 수 있다.

답 ❶기공 **❷**공기

개념 원리 확인

정답과 해설 **26**쪽

2-1

그림은 광합성 과정을 나타낸 것이다. 빈칸에 알맞은 물질을 쓰시오.

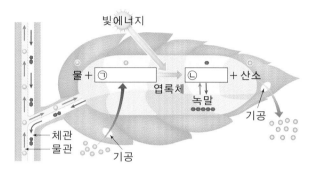

광합성에 필요한 이산화 탄소와 광합성 결과 생성된 산소는 기공을 통해 드나들어.

2-2

다음은 광합성에 대한 설명이다. ( ) 안에서 알맞은 말을 고르시오.

(1) 광합성에 필요한 물질은 물과 (산소 / 이산화 탄소)이다.

(2) 광합성 결과 생성되는 물질은 포도당과 (산소 / 이산화 탄소)이다.

(3) 광합성 결과 최초로 생성된 (포도당 / 설탕)은 물에 잘 녹지 않는 녹말로 바뀐다.

광합성 결과 생성된 포도당은 물에 잘 녹지 않는 녹말로 바뀌지.

2-3

다음은 광합성 결과 생성되는 물질에 대한 설명이다. 빈칸에 알맞은 말을 쓰시오.

| 광합성 결과 생성된 산소의 일부는 호흡에 이용되고, 나머지는 잎의 (   )을 통해 공기 중으로 방출된다. |

용어 풀이

＊**기공**(氣 기운, 孔 구멍): 기체가 이동하는 통로로, 주로 잎 뒷면에 있음

대표 기출문제 | 주제 1 | 광합성

1-1

그림은 맑은 날 식물이 광합성을 하는 모습을 나타낸 것이다.

광합성에 대한 설명으로 옳은 것을 보기 에서 모두 고른 것은?

보기
ㄱ. 광합성을 하는 데 빛이 필요하다.
ㄴ. 광합성은 밤낮 구분 없이 항상 일어난다.
ㄷ. 광합성은 식물 세포의 엽록체에서 일어난다.
ㄹ. 대부분의 식물은 광합성을 하지 않아도 살 수 있다.

① ㄱ, ㄷ ② ㄴ, ㄷ ③ ㄷ, ㄹ
④ ㄱ, ㄷ, ㄹ ⑤ ㄴ, ㄷ, ㄹ

문제 해결 Point

가이드 | 광합성을 하는 데 필요한 물질과 광합성 결과 생성되는 물질이 무엇이고 광합성이 일어나는 장소가 어디인지 알고 있어야 한다.

해결 Point | **광합성**은 식물이 빛에너지를 이용하여 물과 이산화탄소를 원료로 양분을 만드는 과정으로, 대부분의 식물은 광합성이 일어나지 않으면 살 수 없다. 광합성은 식물 세포의 엽록체에서 일어나는데 이때 엽록체에 있는 초록색 색소인 엽록소가 광합성에 필요한 빛에너지를 흡수한다.

오개념 주의 | 광합성은 빛이 있을 때만 일어나기 때문에 빛이 없는 밤에는 일어나지 않고 식물의 호흡만 일어난다.

1-2

그림은 많은 식물의 잎이 줄기에 돌려나 있거나 어긋나 있는 등의 모양으로 배열된 까닭에 대해 두 친구가 나눈 대화를 나타낸 것이다. 옳게 말한 사람을 쓰시오.

1-3

그림은 검정말 잎으로 현미경 표본을 만들어 현미경으로 관찰한 모습을 나타낸 것이다.

A에 대한 설명으로 옳은 것을 보기 에서 모두 고르시오.

보기
ㄱ. A는 기공이다.
ㄴ. A에서 광합성이 일어난다.
ㄷ. A 속에는 미토콘드리아가 있으며, 미토콘드리아에서는 빛을 흡수한다.

Hint 광합성은 식물의 엽록체에서 일어나며, 엽록체에는 빛에너지를 흡수하는 엽록소가 들어 있다.

대표 기출문제 주제2 광합성 과정

2-1

그림은 검정말의 잎에 햇빛을 비춘 후 아이오딘－아이오딘화 칼륨 용액을 떨어뜨려 현미경으로 관찰한 모습을 나타낸 것이다.

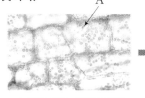 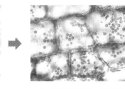

▲ 아이오딘－아이오딘화 칼륨 용액을 떨어뜨리기 전

▲ 아이오딘－아이오딘화 칼륨 용액을 떨어뜨린 후

이에 대한 설명으로 옳지 **않은** 것은?

① A는 엽록체이다.
② A는 청람색으로 변한다.
③ 검정말의 잎에 빛을 비추면 광합성이 일어난다.
④ A에서 광합성에 의해 녹말이 만들어졌음을 알 수 있다.
⑤ 포도당에 아이오딘－아이오딘화 칼륨 용액을 떨어뜨리면 청람색으로 변한다.

문제 해결 **Point**

가이드 광합성 결과 생성되는 물질을 확인하는 실험으로, 아이오딘-아이오딘화 칼륨 용액을 떨어뜨리기 전의 초록색 알갱이 부분과 아이오딘-아이오딘화 칼륨 용액을 떨어뜨린 후의 청람색으로 변한 부분이 서로 일치함을 알 수 있어야 한다.

해결 Point 녹말에 아이오딘-아이오딘화 칼륨 용액을 떨어뜨리면 청람색으로 변한다. 이 실험에서 햇빛을 비춘 검정말 잎에 아이오딘-아이오딘화 칼륨 용액을 떨어뜨렸더니 엽록체(A)가 청람색으로 변한 것으로 보아 햇빛을 충분히 받은 검정말 잎의 엽록체(A)에서는 광합성 결과 녹말이 생성되었음을 알 수 있다. 원래 광합성으로 만들어지는 최초의 산물은 포도당으로, 포도당은 곧 녹말로 바뀌어 엽록체(A)에 일시적으로 저장된다.

오개념 주의 광합성의 최초 산물이 포도당이기 때문에 광합성이 일어난 잎에 아이오딘-아이오딘화 칼륨 용액을 떨어뜨렸을 때 청람색으로 변한 것은 포도당 때문일거라고 오해할 수 있으므로 주의해야 한다.

2-2

다음은 광합성 과정을 식으로 나타낸 것이다.

$$물 + (㉠) \xrightarrow{빛에너지} 포도당 + (㉡)$$

㉠, ㉡에 알맞은 물질을 옳게 짝 지은 것은?

	㉠	㉡
①	산소	탄소
②	산소	질소
③	산소	이산화 탄소
④	이산화 탄소	산소
⑤	이산화 탄소	질소

2-3

그림과 같이 입김을 불어 넣은 물에 검정말을 넣고 빛을 비추었더니 검정말에서 기포가 발생하는 모습을 관찰할 수 있었다.

이 실험에서 발생하는 기포의 성분으로 옳은 것은?

① 탄소　　② 질소　　③ 산소
④ 수소　　⑤ 이산화 탄소

Hint 이 실험 결과 발생하는 기체에 불씨를 가까이 대면 불꽃이 다시 타오른다.

주제 **1** **빛의 세기가 광합성에 미치는 영향**

광합성에 영향을 미치는 환경 요인에는 빛의 세기, 이산화 탄소의 농도, 온도가 있다. 그중 빛의 세기가 세질수록 어느 정도까지는 광합성량이 증가한다.

중요 개념

● **광합성에 영향을 미치는 환경 요인**   빛의 세기, ❶(ㅇㅅㅎ ㅌㅅ)의 농도, 온도 등

• 광합성은 빛의 세기, 이산화 탄소의 농도, 온도와 같은 환경 요인이 모두 알맞게 유지될 때 활발하게 일어난다.

● **빛의 세기가 광합성에 미치는 영향**

빛의 세기	빛의 세기가 세질수록 광합성량이 증가하지만, 어느 정도 이상이 되면 광합성량이 더 이상 증가하지 않고 ❷(ㅇㅈ)하게 유지된다.	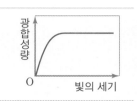

Tip

빛의 세기가 계속 세질 때의 광합성량
➡ 빛의 세기가 계속 세져도 광합성이 일어나는 엽록체의 수와 성능이 한정되어 있어 광합성량이 계속 증가하지 않는다.

답 ❶ 이산화 탄소 ❷ 일정

1-1

다음은 광합성에 영향을 미치는 환경 요인에 대한 설명이다. ( ) 안에서 알맞은 말을 고르시오.

광합성에 영향을 미치는 환경 요인에는 빛의 세기, 이산화 탄소의 농도, 온도가 있어.

(1) 광합성에 영향을 미치는 환경 요인에는 빛의 세기, (산소 / 이산화 탄소)의 농도, 온도가 있다.

(2) 광합성은 빛의 세기, 이산화 탄소의 농도, 온도가 모두 (알맞게 / 낮게) 유지될 때 활발하게 일어난다.

(3) 빛의 세기가 (약해질수록 / 세질수록) 광합성량이 증가하지만 어느 정도 이상이 되면 광합성량은 일정해진다.

1-2

다음은 빛의 세기가 광합성에 미치는 영향에 대해 두 친구가 나눈 대화를 나타낸 것이다. 빈칸에 알맞은 말을 쓰시오.

빛의 세기가 계속 세진다고 해서 광합성량이 계속 증가하지는 않아.

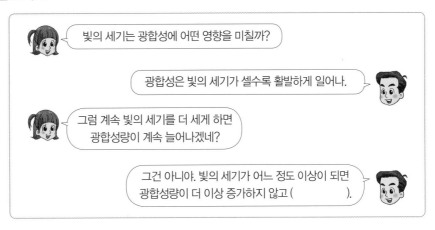

빛의 세기는 광합성에 어떤 영향을 미칠까?

광합성은 빛의 세기가 셀수록 활발하게 일어나.

그럼 계속 빛의 세기를 더 세게 하면 광합성량이 계속 늘어나겠네?

그건 아니야. 빛의 세기가 어느 정도 이상이 되면 광합성량이 더 이상 증가하지 않고 ( ).

1-3

빛의 세기에 따른 광합성량의 변화를 오른쪽 그래프에 옳게 그리시오.

주 2일 광합성에 영향을 미치는 환경 요인

주제 2 **이산화 탄소의 농도와 온도가 광합성에 미치는 영향**

광합성에 영향을 미치는 환경 요인에는 빛의 세기뿐만 아니라 이산화 탄소의 농도와 온도도 있다.

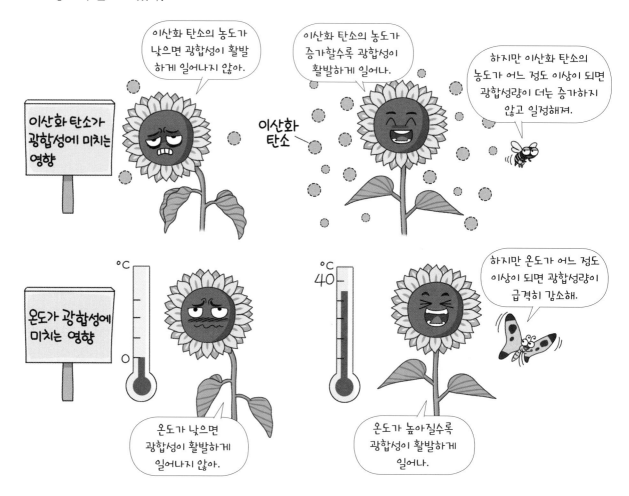

중요 개념

● 이산화 탄소의 농도와 온도가 광합성에 미치는 영향

이산화 탄소의 농도	이산화 탄소의 농도가 증가할수록 광합성량이 증가하지만, 어느 정도 이상이 되면 광합성량이 더 이상 증가하지 않고 ❶(ㅇㅈ)하게 유지됨.	광합성량 / O / 이산화 탄소 농도
온도	온도가 높아질수록 광합성량이 증가하지만, 어느 정도(약 40 ℃) 이상이 되면 광합성량이 급격히 ❷(ㄱㅅ)한다.	광합성량 / O / 온도

Tip

온도가 어느 정도 이상이 되면 광합성량이 급격히 감소하는 까닭
➡ 광합성 과정에 쓰이는 여러 가지 효소의 주성분인 단백질이 높은 온도에서 변성되어 그 기능을 상실하기 때문이다.

답 ❶ 일정 ❷ 감소

2-1

다음은 광합성에 영향을 미치는 환경 요인에 대한 설명이다. ( ) 안에서 알맞은 말을 고르시오.

(1) 온도가 높아질수록 광합성량이 (증가 / 감소)하지만, 어느 정도 이상이 되면 광합성량이 급격히 감소한다.

(2) 이산화 탄소 농도가 증가할수록 광합성량이 (증가 / 감소)하지만, 어느 정도 이상이 되면 광합성량은 일정해진다.

(3) 빛의 세기와 광합성량의 관계를 나타내는 그래프는 (이산화 탄소의 농도 / 온도)와 광합성량의 관계를 나타내는 그래프와 비슷하다.

2-2

광합성에 영향을 미치는 환경 요인과 그에 해당하는 그래프를 옳게 연결하시오.

빛의 세기가 세질수록 광합성량이 증가하지만 어느 정도 이상이 되면 광합성량이 더 이상 증가하지 않고 일정하게 유지돼. 이는 이산화 탄소 농도와 광합성량의 관계와 비슷해.

(1) 빛의 세기 •

(2) 이산화 탄소의 농도 •

(3) 온도 •

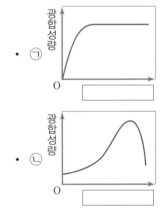

• ㉠

• ㉡

2-3

다음은 온도가 어느 정도 이상이 되었을 때 광합성량이 급격하게 감소하는 까닭을 나타낸 것이다. 빈칸에 알맞은 말을 쓰시오.

> 온도가 어느 정도 이상이 되면 식물에서 ( )에 관여하는 효소가 변성되기 때문에 광합성량이 급격하게 감소하게 된다.

1-1

그림과 같이 장치한 후 빛을 비추었더니 검정말에서 기포가 발생하였다.

검정말에서 발생하는 기포 수를 증가시킬 수 있는 방법으로 옳은 것을 보기 에서 모두 고른 것은?

> **보기**
> ㄱ. 수조에 물을 더 넣는다.
> ㄴ. 수조의 물에 얼음을 넣는다.
> ㄷ. 전등 빛을 더 밝게 조절한다.

① ㄱ   ② ㄴ   ③ ㄷ
④ ㄱ, ㄴ   ⑤ ㄴ, ㄷ

문제 해결 Point

가이드   광합성에 영향을 미치는 환경 요인으로는 **빛의 세기, 이산화 탄소의 농도, 온도** 등이 있다. 위의 실험에서 기포 수가 증가한다는 것은 광합성이 활발하게 일어남을 뜻하는 것이므로, 광합성이 활발하게 일어나는 조건을 찾도록 한다.

해결 Point   전등 빛을 더 밝게 조절하면 빛의 세기가 세지므로 광합성이 활발하게 일어나 발생하는 기포 수를 증가시킬 수 있다.

오개념 주의   수조에 물을 더 넣는다고 해서 광합성이 더 활발하게 일어나는 것은 아니며, 수조의 물에 얼음을 넣으면 온도가 내려가 광합성이 잘 일어나지 않게 된다.

1-2

광합성에 영향을 미치는 환경 요인을 보기 에서 모두 고른 것은?

> **보기**
> ㄱ. 온도   ㄴ. 빛의 세기
> ㄷ. 산소의 농도   ㄹ. 이산화 탄소의 농도

① ㄱ, ㄴ   ② ㄴ, ㄷ   ③ ㄷ, ㄹ
④ ㄱ, ㄴ, ㄹ   ⑤ ㄴ, ㄷ, ㄹ

1-3

이산화 탄소의 농도가 충분하고 일정한 온도일 때, 빛의 세기에 따른 광합성량의 관계를 나타낸 그래프로 옳은 것은?

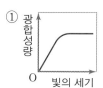
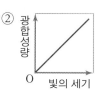
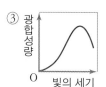
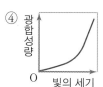

Hint 빛의 세기가 세질수록 광합성량이 증가하다가 빛의 세기가 어느 정도 이상이 되면 광합성량은 더 이상 증가하지 않고 일정해진다.

대표 기출문제 **주제 2** 이산화 탄소의 농도와 온도가 광합성에 미치는 영향

2-1

광합성에 영향을 미치는 환경 요인과 광합성량의 관계에 대한 설명으로 옳은 것을 보기 에서 모두 고른 것은?

보기

ㄱ. 온도가 높아질수록 광합성량이 증가하지만, 어느 정도 이상이 되면 광합성량이 급격히 감소한다.

ㄴ. 빛의 세기가 세질수록 광합성량이 증가하지만, 어느 정도 이상이 되면 광합성량이 급격히 감소한다.

ㄷ. 이산화 탄소의 농도가 증가할수록 광합성량이 증가하지만, 어느 정도 이상이 되면 광합성량이 일정하게 유지된다.

① ㄱ　　　　② ㄴ　　　　③ ㄷ

④ ㄱ, ㄷ　　　⑤ ㄴ, ㄷ

2-2

빛의 세기가 강하고 이산화 탄소의 농도가 충분할 때, 온도에 따른 광합성량의 관계를 나타낸 그래프로 옳은 것은?

① 　　②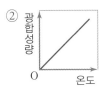

③ 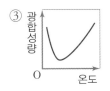　　④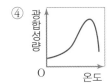

⑤

Hint 온도가 높아질수록 광합성량이 증가하다가 온도가 어느 정도 이상이 되면 광합성량은 급격히 감소한다.

문제 해결 Point

가이드 　빛의 세기, 이산화 탄소의 농도, 온도와 광합성량의 관계에 대해 이해하고 있어야 한다.

해결 Point 　• **온도와 광합성**: 온도가 높아질수록 광합성량이 증가하다가 온도가 어느 정도 이상이 되면 광합성량은 급격히 감소한다.
　• **빛의 세기와 광합성**: 빛의 세기가 세질수록 광합성량이 증가하다가 빛의 세기가 어느 정도 이상이 되면 광합성량은 더 이상 증가하지 않고 일정해진다.
　• **이산화 탄소의 농도와 광합성**: 이산화 탄소의 농도가 증가할수록 광합성량이 증가하고, 이산화 탄소의 농도가 어느 정도 이상이 되면 광합성량은 더 이상 증가하지 않고 일정해진다.

오개념 주의 　온도와 광합성의 관계와 빛의 세기, 이산화 탄소의 농도와 광합성의 관계를 헷갈리지 않도록 주의해야 한다.

2-3

그림은 식물의 광합성량을 늘리는 방법에 대해 세 친구가 나눈 대화를 나타낸 것이다.

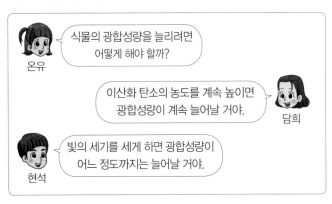

옳지 <u>않게</u> 말한 사람을 쓰시오.

증산 작용

주제 1 **잎의 구조와 증산 작용**

식물체 내의 물이 잎의 기공을 통해 수증기 형태로 공기 중으로 빠져나가는 현상을 증산 작용이라고 한다.

공변세포

내 모양에 따라 기공이 열리고 닫혀.

기공

주로 낮에 기공이 열림

주로 밤에 기공이 닫힘

잎에서 수증기가 빠져나가는 현상을 증산 작용이라고 해.

내가 잎에서 빠져나가니까 시원함을 느끼는 거야.

아~시원해.

중요 개념

● **잎의 구조**
  • 표피: 표피 세포로 이루어져 있으며 곳곳에 *공변세포가 있음
  • 기공: 잎의 표피에 있는 작은 구멍으로, 공변세포 2개가 둘러싸고 있으며 일반적으로 잎의 ❶(ㄷㅁ)에 많음 → 산소와 이산화 탄소, 수증기와 같은 기체가 드나드는 통로

공변세포

기공

▲ 낮에 관찰되는 기공 모습

▲ 밤에 관찰되는 기공 모습

● **증산 작용** 식물체 내의 물이 수증기 형태로 변하여 잎의 ❷(ㄱㄱ)을 통해 공기 중으로 빠져나가는 현상
  • 증산 작용의 조절: 기공을 열고 닫아 조절 ⇨ 기공이 열릴 때 증산 작용이 일어남
  • 기공은 주로 낮에 열리고 밤에 닫힘 ⇨ 주로 낮에 증산 작용이 활발하게 일어남

Tip

기공이 열리고 닫히는 원리
➡ 공변세포의 기공 쪽 세포벽이 바깥쪽 세포벽보다 두꺼워 공변세포 내로 물이 들어오면 바깥쪽 세포벽이 기공 쪽 세포벽보다 더 많이 늘어나 세포가 휘어지면서 기공이 열린다.

답 ❶ 뒷면 ❷ 기공

개념 원리 확인

1-1

다음은 증산 작용에 대한 설명이다. ( ) 안에서 알맞은 말을 고르시오.

잎의 기공은 주로 낮에 열리고 밤에 닫혀. 증산 작용은 기공이 열리는 낮에 주로 일어나지.

(1) 증산 작용은 주로 (낮 / 밤)에 일어난다.

(2) 증산 작용은 잎의 (기공 / 체관)을 통해 일어난다.

(3) 증산 작용은 기공이 (닫힐 / 열릴) 때 일어난다.

(4) 증산 작용은 식물체 내의 (물 / 양분)이 수증기 형태로 공기 중으로 빠져나가는 현상이다.

1-2

기공은 공변세포 2개가 둘러싸고 있어.

그림은 어떤 식물 잎 뒷면의 표피를 벗겨 현미경으로 관찰한 모습을 나타낸 것이다.

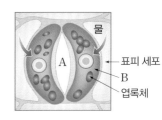

(1) A와 B를 무엇이라고 하는지 각각 쓰시오.

· A: (   )

· B: (   )

(2) A는 주로 낮에 열리고 밤에 닫힌다. 증산 작용은 하루 중 주로 언제 일어나는지 쓰시오.

(   )

1-3

다음은 증산 작용에 대해 설명한 것이다. ( ) 안에서 알맞은 말을 고르시오.

> 땅속의 물은 식물의 뿌리에서 흡수되어 줄기를 거쳐 잎까지 도달하게 되는데, 이 중 일부는 광합성에 사용되고 나머지는 수증기가 되어 (엽록체 / 기공)을 통해 식물 바깥으로 빠져나간다. 이때 물이 수증기로 변하면서 주위의 열을 빼앗기 때문에 숲에 들어가면 시원함을 느낄 수 있다.

용어 풀이

* **공변세포**(孔 구멍, 邊 가, 細 가늘, 胞 세포): 식물체 내 이산화탄소 등의 기체 출입과 증산 작용을 조절하는 세포

증산 작용과 물의 이동

증산 작용은 뿌리에서 흡수한 물이 물관을 통해 잎까지 상승할 수 있는 힘을 제공해 준다.

④ 잎에 도달하지. 잎에 도달한 나는 광합성 등에 사용되거나 증산 작용에 의해 밖으로 빠져나가.

증산 작용은 햇빛이 강할 때, 온도가 높을 때, 습도가 낮을 때, 바람이 잘 불 때 잘 일어나!

③ 뿌리의 물관, 줄기의 물관을 거쳐

② 흙속에서 식물의 뿌리로 흡수되어 식물 속으로 이동하고,

① 나는 공기 중에 있다가 비나 눈이 오면 땅으로 내려와 흙속으로 스며들어.

중요 개념

● **식물에서 물의 이동**

땅속에서 뿌리로 흡수된 물은 줄기의 ❶(ㅁㄱ)을 거쳐 잎으로 이동함 → 잎에 도달한 물은 잎맥의 물관을 거쳐 광합성 등에 사용되거나 증산 작용으로 수증기가 되어 기공을 통해 밖으로 빠져나감

● **증산 작용이 잘 일어나는 조건**

햇빛	온도	습도	바람
강할 때	높을 때	❷(ㄴㅇ)때	잘 불 때

● **증산 작용의 역할**

물 상승의 원동력, 체온 조절, 체내 수분량 조절, 무기 양분 농축

└ 증산 작용은 식물체 내에서 물을 상승시키는 가장 큰 원동력이다.

└ 체내 수분량이 많으면 기공을 열고, 적으면 기공을 닫아 일정 수준의 수분량을 유지한다.

Tip

물의 이동

➡ 물의 이동 통로인 물관이 뿌리부터 잎까지 연결되어 있어 뿌리에서 흡수한 물이 식물체의 다른 부분으로 이동할 수 있다.

답 ❶ 물관 ❷ 낮을

개념 원리 확인

○ 정답과 해설 **28**쪽

2-1

다음은 식물에서 일어나는 어떤 현상을 설명한 것이다. 빈칸에 알맞은 말을 쓰시오.

> 식물의 잎 부분에 비닐봉지를 씌워 두면 얼마 뒤 비닐봉지 안에 물방울
> 이 맺힌다. 이것은 (   )이 일어나 잎 속의 물이 수증기가 되
> 어 밖으로 빠져나왔기 때문이다.

2-2

식물체 내에서 물을 상승시키는 원동력으로는 증산 작용, 물 분자의 응집력, 뿌리압, 모세관 현상 등이 있어.

식물의 뿌리에서 흡수한 물을 잎까지 상승시키는 가장 큰 원동력을 보기 에서 고르시오.   (   )

> **보기**
> ㄱ. 뿌리에서의 뿌리압   ㄴ. 물관에서의 모세관 현상
> ㄷ. 잎에서 일어나는 증산 작용   ㄹ. 잎에서 일어나는 광합성 작용

2-3

다음은 증산 작용이 잘 일어나는 조건을 나타낸 것이다. (   ) 안에서 알맞은 말을 고르시오.

증산 작용이 잘 일어나는 조건은 빨래가 잘 마르는 조건과 같아.

(1) 햇빛이
(약할 / 강할) 때

(2) 온도가
(낮을 / 높을) 때

(3) 습도가
(낮을 / 높을) 때

(4) 바람이
(잘 불 / 안 불) 때

3일 기초 집중 연습

1-1

그림은 식물의 잎에 있는 공변세포의 모습을 나타낸 것이다.

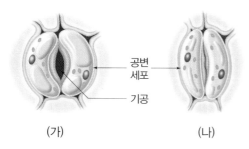

(가)   (나)

이에 대한 설명으로 옳지 **않은** 것은?

① 일반적으로 기공은 잎의 뒷면보다 앞면에 많이 분포한다.
② (가)는 기공이 열린 상태, (나)는 기공이 닫힌 상태이다.
③ (가)는 주로 낮, (나)는 주로 밤의 공변세포 모양이다.
④ 공변세포가 (가)의 모양일 때 증산 작용이 활발하게 일어난다.
⑤ 공변세포가 (나)의 모양일 때 증산 작용이 거의 일어나지 않는다.

문제 해결 Point

가이드 식물의 **공변세포**의 모양에 따라 **기공**이 열리고 닫힌다는 사실을 알고 있어야 한다.

해결 Point (가)는 기공이 열렸을 때, (나)는 기공이 닫혔을 때의 모습을 나타낸 것이다. 기공은 산소와 이산화 탄소가 드나들고 물이 수증기 상태로 빠져나가는 통로로, 입술 모양을 한 2개의 공변세포가 둘러싸고 있다. 기공은 공변세포의 모양에 따라 열리고 닫히는데, 주로 낮에 기공이 열리고 밤에 닫힌다. 따라서 기공이 열리는 낮에 증산 작용이 활발하게 일어난다. 일반적으로 기공은 잎의 앞면보다 뒷면에 많이 분포한다.

오개념 주의 일반적으로 기공은 잎의 뒷면보다 앞면에 많이 있다고 착각하기 쉬운데, 기공은 잎의 앞면보다 뒷면에 많이 위치하고 있음을 기억하도록 한다.

1-2

그림은 잎의 뒷면을 현미경으로 관찰한 모습을 나타낸 것이다. 이에 대한 설명으로 옳지 **않은** 것은?

① A는 기공이다.
② A는 주로 밤에 열린다.
③ A는 공변세포의 모양에 따라 열리거나 닫힌다.
④ A는 산소와 이산화 탄소, 수증기와 같은 기체가 드나드는 통로이다.
⑤ A가 열려 있는 것으로 보아 증산 작용이 활발하게 일어나고 있음을 알 수 있다.

Hint 기공은 기체가 드나드는 통로로, 공변세포의 모양에 따라 열리거나 닫힌다.

1-3

눈금실린더 A와 B에 같은 양의 물을 넣고 A에는 잎을 제거한 나뭇가지를, B에는 잎이 있는 나뭇가지를 넣어 그림과 같이 장치한 후 햇빛이 잘 비치는 곳에 두고 일정 시간이 지난 뒤에 두 눈금실린더의 물 높이를 관찰하였다.

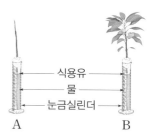

식용유
물
눈금실린더

A   B

이에 대한 설명으로 옳은 것을 **보기** 에서 모두 고른 것은?

보기

ㄱ. A보다 B에서 물이 더 많이 줄어든다.
ㄴ. 이 실험으로 광합성 결과 생성된 물질을 확인할 수 있다.
ㄷ. 이 실험 결과 식물의 잎에서 증산 작용이 일어나는 것을 알 수 있다.

① ㄱ   ② ㄴ   ③ ㄷ
④ ㄱ, ㄷ   ⑤ ㄴ, ㄷ

Hint 이 실험을 통해 증산 작용이 일어나는 장소를 알 수 있다.

대표 기출문제 주제 **2** 증산 작용과 물의 이동

2-1

증산 작용과 물의 이동에 대한 설명으로 옳은 것은? 보기 에서 모두 고른 것은?

보기
- ㄱ. 땅속에서 뿌리로 흡수된 물은 뿌리 속의 물관을 따라 줄기로 이동한다.
- ㄴ. 뿌리에서 흡수된 물은 줄기의 물관을 거쳐 잎으로 이동한다.
- ㄷ. 잎에 도달한 물은 증산 작용에만 사용된다.
- ㄹ. 증산 작용은 식물체 속의 물이 수증기 형태로 잎의 기공을 통해 공기 중으로 빠져나가는 현상이다.

① ㄱ, ㄴ　　　② ㄴ, ㄷ　　　③ ㄷ, ㄹ
④ ㄱ, ㄴ, ㄹ　　⑤ ㄴ, ㄷ, ㄹ

2-2

그림은 증산 작용이 잘 일어나는 조건에 대해 세 친구가 나눈 대화를 나타낸 것이다.

 온유: 증산 작용은 어떤 조건에서 잘 일어날까?

담희: 온도가 높고 바람이 잘 불 때 증산 작용이 잘 일어나.

 현석: 습도가 높고 햇빛이 약할 때 증산 작용이 잘 일어나지.

옳지 않게 말한 사람을 쓰고, 대화 내용을 옳게 고치시오.

Hint 증산 작용이 잘 일어나는 조건은 빨래가 잘 마르는 조건과 같다.

문제 해결 Point

가이드　증산 작용이 일어나면 이를 보충하기 위해 물이 식물체 내로 흡수되고, 흡수된 물은 광합성에 이용된다. 광합성에 이용되고 남은 물은 기공을 통해 밖으로 빠져나가게 됨을 알아야 한다.

해결 Point　식물체 속의 물이 수증기 형태로 잎의 기공을 통해 공기 중으로 빠져나가는 현상을 **증산 작용**이라고 한다. 땅속에서 뿌리로 흡수된 물은 뿌리 속의 물관을 따라 줄기로 이동한다. 뿌리에서 올라온 물은 줄기의 물관을 거쳐 잎으로 이동한다. 잎에 도달한 물은 잎맥의 물관을 거쳐 광합성 등에 사용되거나 증산 작용으로 수증기가 되어 기공을 통해 밖으로 빠져나간다. 이러한 증산 작용은 뿌리에서 흡수한 물이 잎까지 이동하는 가장 큰 원동력이다.

오개념 주의　뿌리에서 흡수한 물이 증산 작용에만 이용된다고 생각할 수 있으므로 주의하도록 한다.

2-3

증산 작용의 역할로 옳지 않은 것은?

① 식물체 내에 공기가 통하게 한다.
② 식물체와 주변의 온도를 낮춘다.
③ 식물체 내의 수분량을 조절한다.
④ 식물체 내의 무기 양분을 농축한다.
⑤ 뿌리에서 흡수한 물이 잎까지 상승하는 데 필요한 힘을 제공한다.

주 4일 식물의 호흡

주제 1 **식물의 호흡**

식물도 동물과 같이 산소를 흡수하고 이산화 탄소를 내보내는 호흡을 한다. 이와 같은 식물의 호흡은 밤낮 관계없이 항상 일어난다.

나도 숨을 쉰다고! 낮에는 광합성도 하고 호흡도 하고~

밤에는 호흡만 해.

이산화 탄소 ▶ ◀ 산소

이산화 탄소 ◀ 산소

헉! 나무가 숨을 쉬다니~

식물은 빛이 강한 낮에는 호흡보다 광합성을 더 많이 하기 때문에 마치 광합성만 하는 것처럼 보인다.

밤이 되어 빛이 없으면 식물은 광합성을 하지 않고 호흡만 한다.

광합성량 > 호흡량
이산화 탄소 흡수, 산소 방출

호흡만 일어남
산소 흡수, 이산화 탄소 방출

중요 개념

● **호흡** 산소를 이용하여 양분을 분해하고 생명 활동에 필요한 ❶(ㅇㄴㅈ)를 얻는 과정
  - 호흡이 일어나는 시기: 밤낮 관계없이 항상 일어남
  - 호흡이 일어나는 장소: 식물체를 구성하는 모든 살아 있는 세포
  - 필요한 물질: ❷(ㅍㄷㄷ), 산소 – 광합성을 통해 생성되거나 잎의 기공을 통해 흡수
  - 생성되는 요소: 이산화 탄소, 물, 에너지 – 생장, 번식 등 생명 활동에 사용
  - 호흡 과정: 포도당 + 산소 ⇨ 이산화 탄소 + 물 + 에너지
    └ 광합성에 이용되거나 기공을 통해 밖으로 방출

● **하루 동안 식물의 기체 교환**

낮	밤
• 광합성과 호흡이 모두 일어남	• 호흡만 일어남(빛이 없기 때문)
• 광합성량 > 호흡량 – 광합성만 일어나는 것처럼 보임	• 산소 흡수, 이산화 탄소 방출
• 이산화 탄소 흡수, 산소 방출	

Tip

호흡이 왕성하게 일어나는 시기
➡ 꽃이 필 때, 씨가 싹틀 때, 열매를 맺을 때, 급격한 생장이 일어날 때 등

🔑 ❶ 에너지 ❷ 포도당

○ 정답과 해설 **29**쪽

1-1

다음은 식물의 호흡에 대한 설명이다. ( ) 안에서 알맞은 말을 고르시오.

(1) 식물의 호흡은 (항상 / 밤에만) 일어난다.

(2) 식물의 호흡은 식물의 (엽록체 / 모든 살아있는 세포)에서 일어난다.

(3) 식물의 호흡은 양분을 분해하여 생명 활동에 필요한 (에너지 / 양분)(을)를 얻는 작용이다.

식물의 호흡은 살아 있는 모든 세포에서 일어나.

1-2

그림은 식물의 호흡 과정을 나타낸 것이다. A와 B에 알맞은 말을 각각 쓰시오.

· A: (　　　　　)

· B: (　　　　　)

1-3

그림은 하루 중 식물의 기체 교환을 나타낸 것이다.

빛이 강한 낮에는 호흡량보다 광합성량이 많아 산소가 방출되고, 밤에는 호흡만 일어나므로 이산화 탄소가 방출돼.

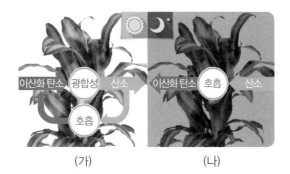

(가)와 (나)의 기체 교환은 낮과 밤 중 언제 일어나는지 각각 쓰시오.

· (가): (　　　　　)

· (나): (　　　　　)

식물의 광합성은 빛을 이용하여 양분을 만드는 과정이고, 호흡은 양분을 분해하여 에너지를 얻는 과정이다.

광합성은 빛이 있는 낮에, 호흡은 밤낮 관계없이 항상 일어나. 또 광합성은 엽록체에서, 호흡은 살아 있는 모든 세포에서 일어나.

중요 개념

● 광합성과 호흡의 비교

구분	광합성	호흡
반응 과정	물＋이산화 탄소 $\xrightarrow[\text{호흡(에너지 방출)}]{\text{광합성(빛에너지 흡수)}}$ 양분(포도당)＋산소	
일어나는 시기	낮(빛이 있을 때)	항상
일어나는 장소	❶(ㅇㄹㅊ)	살아 있는 모든 세포
흡수하는 기체	이산화 탄소	산소
방출하는 기체	산소	❷(ㅇㅅㅎ ㅌㅅ)
양분과 에너지	양분을 만들어 에너지 저장	양분을 분해하여 에너지 방출

Tip

광합성과 호흡의 관계
➡ 광합성과 호흡은 기체의 출입이 서로 반대로 일어난다. 또한 광합성을 에너지 저장 과정이라 한다면, 호흡은 에너지 방출 과정이라고 할 수 있다.

답 ❶ 엽록체 ❷ 이산화 탄소

2-1

다음은 광합성과 호흡에 대한 설명이다. 빈칸에 알맞은 말을 쓰시오.

광합성은 빛이 있을 때만 일어나지만, 호흡은 빛과 관계없이 항상 일어나.

> 광합성은 빛이 있는 낮에, 호흡은 ㉠ (   ) 일어난다. 광합성은 ㉡ (   )
> 에서 일어나고, 호흡은 살아있는 모든 세포에서 일어난다.

2-2

광합성과 호흡에 관계된 물질을 모두 옳게 연결하시오.

식물은 호흡으로 생성된 이산화 탄소를 광합성에 이용하고, 광합성으로 생성된 산소를 호흡에 이용해.

(1) 호흡에 필요한 물질　　　•

(2) 광합성에 필요한 물질　　•

(3) 호흡 결과 생성되는 물질　•

(4) 광합성으로 생성되는 물질 •

　　　　•　㉠ 물

　　　　•　㉡ 산소

　　　　•　㉢ 포도당

　　　　•　㉣ 이산화 탄소

2-3

다음은 광합성과 호흡에 대한 설명이다. (　) 안에서 알맞은 말을 고르시오.

(1) 광합성은 양분을 (합성 / 분해)한다.

(2) 호흡은 양분을 (합성 / 분해)한다.

(3) 광합성은 에너지를 (저장 / 방출)하는 과정이다.

(4) 호흡은 에너지를 (저장 / 방출)하는 과정이다.

1-1

그림과 같이 시금치를 넣은 페트병 A와 아무것도 넣지 않은 페트병 B를 어두운 곳에 2~3시간 동안 둔 후, 페트병 속의 기체를 각각 석회수에 통과시켰더니 A 속의 기체를 통과시킨 석회수만 뿌옇게 흐려졌다.

A   B   석회수

이에 대한 설명으로 옳은 것을 **보기**에서 모두 고른 것은?

보기

ㄱ. A에서는 광합성만 일어난다.

ㄴ. 이산화 탄소는 석회수를 뿌옇게 하는 성질이 있다.

ㄷ. A 속의 기체를 통과시킨 석회수가 뿌옇게 흐려진 것으로 보아 A 속의 기체는 산소임을 알 수 있다.

① ㄱ   ② ㄴ   ③ ㄷ

④ ㄱ, ㄴ   ⑤ ㄴ, ㄷ

문제 해결 Point

가이드 식물은 빛이 있을 때만 광합성이 일어나고 빛이 없을 때는 광합성이 일어나지 않고 호흡만 일어남을 알아야 한다.

해결 Point 석회수에 이산화 탄소가 들어가면 뿌옇게 흐려져 이산화 탄소의 발생 여부를 쉽게 판별할 수 있다.
식물은 빛이 있을 때는 광합성과 호흡을 모두 하지만, 빛이 없을 때는 호흡만 한다. 실험에서 시금치는 어둠 속에서 호흡을 하여 산소를 흡수하고 이산화 탄소를 방출하기 때문에 페트병 A 속에는 이산화 탄소가 들어 있어 석회수를 뿌옇게 흐리게 한다.

오개념 주의 식물의 호흡은 광합성처럼 빛이 있을 때만 일어난다고 착각하기 쉽다. 식물의 호흡은 빛과 관계없이 항상 일어남을 유의해야 한다.

1-2

다음은 식물의 호흡 과정을 나타낸 것이다.

> 포도당+A ⟶ 물+B+에너지

이에 대한 설명으로 옳지 **않은** 것은?

① A는 산소이다.

② B는 이산화 탄소이다.

③ 식물의 호흡은 밤에만 일어난다.

④ 식물은 호흡을 통해 에너지를 얻는다.

⑤ 호흡은 광합성과 기체 출입이 반대로 일어난다.

1-3

그림은 하루 중 일어나는 식물의 기체 교환을 나타낸 것이다.

(가)   (나)

이에 대한 설명으로 옳지 **않은** 것은?

① A는 광합성에 해당한다.

② B는 광합성에 해당한다.

③ C는 호흡에 해당한다.

④ (가)는 낮에 일어나는 기체 교환을 나타낸 것이다.

⑤ (나)는 밤에 일어나는 기체 교환을 나타낸 것이다.

Hint (가)는 광합성량이 호흡량보다 많아 이산화 탄소를 흡수하고 산소를 방출하기 때문에 광합성만 일어나는 것처럼 보인다.

대표 기출문제 주제 **2** 광합성과 호흡의 비교

2-1

그림은 광합성과 호흡의 관계를 나타낸 것이다.

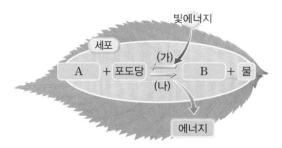

이에 대한 설명으로 옳지 <u>않은</u> 것은?

① (가)는 광합성이다.

② (나)는 호흡이다.

③ A는 이산화 탄소, B는 산소이다.

④ (가)는 식물의 엽록체에서 일어난다.

⑤ (나)는 식물의 모든 세포에서 일어난다.

2-2

그림은 식물이 들어 있는 화분에 유리종을 덮고 각각 빛이 있는 곳과 어둠상자 안에 놓은 것을 나타낸 것이다.

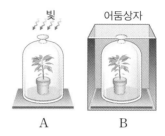

A와 B에서 일어나는 식물의 작용을 가장 옳게 짝 지은 것은?

	A	B
①	광합성	광합성
②	호흡	광합성
③	광합성	광합성, 호흡
④	광합성, 호흡	호흡
⑤	광합성, 호흡	광합성, 호흡

Hint 광합성은 빛이 있을 때만 일어나고, 호흡은 항상 일어난다.

문제 해결 Point

가이드 광합성과 호흡 과정을 비교하는 문제로, **광합성과 호흡**의 기체 출입이 서로 반대로 일어남을 알아야 한다.

해결 Point (가)는 광합성, (나)는 호흡, A는 산소, B는 이산화 탄소이다. 광합성은 에너지 저장 과정, 호흡은 에너지 방출 과정이다. 광합성은 빛에너지를 이용하여 물과 이산화 탄소를 원료로 포도당을 합성하는 과정으로, 이 과정에서 산소가 생성된다. 호흡은 포도당을 분해하는 과정으로, 이 과정에서 에너지와 이산화 탄소가 생성된다. 또한 광합성은 식물의 엽록체에서 일어나고 호흡은 식물의 살아 있는 모든 세포에서 일어난다.

오개념 주의 광합성과 호흡 과정을 헷갈릴 수 있으니 주의하도록 한다.

2-3

식물의 광합성과 호흡을 비교한 내용으로 옳지 <u>않은</u> 것은?

	구분	광합성	호흡
①	일어나는 시간	빛이 있을 때	항상
②	일어나는 장소	살아 있는 모든 세포	엽록체
③	흡수하는 기체	이산화 탄소	산소
④	방출하는 기체	산소	이산화 탄소
⑤	에너지	저장	방출

5일 광합성 산물의 이용

주제 1 광합성 산물의 생성과 이동

광합성으로 만들어진 포도당은 잎의 엽록체에서 녹말로 일시적으로 저장되었다가 주로 밤에 설탕으로 바뀌어 체관을 통해 식물의 각 기관으로 운반된다.

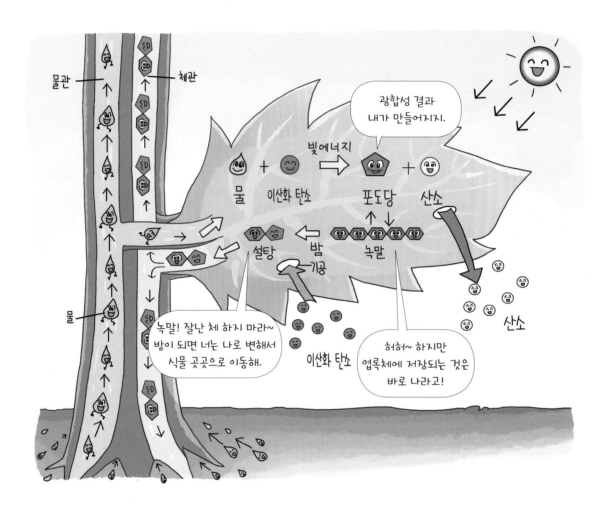

중요 개념

● 광합성 산물의 생성과 이동
- 광합성 최초 산물: 광합성을 통해 최초로 포도당이 만들어짐
- 광합성 산물의 전환과 이동

광합성 산물의 생성(낮)	광합성 산물의 이동(밤)
광합성으로 만들어진 포도당은 잎에서 사용되거나 물에 녹지 않는 ❶(ㄴㅁ)로 바뀌어 엽록체에 일시적으로 저장된다. 광합성 산물의 전환: 포도당 → 녹말 → 설탕	엽록체에 저장된 녹말은 주로 밤에 물에 잘 녹는 설탕으로 전환되어 ❷(ㅊㄱ)을 통해 식물의 각 기관으로 운반된다.

Tip

물관과 체관
➡ 물관은 뿌리에서 흡수된 물이 식물의 각 부위로 이동하는 통로이다. 체관은 잎에서 광합성으로 만들어진 양분이 이동하는 통로이다.

🔑 답 ❶ 녹말 ❷ 체관

개념 원리 확인

○정답과 해설 **30**쪽

1-1

광합성으로 만들어진 포도당은 녹말로 바뀌어 엽록체에 일시적으로 저장되고, 주로 밤에 설탕으로 전환되어 체관을 통해 식물의 각 기관으로 이동해.

다음은 광합성 산물의 생성과 이동에 대한 설명이다. (　) 안에서 알맞은 말을 고르시오.

(1) 광합성으로 만들어지는 최초의 산물은 (설탕 / 포도당)이다.

(2) 광합성으로 생성된 포도당은 (녹말 / 단백질)로 바뀌어 엽록체에 일시적으로 저장된다.

(3) 광합성 산물은 주로 밤에 (설탕 / 지방)으로 전환되어 식물의 각 기관으로 이동한다.

1-2

그림은 광합성 산물의 생성과 이동을 나타낸 것이다. A와 B에 알맞은 말을 각각 쓰시오.

• A: (　　　　　)

• B: (　　　　　)

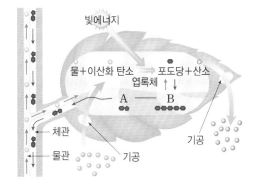

1-3

식물의 줄기는 뿌리에서 흡수한 물이 이동하는 물관, 설탕과 같은 양분이 이동하는 체관으로 구성돼.

용어 풀이

＊**녹말**(綠 푸를, 末 끝): 식물체가 광합성을 통해 만들어 내는 물질로, 많은 포도당이 연결된 구조이며 물에 잘 녹지 않고 단맛이 나지 않음

그림은 진딧물이 기다란 침을 식물 줄기에 꽂아 설탕이 섞인 수액을 빨아먹는 모습을 나타낸 것이다. 진딧물이 침을 꽂는 곳은 식물의 어느 조직인지 쓰시오.　　　　(　　　　　)

5일 광합성 산물의 이용

주제 2 **광합성 산물의 이용과 저장**

광합성 결과 생긴 양분은 식물의 생명 유지에 필요한 에너지원으로 쓰이거나
식물이 생장하는 데 쓰이고, 남은 양분은 저장 기관에 저장된다.

중요 개념

● **광합성 산물의 이용**

설탕으로 전환되어 식물의 각 기관으로 이동한 광합성 산물은 호흡을 통해 생명 활동에 필요한 ❶(ㅇㄴㅈ)를 얻는 데 쓰이거나, 식물의 몸을 구성하는 성분이 되어 식물이 생장하는 데 이용된다.

● **광합성 산물의 저장**

여러 가지 생명 활동에 이용되고 남은 양분은 뿌리, 줄기, 씨, 열매 등의 ❷(ㅈㅈ) 기관에 포도당, 녹말, 설탕, 단백질, 지방 등의 여러 형태로 저장된다.

저장 기관	뿌리	줄기	씨	열매
예	당근, 고구마	감자, 연근	보리, 벼	감, 사과

Tip

광합성 산물의 이용
➡ 광합성으로 만들어진 양분은 사람을 비롯한 동물의 먹이로 이용되고, 광합성 결과 생성된 산소는 여러 생물의 호흡에 이용된다.

답 ❶ 에너지 ❷ 저장

개념 원리 확인

○정답과 해설 **30**쪽

2-1

다음은 광합성 산물의 이용과 저장에 대한 설명이다. ( ) 안에서 알맞은 말을 고르시오.

(1) 광합성 결과 만들어진 양분은 식물의 여러 기관에서 (호흡 / 증산 작용)에 사용된다.

(2) 광합성 결과 만들어진 양분은 식물의 생명 활동에 필요한 (광합성 원료 / 에너지원)(으)로 사용된다.

(3) 광합성 산물은 (모두 / 일부가) 식물체를 구성하는 성분으로 쓰여 식물이 생장할 수 있게 한다.

광합성 결과 만들어진 양분은 식물의 호흡이나 생장에 사용되고, 사용되고 남은 광합성 산물은 뿌리, 줄기, 열매, 씨 등의 저장 기관에 저장돼.

2-2

각 식물의 광합성 산물이 저장되는 장소를 옳게 연결하시오.

감자는 광합성 산물을 줄기에 저장해. 감자는 뿌리 같지만 줄기야.

(1)
당근
· · ㉠ 줄기

(2)
감자
· · ㉡ 뿌리

(3)
감
· · ㉢ 씨

(4)
벼
· · ㉣ 열매

대표 기출문제 **주제 1** 광합성 산물의 생성과 이동

1-1

그림은 식물 줄기의 바깥쪽 껍질을 벗겨내고 시간이 지난 후에 열매가 자란 모습을 나타낸 것이다.

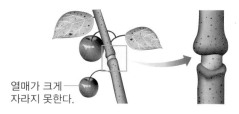

열매가 크게 자라지 못한다.

이러한 현상이 생기는 까닭으로 가장 옳은 것은?

① 체관이 제거되었기 때문이다.

② 물관이 제거되었기 때문이다.

③ 체관과 물관이 제거되었기 때문이다.

④ 식물의 호흡이 일어나지 않았기 때문이다.

⑤ 식물의 광합성이 일어나지 않았기 때문이다.

문제 해결 Point

가이드 식물 줄기의 **체관**은 양분이 이동하는 통로임을 알고 있어야 한다.

해결 Point 그림과 같이 줄기의 일부분을 고리 모양으로 벗기면 줄기의 체관이 제거되어 벗겨진 곳의 상단부가 부풀어 오르고, 벗겨진 곳의 윗부분에 맺힌 열매는 크게 자라지만 아래쪽의 열매는 크게 자라지 못한다. 이는 잎에서 광합성으로 생성된 양분은 체관을 통해 이동하는데, 체관이 제거되면 양분이 벗겨진 줄기 윗부분에서 아래로 내려오지 못하고 윗부분에 축적되기 때문이다.

오개념 주의 양분이 이동하는 통로를 물관이라고 착각하기 쉬운데, 광합성으로 생성된 양분이 이동하는 통로는 체관임을 주의해야 한다.

1-2

그림은 식물의 잎에서 양분이 합성되어 저장 기관으로 이동하는 과정을 나타낸 것이다.

A에 들어갈 물질로 옳은 것은?

① 지방   ② 녹말   ③ 설탕

④ 포도당   ⑤ 단백질

Hint 광합성에 의해 만들어지는 최초의 양분은 포도당이다. 포도당은 녹말로 바뀌어 잎의 엽록체에 일시적으로 저장되었다가 주로 밤이 되면 설탕으로 전환되어 체관을 통해 저장 기관으로 이동한다.

1-3

다음은 광합성 산물의 생성과 이동에 대한 것이다.

> 광합성으로 만들어진 포도당은 물에 녹지 않는 ⬚ A ⬚ (으)로 바뀌어 엽록체에 일시적으로 저장된다. ⬚ A ⬚ 은 주로 밤이 되면 물에 녹는 ⬚ B ⬚ 으로 전환되어 식물의 각 기관으로 이동한다.

A와 B에 들어갈 내용을 옳게 짝 지은 것은?

	A	B
①	녹말	설탕
②	녹말	포도당
③	설탕	녹말
④	포도당	설탕
⑤	포도당	녹말

대표 기출문제 주제 2 광합성 산물의 이용과 저장

2-1

다음은 광합성 결과 생성된 광합성 산물이 지방의 형태로 땅콩에 저장되기까지의 과정을 순서없이 나열한 것이다.

(가) 광합성 결과 포도당이 생성된다.

(나) 설탕은 주로 지방의 형태로 전환되어 땅콩에 저장된다.

(다) 녹말은 밤에 물에 녹는 설탕으로 전환되어 체관을 통해 이동한다.

(라) 포도당은 낮 동안 잎의 엽록체에 녹말의 형태로 일시적으로 저장된다.

광합성 산물이 땅콩에 저장되기까지의 과정을 순서대로 나열한 것은?

① (가)-(나)-(다)-(라) ② (가)-(라)-(다)-(나)

③ (나)-(다)-(라)-(가) ④ (다)-(라)-(가)-(나)

⑤ (라)-(다)-(나)-(가)

2-2

광합성으로 만들어진 양분의 이용에 대한 설명으로 옳은 것을 보기 에서 모두 고른 것은?

보기

ㄱ. 식물체를 구성하는 성분으로 이용되어 식물이 생장하게 한다.

ㄴ. 호흡을 통해 생명 활동에 필요한 에너지를 얻는 데 이용된다.

ㄷ. 뿌리, 줄기, 열매, 씨 등의 저장 기관에 포도당의 형태로만 저장된다.

① ㄱ   ② ㄴ   ③ ㄷ

④ ㄱ, ㄴ   ⑤ ㄴ, ㄷ

Hint 광합성 결과 생성된 양분은 여러 가지 생명 활동에 사용되고, 남은 양분은 열매, 뿌리, 줄기, 씨 등에 녹말, 설탕, 포도당, 단백질, 지방 등의 다양한 형태로 저장된다.

문제 해결 Point

가이드 광합성 결과 만들어진 양분이 어떤 형태로 식물의 각 부분에 이동하는지 알고 있어야 한다.

해결 Point 잎의 엽록체에서 광합성으로 만들어진 **포도당**은 잎에서 사용되거나 물에 녹지 않는 **녹말**로 바뀌어 엽록체에 일시적으로 저장된다. 엽록체에 저장된 녹말은 주로 밤에 물에 잘 녹는 **설탕**으로 전환되어 체관을 통해 식물의 각 기관으로 운반되고, 설탕은 주로 지방의 형태로 전환되어 땅콩에 저장된다.

2-3

광합성으로 생성된 양분을 줄기에 저장하는 식물은?

①  감

②  벼

③  보리

④  당근

⑤  감자

광합성 ▶ p. 138, 140

01 광합성에 대한 설명으로 옳지 <u>않은</u> 것은?

① 엽록체에서 일어난다.

② 빛이 있을 때에만 일어난다.

③ 광합성에 물과 이산화 탄소가 필요하다.

④ 광합성에 필요한 이산화 탄소는 물관을 통해 들어온다.

⑤ 식물이 빛에너지를 이용하여 양분을 만드는 과정이다.

광합성 과정 ▶ p. 140

02 그림은 광합성 과정을 나타낸 것이다.

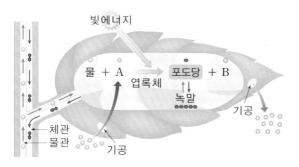

A와 B에 해당하는 물질을 옳게 짝 지은 것은?

	A	B
①	산소	질소
②	산소	이산화 탄소
③	질소	산소
④	이산화 탄소	산소
⑤	이산화 탄소	질소

이산화 탄소의 농도와 광합성량 ▶ p. 146

03 빛의 세기가 강하고 온도가 일정할 때 이산화 탄소의 농도에 따른 광합성량의 관계를 나타낸 그래프로 옳은 것은?

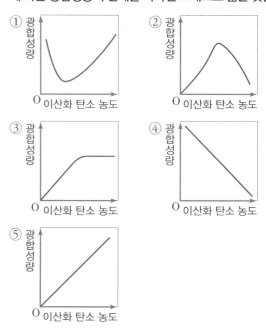

증산 작용 ▶ p. 150, 152

04 눈금실린더 A~C에 같은 양의 물을 넣고 그림과 같이 장치한 후 햇빛이 잘 드는 곳에 일정 시간 두었다.

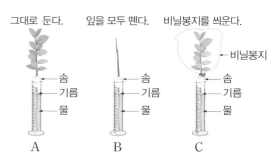

실험 결과에 대한 설명으로 옳은 것을 보기 에서 모두 고른 것은?

보기

ㄱ. 물 높이가 가장 높은 것은 B이다.

ㄴ. 물이 가장 많이 줄어든 것은 A이다.

ㄷ. C의 식물은 A의 식물보다 증산 작용이 더 활발하게 일어난다.

① ㄱ　　　　② ㄴ　　　　③ ㄷ

④ ㄱ, ㄴ　　　⑤ ㄴ, ㄷ

05 그림은 식물의 잎 뒷면의 표피를 현미경으로 관찰한 것이다. 이에 대한 설명으로 옳지 <u>않은</u> 것은?

공변세포와 기공 ▶ p. 150

① A는 공변세포이다.

② B는 기공이다.

③ B는 항상 열려 있다.

④ B가 열리면 식물의 증산 작용이 일어난다.

⑤ A가 B를 열고 닫아 증산 작용을 조절한다.

06 그림은 하루 중 일어나는 식물의 기체 교환을 나타낸 것이다.

식물의 기체 교환 ▶ p. 156

(가)

(나)

이에 대한 설명으로 옳지 <u>않은</u> 것은?

① (가)는 낮의 기체 교환을 나타낸 것이다.

② (가)에서는 호흡만 일어나는 것처럼 보인다.

③ A는 광합성, B와 C는 호흡에 해당한다.

④ (나)에서는 호흡만 일어난다.

⑤ (나)에서는 산소를 흡수하고 이산화 탄소를 방출한다.

07 햇빛이 강한 낮 동안에는 이산화 탄소가 흡수되고 산소가 방출되어 광합성만 일어나는 것처럼 보인다. 그 까닭에 대해 다음 단어를 포함하여 서술하시오.

낮 동안 식물의 기체 교환 ▶ p. 156

광합성량	호흡량

08 광합성으로 만들어진 양분이 식물의 각 기관으로 주로 이동하는 시기와 이동 형태를 옳게 짝 지은 것은?

광합성 산물의 이동 ▶ p. 162

	이동 시기	이동 형태
①	낮	녹말
②	낮	포도당
③	낮	설탕
④	밤	설탕
⑤	밤	포도당

09 그림은 식물의 광합성으로 생성된 양분이 어떻게 사용되는지에 대해 두 친구가 나눈 대화를 나타낸 것이다. 옳게 말한 사람을 쓰시오.

광합성 식물의 이용 ▶ p. 164

식물의 생명 유지에 필요한 에너지원으로 사용되기도 해.

광합성을 하기 위한 원료로 사용되기도 해.

지나   준수

10 그림은 벼에서 광합성 산물이 저장된 모습을 나타낸 것이다. 광합성 산물이 저장되는 장소를 쓰시오.

광합성 산물의 저장 ▶ p. 164

✏️ **4주**에 배운 개념을 **그림**으로 저장

식물과 에너지

광합성

- 광합성: 식물이 빛에너지를 이용하여 이산화 탄소와 물을 원료로 양분을 만드는 과정

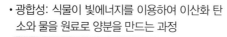

물+❶ $\xrightarrow{\text{빛에너지}}$ 포도당+❷

- 광합성에 영향을 미치는 환경 요인

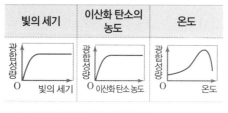

빛의 세기	이산화 탄소의 농도	온도

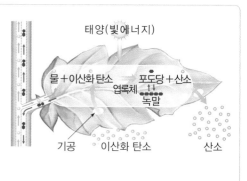

태양(빛에너지)

물+이산화 탄소 → 포도당+산소
엽록체
녹말

기공   이산화 탄소   산소

증산 작용

- 증산 작용: 기공을 통해 식물체 내의 물이 ❸ 형태로 공기 중으로 빠져나가는 현상
- 증산 작용이 잘 일어나는 조건

햇빛	온도	습도	바람
강할 때	높을 때	낮을 때	잘 불 때

공변세포
기공

▲ 낮의 기공 모습   ▲ 밤의 기공 모습

식물의 호흡

- 호흡: 산소를 이용하여 양분을 분해하고 에너지를 얻는 과정

포도당+❹ → ❺ +물+에너지

- 하루 동안 식물의 기체 교환

낮	밤

강한 빛
광합성
호흡
이산화 탄소   산소

호흡
이산화 탄소   산소

광합성 산물의 이동과 이용

광합성으로 생성된 양분은 식물의 에너지원과 구성 성분으로 이용되고, 남은 양분은 열매, 뿌리, 줄기 등에 저장됨

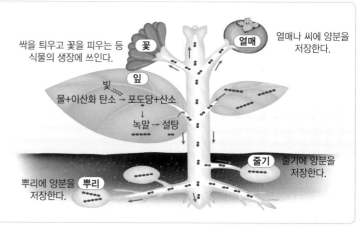

싹을 틔우고 꽃을 피우는 등 식물의 생장에 쓰인다.

꽃
열매   열매나 씨에 양분을 저장한다.

잎
빛
물+이산화 탄소 → 포도당+산소
녹말 → 설탕

줄기   줄기에 양분을 저장한다.

뿌리에 양분을 저장한다.   뿌리

답 ❶ 이산화 탄소 ❷ 산소 ❸ 수증기 ❹ 산소 ❺ 이산화 탄소

✎ 재미있는 개념 완성 퀴즈

여왕개미가 새끼 개미를 찾아가려고 한다. ○× 문제를 풀어 새끼 개미가 있는 방까지 도착하시오.

답 ❶ ○ ❷ × ❸ ○ ❹ ○ ❺ × ❻ ○

과학의 다양한 유형 문제를 해결하는 방법을 연습하면서 사고력을 기르자.

1 그림 (나)는 (가)의 실험을 수행한 두 친구가 나눈 대화를 나타낸 것이다.

하루 동안 빛을 받은 검정말 잎을 탈색시킨 후 검정말 잎에 아이오딘-아이오딘화 칼륨 용액을 떨어뜨렸더니 다음과 같이 청람색으로 변하였다.

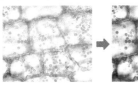

▲ 아이오딘-아이오딘화 칼륨 용액을 떨어뜨리기 전

▲ 아이오딘-아이오딘화 칼륨 용액을 떨어뜨린 후

(가)

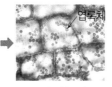

온유: 광합성 결과 어떤 물질이 생길까?

담희: 실험에서 아이오딘-아이오딘화 칼륨 용액을 떨어뜨린 후 엽록체가 청람색으로 변한 것으로 보아 광합성 결과 (　　　)이 생성되었음을 알 수 있어.

(나)

● **문제 해결 Tip**
아이오딘-아이오딘화 칼륨 용액은 녹말 검출 용액으로 녹말과 반응하면 청람색을 나타내.

담희가 말한 대화 내용에서 빈칸에 알맞은 말을 쓰시오.

2 다음은 지구 온난화와 관련된 신문 기사의 일부이다.

천재 일보

대기 중에 이산화 탄소의 농도가 높아지면서 지구에서 우주로 방출되는 열이 차단되어 지표의 온도가 올라가고 있다. 초록색을 띠는 나무가 이러한 지구 온난화를 줄이는 데 효과적이라고 한다. 나무는 '탄소 통조림'이라는 별명으로 불리기도 하는데, 그 까닭은 <u>나무가 대기 중의 이산화 탄소의 양을 줄이기 때문이다.</u>

● **문제 해결 Tip**
식물에서 광합성이 일어나면 공기 중의 이산화 탄소가 흡수돼.

(1) 밑줄 친 내용과 가장 관계 깊은 식물의 작용은 무엇인지 쓰시오.

(2) (1)에서 답한 식물의 작용이 대기 중의 이산화 탄소를 줄이는 까닭을 서술하시오.

3 그림은 광합성과 관련된 과학자들의 연구 중 하나를 나타낸 것이다.

문제 해결 Tip
식물은 빛이 있을 때 광합성이 일어나 산소를 공기 중으로 방출해.

햇빛이 비치는 곳에서 쥐가 살아남은 까닭을 다음 단어를 포함하여 서술하시오.

| 식물 | 광합성 | 산소 | 방출 | 호흡 |

4 다음은 미래의 기술에 대해 상상하여 작성한 신문 기사이다.

문제 해결 Tip
광합성에는 물과 이산화 탄소가 필요하고, 광합성 결과 포도당과 산소가 생성돼.

미래 일보

광합성을 하는 벽지가 개발되었다. 광합성을 하는 벽지로 집안을 도배하면, 광합성으로 생성된 □□ 덕분에 집안을 환기하지 않아도 깨끗한 실내 공기를 유지할 수 있다.

(1) 빈칸에 알맞은 기체를 쓰시오.

(2) 빛의 양이 충분할 때 광합성 효과를 보기 위해서는 벽지에 어떤 물질을 공급해야 하는지 쓰시오.

5 그림은 준상이와 온유가 나눈 대화를 나타낸 것이다.

문제 해결 Tip

식물 잎의 기공을 통해 식물체 내의 물이 수증기 형태로 공기 중으로 빠져나가는 현상을 증산 작용이라고 해.

(1) 위의 대화에서 빈칸에 알맞은 말을 쓰시오.

(2) 다음은 (1)의 답과 관련된 내용이다. 빈칸에 알맞은 말을 쓰시오.

식물 잎의 기공을 통해 식물체 내의 물이 수증기 상태로 공기 중으로 빠져나가는 현상은 공변세포가 ㉠ (   )을 열고 닫아 조절한다.

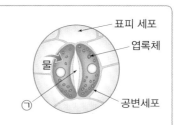

6 다음은 우리가 주식으로 먹는 식물에 대한 내용이다.

우리가 주식으로 먹는 쌀이나 감자, 옥수수 등은 모두 식물이 만든 양분이다. 이렇게 생명이 살아가는 데 필요한 양분은 식물의 (   )으로 만들어진다.

빈칸에 알맞은 말을 쓰시오.

문제 해결 Tip

광합성 산물 중 일부는 식물의 생활에 필요한 에너지를 발생시키기 위한 호흡 원료로 사용되거나 식물이 생장하는 데 쓰이고, 나머지는 뿌리, 줄기, 열매, 씨 등의 저장 기관에 저장돼.

7 그림 (나)는 (가)를 토대로 세 친구가 나눈 대화를 나타낸 것이다.

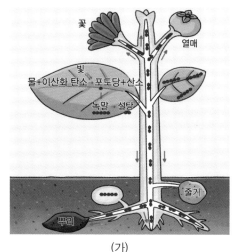

(가)

식물이 햇빛을 받으면 잎의 엽록체에서는 ㉠ (   )이 합성돼.

그리고 광합성으로 만들어진 ㉠ (   )은 녹말로 전환되어 잎에 일시적으로 저장되지.

녹말은 주로 밤이 되면 물에 녹는 ㉡ (   )으로 전환되어 식물의 각 기관으로 이동해.

(나)

문제 해결 Tip
광합성으로 만들어진 포도당은 식물체에서 다른 형태로 바뀌어 저장되고 이동해.

빈칸에 알맞은 말을 쓰시오.

8 그림은 식물에서 광합성 산물이 어떻게 사용되는지에 대해 세 친구가 나눈 대화를 나타낸 것이다.

광합성 산물은 식물의 생장에 쓰이기도 해.

광합성 산물은 뿌리, 줄기, 열매, 씨 등에 녹말로만 저장돼.

광합성 산물은 식물의 생명 유지에 필요한 에너지원으로 쓰이기도 해.

유미   동영   은혜

문제 해결 Tip
광합성 산물은 생명 활동에 필요한 에너지원이 되거나 식물체의 구성 성분으로 사용돼. 사용하고 남은 광합성 산물은 뿌리, 줄기, 열매, 씨 등의 저장 기관에 여러 형태로 저장돼.

옳지 <u>않게</u> 말한 사람을 쓰고, 대화 내용을 옳게 고치시오.

Memo

굽은 허리를 꼿꼿하게!
허리 스트레칭

바르지 못한 자세로 오래 앉아 있게 되면, 허리 근육에 무리가 오고 통증으로 이어지게 됩니다. 내 몸의 중심인 허리 건강을 위해 꾸준한 스트레칭과 바른 자세가 무엇보다 중요하다는 것! 잊지 마세요.

❶ 의자에 앉아 무릎과 발 사이를 어깨너비 정도로 벌리고, 발은 11자 모양으로 반듯하게 놓습니다.

❷ 숨을 뱉으며 상체를 서서히 숙입니다. 허리를 편 상태에서, 가능한 만큼 숙여 주세요. 고개를 숙인 채로 30초간 2번의 자세를 유지합니다.

❸ 천천히 일어나 어깨를 펴고 두 손에 깍지를 낀 다음, 팔을 올려 오른쪽으로 당겨줍니다. 왼쪽도 똑같이 반복합니다.

※ 스트레칭도 좋지만, 자세가 바르지 못하면 허리에 지속해서 무리가 가니, 의식적으로 바른 자세로 앉는 것이 제일 중요합니다.

시작해 봐, 하루시리즈로!

#기초력_쌓고!
#공부습관_만들고!

시작은 하루 중학 국어

- 시
- 소설(개념)
- 소설(작품)
- 문법
- 비문학
- 수필

이 교재도 추천해요!

- 중학 국어 DNA 깨우기 시리즈 (비문학 독해 / 문법 / 어휘)

시작은 하루 중학 수학

- 1-1, 1-2
- 2-1, 2-2
- 3-1, 3-2

이 교재도 추천해요!

- 해결의 법칙 (개념 / 유형)
- 빅터연산

정답과 해설

중학 ★ 바탕 학습

과학 2-1

시작은
하루
과학

정답과 해설
포인트

▶ 혼자서도 쉽게 이해할 수 있는 친절한 해설

▶ 오답을 피하는 방법 수록

▶ 해설을 보면서 다시 한번 개념 확인

2-1

하루과학

정답과 해설

정답과 해설

1일 물질관과 원소의 확인

해설

1-1 (1) 탈레스는 만물의 근원은 물이라고 주장하였다.
(2) 아리스토텔레스는 만물은 물, 불, 흙, 공기의 4원소의 조합으로 형성된다고 주장하였으며, 이는 중세의 연금술에 영향을 주었다.
(3) 라부아지에는 물 분해 실험으로 물이 원소가 아님을 증명하였으며, 실험을 통하여 더 이상 분해되지 않는 물질을 원소로 정의하고, 33종의 원소를 발표하였다.

1-2 (1) 다른 물질로 분해되지 않는 물질을 구성하는 기본 성분을 원소라고 한다.
(2) 현재까지 알려진 원소의 종류는 118가지이다.
(3) 원소 중 90여 가지는 자연에서 발견된 것이고, 나머지는 인공적으로 만들어낸 것이다.
(4) 다이아몬드는 탄소 원자로 이루어져 있고, 설탕은 탄소, 수소, 산소 원자로 이루어져 있다.

1-3 (1) 순수한 물은 전류가 흐르지 않으므로 수산화 나트륨을 조금 녹인 물을 사용한다.
(2) (−)극 쪽의 빨대에 모인 기체는 수소이며, (+)극 쪽의 빨대에 모인 기체는 산소이다.
(3) 물이 분해되어 수소와 산소 기체가 발생하였으므로 물은 물질을 이루는 기본 성분이라고 할 수 없다.

2-1 (1) 금속 원소나 금속 원소를 포함한 물질에 불을 붙였을 때 금속 원소의 종류에 따라 독특한 불꽃색이 나타난다.
(2) 리튬과 스트론튬의 불꽃색은 빨간색으로, 불꽃 반응

색만으로 구분하기 어렵다.

2-2 (1) 분광기에 들어 있는 프리즘에서 빛이 파장에 따라 굴절되는 정도가 달라 다양한 색의 띠로 분산되기 때문에 빛을 분광기로 관찰했을 때 여러 가지 색의 띠를 볼 수 있다.
(2) 선 스펙트럼은 원소에 따라 선의 위치, 색깔, 굵기, 수 등이 다르게 나타난다.
(3) 불꽃색이 비슷한 금속 원소는 선 스펙트럼을 비교하여 구별할 수 있다.

2-3 불꽃 반응은 실험 방법이 쉽고 간단하며, 적은 양으로도 금속 원소의 종류를 알 수 있다. 그러나 불꽃색을 나타내지 않는 금속 원소나 불꽃색이 비슷한 원소는 불꽃 반응으로 구별하기 힘들며, 염화 나트륨과 질산 나트륨은 나트륨을 포함하고 있어 불꽃색이 노란색으로 같다.

해설

1-1 가열된 주철관에 물을 부으면 물을 구성하는 산소는 주철관의 철과 결합하고, 수소는 냉각수를 지난 후 기체 상태로 얻을 수 있다.

[오답 풀이] ㄴ. 산소는 주철관의 철과 결합하면서 주철관의 질량이 증가한다.

1-2 라부아지에는 물 분해 실험으로 물이 원소가 아님을 증명하였으며, 아리스토텔레스는 만물은 물, 불, 흙, 공기의 4원소의 조합으로 형성된다고 주장하였다.

[오답 풀이] ㄷ. 중세의 연금술사들은 금이나 불로장생 약을 만들지는 못하였지만 실험 기술, 도구의 발달과 새로운 물질의 발견 등으로 화학의 발전에 공헌하였다.

시대	학자	물질관
고대	탈레스	모든 물질의 근원은 물이다.
	아리스토텔레스	물질은 물, 불, 흙, 공기로 이루어져 있다.
중세	연금술사	값싼 금속을 금으로 바꾸려고 시도하였다.
근대	라부아지에	물 분해 실험으로 물이 원소가 아니라는 것을 실험으로 증명하였다.

1-3 현재까지 발견된 118가지 원소 중에서 90여 가지는 자연에서 발견되었고, 나머지는 가속기나 원자로를 사용하여 핵반응 혹은 핵분열을 일으켜 만든 인공 원소이다.

　오답 풀이　ㄱ. 현재까지 알려진 원소의 종류는 118가지이다.

ㄷ. 산소는 공기의 약 21 %를 차지하고, 다른 물질이 타도록 돕는다. 또한, 생물의 호흡에도 필요하다. 비행선의 충전 기체로 사용되는 원소는 헬륨이다.

2-1 (가)는 햇빛이나 백열등에서 볼 수 있는 연속 스펙트럼이고, (나)는 특정 금속 원소의 불꽃색에서 볼 수 있는 선 스펙트럼을 나타낸 것이다.

　오답 풀이　ㄷ. 불꽃색이 비슷한 원소는 선 스펙트럼으로 구별할 수 있다.

2-2 칼슘의 불꽃색은 주황색으로 나타난다.

2-3 선 스펙트럼은 원소에 따라 선의 위치, 색깔, 굵기, 수 등이 달라 원소를 구별하는 데 이용되며, 불꽃색이 같은 원소도 구별할 수 있다.

　오답 풀이　② 빛을 분광기로 관찰했을 때 햇빛이나 백열등은 색의 띠가 연속적인 연속 스펙트럼으로 나타나고, 금속 원소의 불꽃색은 몇 개의 밝은 색 선이 나타나는 선 스펙트럼으로 나타난다.

2일　원자와 분자

개념 원리 확인　　　　　　　　p. 19, 21

1-1 (1) ○ (2) ○ (3) ×　**1**-2 (1) (＋) (2) 같다 (3) 6
1-3 ㄱ, ㄴ, ㄷ
2-1 (1) ○ (2) × (3) ×　**2**-2 (1) ㉠ 2 ㉡ 수소 (2) 일원자
(3) ㉠ 탄소 ㉡ 수소　**2**-3 ㄴ, ㄷ

해설

1-1 (1) 원자는 물질을 구성하는 기본 입자이다.
(2) 원자의 중심에 (＋)전하를 띤 원자핵이 있고, 그 주위에 (－)전하를 띤 전자가 있다.
(3) 전자는 원자핵 주위를 빠르게 움직이고 있다.

1-2 (1) 원자를 구성하는 원자핵의 (＋)전하량에 따라 원자의 종류가 달라진다.
(2) 원자는 원자핵의 (＋)전하량과 전자의 전체 (－)전하량이 같아서 전기적으로 중성이다.
(3) 전하량이 ＋6인 탄소 원자핵 주위에는 전하량이 －1인 전자가 6개 있다.

1-3 탄소 원자핵의 전하량은 ＋6이고, 탄소 원자핵 주위에는 전하량이 －1인 전자 6개가 있으며, 전자는 원자핵 주위를 빠르게 움직인다.

　오답 풀이　ㄹ. 탄소 원자핵 주위에는 전하량이 －1인 전자 6개가 있어, 전자의 전체 전하량은 －6이다.

2-1 (1) 분자는 독립된 입자로 존재하여 물질의 성질을 나타내는 가장 작은 입자이다.
(2) 일반적으로 2개 이상의 원자들이 결합하여 분자라는 새로운 물질을 만든다. 하지만 헬륨과 같이 원자 한 개로 된 분자도 있다.
(3) 산소 분자를 쪼개면 산소 원자로 나누어지며, 산소 원자는 산소 기체의 성질을 나타내지 않는다.

2-2 (1) 산소 분자는 산소 원자 2개로 구성되고, 수소 분자는 수소 원자 2개로 구성된다.
(2) 헬륨은 원자 1개가 헬륨 기체의 성질을 나타낸다. 헬륨처럼 원자 1개로 이루어진 분자를 일원자 분자라고 한다.

정답과 해설

(3) 메테인은 탄소 원자 1개와 수소 원자 4개로 구성된다.

2-3 원소는 더 이상 다른 물질로 분해되지 않는 물질을 이루는 기본 성분으로, 수소, 산소, 탄소 등을 말한다. 원자는 물질을 구성하는 가장 작은 단위의 기본 입자로, 수소 원자, 산소 원자, 탄소 원자 등을 말한다. 분자는 물질의 성질을 띠는 가장 작은 입자로, 분자가 쪼개지면 물질의 성질을 잃으며, 물 분자, 이산화 탄소 분자 등이 있다.

[오답 풀이] ㄱ. 원자가 결합하여 분자를 이룬다.
ㄹ. 분자가 원자로 쪼개지면 원자는 분자의 성질을 잃게 된다.

2일	기초 집중 연습		p. 22~23
1-1 ②	**1**-2 ③	**1**-3 ②	**2**-1 ②
2-2 ④	**2**-3 ④		

[해설]

1-1 원자의 중심에는 (+)전하를 띤 원자핵이 있고, 그 주위를 (−)전하를 띤 전자가 빠르게 움직이고 있다. 원자는 원자핵의 (+)전하량과 전자의 전체 (−)전하량이 같아서 전기적으로 중성이다.

[오답 풀이] ② 전자의 크기나 질량은 원자핵에 비하면 무시할 수 있을 정도로 매우 작으며, 원자 내부는 대부분 빈 공간이다.

1-2 원자는 물질을 구성하는 기본 입자로, 원자의 중심에 (+)전하를 띤 원자핵이 있고, 그 주위를 (−)전하를 띤 전자가 빠르게 움직이고 있다. 전자의 크기나 질량은 원자핵에 비하면 무시할 수 있을 정도로 매우 작으며, 원자 내부는 대부분 빈 공간이다.

[오답 풀이] ③ 원자는 원자핵의 (+)전하량과 전자의 전체 (−)전하량이 같아서 전기적으로 중성이다.

1-3 A~C 원자 모두 원자핵의 (+)전하량과 전자의 전체 (−)전하량이 같아서 전기적으로 중성이다.

2-1 원자와 분자는 입자를 말한다. 즉, 원자는 물질을 구성하는 가장 작은 단위의 기본 입자이며, 분자는 물질의 성질을 띠는 가장 작은 입자를 말한다. 원소는 더 이상 다른 물질로 분해되지 않는 물질을 이루는 기본 성분을 말한다.

2-2 분자는 독립된 입자로 존재하여 물질의 성질을 나타내는 가장 작은 입자이며, 분자가 쪼개지면 물질을 성질을 잃게 된다. 일반적으로 2개 이상의 원자들이 결합하여 분자라는 새로운 물질을 만들며, 한 가지 또는 두 가지 이상의 원소로 이루어진다.

[오답 풀이] ㄷ. 산소는 산소 원자 2개로 이루어져 있고, 오존은 산소 원자 3개로 이루어져 있어 같은 종류의 원소로 이루어져 있지만, 그 성질은 차이가 난다.

2-3 이산화 탄소 분자는 탄소 원자 1개와 산소 원자 2개로 이루어지며, 공기보다 무겁고 고체 이산화 탄소인 드라이아이스는 대기압에서 승화한다. 질소 분자는 질소 원자 2개로 구성되며, 공기의 약 78 %를 차지하고 다른 물질과 거의 반응하지 않아 과자 봉지의 충전재로 사용된다.

3일 원소와 분자를 기호로 표현하기

개념 원리 확인	p. 25, 27

1-1 (1) H (2) He (3) N (4) Cl (5) C (6) O (7) Ca (8) Fe
1-2 ㄷ, ㄹ　**1-3** H
2-1 (1) H_2 (2) O_2 (3) N_2 (4) H_2O (5) O_3 (6) NH_3 (7) CH_4
(8) CO_2　**2-2** ㄱ, ㄴ, ㄷ　**2-3** ㉠ H_2 ㉡ H_2O ㉢ CO_2
㉣ CH_4 ㉤ He

[해설]

1-1 수소는 H, 헬륨은 He, 질소는 N, 염소는 Cl, 탄소는 C, 산소는 O, 칼슘은 Ca, 철은 Fe로 나타낸다.

1-2 현재 사용하는 원소 기호는 원소 이름의 알파벳으로 나타내며, 원소 기호는 원소 이름의 첫 글자를 대문자로, 첫 글자가 같은 원소가 있을 때는 중간 글자를 택하여 소문자로 표시한다.

[오답 풀이] ㄱ. 베르셀리우스는 라틴어로 된 원소 이름의 알파벳을 이용하였고, 최근에는 영어나 독일어로 된 원소 이름의 알파벳을 이용하여 나타낸다.

ㄴ. 돌턴은 원 안에 알파벳이나 그림을 넣어 원소를 표현하였다.

1-3 수소는 수소 원자 2개로 이루어지고 가장 가벼운 원소이며, 우주 왕복선의 연료로 사용되고 미래의 청정 에너지원이다.

2-1 수소 분자는 H_2, 산소 분자는 O_2, 질소 분자는 N_2, 물 분자는 H_2O, 오존 분자는 O_3, 암모니아 분자는 NH_3, 메테인 분자는 CH_4, 이산화 탄소 분자는 CO_2로 나타낸다.

2-2 분자식은 분자를 이루는 원자의 원소 기호와 개수를 적어 나타낸 것이다. 분자식에서 분자를 구성하는 원자의 개수를 원소 기호의 오른쪽 아래에 작은 숫자로 표시한다(단, 1은 생략한다). 분자의 수는 분자의 앞에 숫자로 표시한다.

오답 풀이 ㄹ. 분자를 구성하는 원자의 개수가 한 개인 경우 1을 생략한다.

2-3 수소 분자는 수소 원자 2개로 이루어지므로 H_2로 나타내며, 마찬가지로 물 분자는 H_2O, 이산화 탄소 분자는 CO_2, 메테인 분자는 CH_4, 헬륨은 He로 나타낸다.

3일 기초 집중 연습			p. 28~29
1-1 ⑤	**1-2** ④	**1-3** ⑤	**2-1** ⑤
2-2 ②	**2-3** ②		

해설

1-1 연금술사들은 금을 만드는 방법을 연구하는 과정에서 얻은 정보들을 자신만이 알아보는 기호로 표현했을 것이다. 돌턴은 물질이 더 이상 쪼개지지 않는 둥근 입자인 원자로 이루어져 있다고 생각했으므로 원 안에 기호나 그림으로 표현했을 것이다. 그러나 원소의 종류가 점점 많아지면서 좀 더 체계적이고 간편한 원소 표현 방식이 필요하여 오늘날과 같이 알파벳을 이용한 원소 기호가 등장하였다.

오답 풀이 ㄱ. 현재까지 알려진 원소의 종류는 118가지이며, 과학 기술이 발전하면서 새로운 원소가 발견될 가능성이 높다.

1-2 질소(N_2)는 공기의 약 78 %를 차지하며, 다른 물질과 거의 반응하지 않아 과자 봉지의 충전재로 사용한다.

1-3 탄소의 원소 기호는 C, 플루오린의 원소 기호는 F, 마그네슘의 원소 기호는 Mg, 철의 원소 기호는 Fe이다.

오답 풀이 ⑤ Ag는 은의 원소 기호이다.

2-1 분자식은 분자를 구성하는 원자의 원소 기호를 표시한다. 분자를 구성하는 원자의 개수를 원소 기호의 오른쪽 아래에 작은 숫자로 표시한다(단, 1은 생략한다). $2H_2O$의 계수 2는 2개의 분자를 나타내며, 물 분자를 구성하는 원자의 종류는 수소와 산소 2종류이며, 1개의 물 분자는 수소 원자 2개와 산소 원자 1개로 이루어져 있다.

오답 풀이 ⑤ 1개의 분자가 각각의 원자로 나누어지면 분자의 성질을 잃게 된다.

2-2 분자식 앞의 계수는 분자의 개수를 나타낸다. (가)는 수소와 산소, (나)는 질소와 수소, (다)는 탄소와 수소로 이루어져 있다. (가)의 수소 원자 수는 6개, (나)는 9개, (다)는 8개이다. (가)의 전체 원자 수는 9개, (나)는 12개, (다)는 10개이다.

오답 풀이 ② (가)의 전체 원자 수는 9개, (다)의 전체 원자 수는 10개로, (다)의 원자 수가 (가)보다 많다.

2-3 NH_3는 암모니아의 분자식이며, 메테인의 분자식은 CH_4이다.

4일 전하를 띠는 이온

개념 원리 확인	p. 31, 33

1-1 (1) × (2) × (3) ○ (4) ×   **1-2** (1) ㉠ 움직이지 않고 ㉡ 이동한다 (2) 변한다 (3) 변하지 않는다   **1-3** >, <
2-1 (1) ○ (2) ○ (3) × (4) ○   **2-2** ㉠ H^+ ㉡ O^{2-} ㉢ 나트륨 이온 ㉣ 염화 이온 ㉤ Al^{3+} ㉥ CO_3^{2-} ㉦ 암모늄 이온 ㉧ 질산 이온   **2-3** (1) (−)극으로 이동 (2) (+)극으로 이동

1-1 원자가 전자를 잃거나 얻어서 전하를 띠는 입자를 이온이라고 한다. 양이온은 원자가 전자를 잃어 (＋)전하를 띠는 입자이고, 음이온은 원자가 전자를 얻어 (－)전하를 띠는 입자이다.

1-2 원자가 전자를 잃으면 원자핵의 (＋)전하량이 전자들의 (－)전하량보다 커져 (＋)전하를 띠는 양이온이 된다. 반대로, 원자가 전자를 얻으면 전자들의 (－)전하량이 원자핵의 (＋)전하량보다 커져 (－)전하를 띠는 음이온이 된다. 원자가 이온이 될 때 전자의 개수, 전자의 전체 전하량은 변한다.

1-3 (1) 전자 한 개를 잃어 원자핵의 (＋)전하량이 전자의 전체 (－)전하량보다 커진다.
(2) 전자 한 개를 얻어 전자의 전체 (－)전하량이 원자핵의 (＋)전하량보다 커진다.

2-1 이온식은 원소 기호의 오른쪽 위에 잃거나 얻은 전자의 개수와 전하의 종류를 함께 나타낸다. 양이온은 원소 이름 뒤에 '이온'을 붙여 부르며, 음이온은 원소 이름 뒤에 '~화 이온'을 붙여 부른다. 단, 음이온의 원소 이름이 '~소'로 끝나는 경우 '소'를 빼고 '~화 이온'을 붙여 부른다.

2-2 수소 이온은 H^+, 산화 이온은 O^{2-}, 나트륨 이온은 Na^+, 염화 이온은 Cl^-, 알루미늄 이온은 Al^{3+}, 탄산 이온은 CO_3^{2-}, 암모늄 이온은 NH_4^+, 질산 이온은 NO_3^- 으로 나타낸다.

2-3 이온이 들어 있는 수용액에 전류를 흘려 주면 수용액 속에서 (＋)전하를 띤 양이온은 (－)극 쪽으로 이동하고, (－)전하를 띤 음이온은 (＋)극 쪽으로 이동한다.

4일 기초 집중 연습　　　　　　　p.34~35

1-1 ②　　**1-2** ④　　**1-3** ②　　**2-1** ④
2-2 ②　　**2-3** ③

1-1 원자가 전자를 잃거나 얻어서 전하를 띠는 입자를 이온이라고 하며, 전자를 잃어 (＋)전하를 띠는 입자를 양이온, 전자를 얻어 (－)전하를 띠는 입자를 음이온이라고 한다. 원자가 이온이 될 때 원자핵은 움직이지 않고 전자만 이동한다. 원자가 이온이 될 때 전자의 개수, 전자의 전체 전하량은 달라지고, 원자핵의 전하량, 원자핵의 질량은 변하지 않는다.

1-2 원자는 전기적으로 중성이며, 전자를 잃으면 (＋)전하를 띠는 양이온이 되고, 전자를 얻으면 (－)전하를 띠는 음이온이 된다. 원자가 이온이 되어도 원자핵의 전하량은 변하지 않는다.

오답 풀이 ④ 원자 A는 전자 1개를 잃어 양이온이 되며, 원자 B는 전자 2개를 얻어 음이온이 된다.

1-3 원자는 전기적으로 중성이며, 전자를 잃으면 (＋)전하를 띠는 양이온이 되고, 전자를 얻으면 (－)전하를 띠는 음이온이 된다. 전자 1개의 전하량은 －1이다. 따라서 A와 C는 양이온, B와 D는 음이온이다.

2-1 양이온은 원소 기호의 오른쪽 위에 잃은 전자의 개수를 쓰고, ＋부호를 붙인다. 음이온은 원소 기호의 오른쪽 위에 얻은 전자의 개수를 쓰고, －부호를 붙인다.

오답 풀이 ㄱ. 음이온의 원소 이름이 '~소'로 끝나는 경우 '소'를 빼고 '~화 이온'을 붙여 부른다.
ㄷ. 이온의 전하 종류는 ＋ 또는 － 기호로 표시한다.

2-2 모형 (가)는 원자핵의 전하량이 ＋3이므로 리튬이며, 전자 한 개를 잃어 리튬 이온(Li^+)이 된 것이다. 모형 (나)는 원자핵의 전하량이 ＋8이므로 산소이며, 전자 2개를 얻어 산화 이온(O^{2-})이 된 것이다.

2-3 이온이 들어 있는 수용액에 전류를 흘려 주면 수용액 속에서 (＋)전하를 띤 양이온은 (－)극 쪽으로 이동하고, (－)전하를 띤 음이온은 (＋)극 쪽으로 이동한다.

오답 풀이 ③ 황산 구리(Ⅱ) 수용액의 파란색 성분인 구리 이온은 양이온이므로 (－)극 쪽으로 이동하고, 과망가니즈산 칼륨 수용액의 보라색 성분인 과망가니즈산 이온은 음이온이므로 (＋)극 쪽으로 이동한다.

5일 이온을 확인하는 방법

개념 원리 확인 p. 37, 39

1-1 (1) ○ (2) ○ (3) × **1**-2 (1) ㉠ 염화 ㉡ 은 ㉢ 염화 은
(2) ㉠ 나트륨 ㉡ 질산 **1**-3 (1) PbI_2 (2) K^+, NO_3^-
2-1 (1) ○ (2) × (3) ○ **2**-2 (1) 흰색 (2) 검은색 (3) 노란색
2-3 ㄱ, ㄷ, ㄹ, ㅂ

해설

1-1 염화 칼슘 수용액과 탄산 나트륨 수용액이 반응하면 칼슘 이온과 탄산 이온이 반응하여 물에 녹지 않는 탄산 칼슘이 생성된다.

$$Ca^{2+} + CO_3^{2-} \longrightarrow CaCO_3 \downarrow$$

1-2 (1) 염화 나트륨 수용액과 질산 은 수용액이 반응하면 염화 이온과 은 이온이 반응하여 물에 녹지 않는 염화 은이 생성된다.

$$Ag^+ + Cl^- \longrightarrow AgCl \downarrow$$

(2) Na^+과 NO_3^-은 반응에 참여하지 않고 수용액 속에 이온 상태로 존재한다.

1-3 (1) 아이오딘화 칼륨 수용액과 질산 납 수용액이 반응하면 아이오딘화 이온과 납 이온이 반응하여 물에 녹지 않는 아이오딘화 납이 생성된다.

$$Pb^{2+} + 2I^- \longrightarrow PbI_2 \downarrow$$

(2) K^+과 NO_3^-은 반응에 참여하지 않고 수용액 속에 이온 상태로 남아 있게 된다.

2-1 (1) 앙금을 생성할 수 있는 양이온이나 음이온과 반응시켜서 이온의 종류를 확인할 수 있다.

(2) Na^+, K^+, NO_3^-, NH_4^+ 등은 수용액에서 다른 이온과 만나도 앙금을 생성하지 않는다. 그러나 Na^+, K^+ 등 금속 이온은 불꽃색으로 확인할 수 있다.

(3) 납 이온(Pb^{2+}), 카드뮴 이온(Cd^{2+}) 등의 중금속 이온이 들어 있는 폐수에 황화 수소(H_2S) 기체를 통과시키면 특정한 색깔의 앙금이 생성된다.

$$Pb^{2+} + S^{2-} \longrightarrow PbS \downarrow (검은색)$$
$$Cd^{2+} + S^{2-} \longrightarrow CdS \downarrow (노란색)$$

2-2 (1) 염화 이온이 포함된 수돗물에 질산 은 수용액을 넣으면 흰색의 염화 은 앙금이 생성된다.

(2) 구리 이온이 포함된 폐수에 황화 칼륨 수용액을 넣으면 검은색의 황화 구리 앙금이 생성된다.

(3) 납이 포함된 폐수에 아이오딘화 칼륨 수용액을 넣으면 노란색의 아이오딘화 납 앙금이 생성된다.

2-3 염화 은($AgCl$), 탄산 칼슘($CaCO_3$), 황산 바륨($BaSO_4$), 황화 납(PbS)은 물에 녹지 않으며, 염화 나트륨($NaCl$)과 염화 칼슘($CaCl_2$)은 물에 녹아 이온 상태로 존재한다.

5일 기초 집중 연습 p. 40~41

1-1 ③ **1**-2 ② **1**-3 ⑤ **2**-1 ⑤
2-2 ⑤ **2**-3 ③

해설

1-1 수용액 속에서 특정 양이온과 음이온이 결합하여 물에 녹지 않는 물질인 앙금을 생성할 수 있다. 염화 나트륨 수용액과 질산 은 수용액이 반응하면 염화 이온과 은 이온이 반응하여 물에 녹지 않는 염화 은이 생성된다. 탄산 나트륨 수용액과 염화 칼슘 수용액이 반응하면 탄산 이온과 칼슘 이온이 반응하여 물에 녹지 않는 탄산 칼슘이 생성된다. 앙금은 종류에 따라 흰색, 노란색, 검은색 등을 띠며, Na^+, K^+, NO_3^-, NH_4^+ 등은 수용액에서 다른 이온과 만나도 앙금을 생성하지 않는다.

오답 풀이 ③ 칼슘 이온과 탄산 이온이 반응하면 흰색의 앙금이 생성된다.

1-2 수용액 속에서 특정 양이온과 음이온이 결합하여 물에 녹지 않는 물질인 앙금을 생성할 수 있다.

오답 풀이 ㄱ. Na^+, K^+, NO_3^-, NH_4^+ 등은 수용액에서 다른 이온과 만나도 앙금을 생성하지 않는다.
ㄴ. 칼슘 이온과 탄산 이온이 반응하면 흰색의 앙금이 생성된다.

1-3 ㄱ. 염화 나트륨 수용액과 질산 은 수용액이 반응하면 흰색의 앙금인 염화 은이 생성된다.
ㄴ. 황산 칼륨 수용액과 질산 바륨 수용액이 반응하면 흰색의 앙금인 황산 바륨이 생성된다.
ㄷ. 아이오딘화 나트륨 수용액과 질산 납 수용액이 반응하면 노란색의 앙금인 아이오딘화 납이 생성된다.

정답과 해설

2-1 앙금을 생성할 수 있는 양이온이나 음이온과 반응시켜서 이온의 종류를 확인할 수 있다. 불꽃 반응색이 청록색인 원소는 구리이다. 또한, 구리 이온은 황화 이온과 만나면 검은색 앙금을 생성한다.

2-2 염화 은($AgCl$)은 흰색, 황산 칼슘($CaSO_4$)은 흰색, 황화 구리(CuS)는 검은색, 아이오딘화 납(PbI_2)은 노란색 앙금이다.

[오답 풀이] ⑤ 탄산 바륨($BaCO_3$)은 노란색 앙금이다.

2-3 황산 바륨($BaSO_4$)은 물에 거의 녹지 않고 몸 밖으로 배출되며, X선을 잘 흡수하는 성질이 있으므로 위나 장을 검사하기 위해 X선 촬영을 할 때 조영제로 사용된다.

누구나 100점 테스트   p.42~43

01 ⑤   **02** ④   **03** ③   **04** ④

05 ③   **06** ⑤   **07** ④

08 선 스펙트럼   **09** 해설 참조   **10** ⑤

해설

01 원소는 다른 물질로 분해되지 않는 물질을 구성하는 기본 성분으로, 현재까지 알려진 원소의 종류는 118가지이다. 원소의 종류로는 수소, 헬륨, 산소, 질소, 탄소, 철, 알루미늄 등이 있다.

[오답 풀이] ⑤ 현재까지 발견된 원소 중 90여 가지는 자연에서 발견된 것이고, 나머지는 인공적으로 만들어 낸 것이다

02 금속 원소 중 나트륨은 노란색, 칼륨은 보라색, 칼슘은 주황색, 구리는 청록색, 리튬은 빨간색, 스트론튬은 빨간색을 나타낸다.

03 분자는 독립된 입자로 존재하여 물질의 성질을 나타내는 가장 작은 입자이다. 일반적으로 2개 이상의 원자들이 결합하여 분자를 이룬다. 수소 원자 2개와 산소 원자 1개가 물 분자를 이루면 물의 성질을 나타낸다.

[오답 풀이] ③ 같은 종류의 원자로 이루어져 있어도 원자 수나 배열이 다르면 서로 다른 물질이다.

04 원자는 물질을 구성하는 기본 입자로, 원자의 중심에 (+)전하를 띤 원자핵이 있고, 그 주위를 (−)전하를 띤 전자가 빠르게 움직이고 있다. 전자의 크기나 질량은 원자핵에 비하면 무시할 수 있을 정도로 매우 작으며, 원자 내부는 대부분 빈 공간이다.

[오답 풀이] ㄷ. 한 원자에서 원자핵의 (+)전하량과 전자들의 전체 (−)전하량이 같으므로 원자는 전기적으로 중성이다.

05 원소 기호는 원소를 이름 대신 간단한 기호로 나타낸 것으로, 현재 베르셀리우스가 제안한 방법으로 나타낸다. 즉, 원소 이름의 첫 글자를 알파벳의 대문자로 나타내며, 첫 글자가 같을 때는 중간 글자를 택하여 첫 글자 다음에 소문자로 나타낸다.

[오답 풀이] ③ 원 안에 알파벳이나 그림을 넣어 표현한 사람은 돌턴이다.

개념 체크+   원소 이름과 원소 기호

원소 이름	수소	헬륨	탄소	질소	산소	플루오린	나트륨
원소 기호	H	He	C	N	O	F	Na

원소 이름	마그네슘	황	염소	칼륨	칼슘	철	은
원소 기호	Mg	S	Cl	K	Ca	Fe	Ag

06 분자식은 분자를 이루는 원자의 원소 기호와 개수를 적어 나타낸 것이다. 분자식은 분자를 구성하는 원자의 원소 기호를 표시하며, 분자를 구성하는 원자의 개수를 원소 기호의 오른쪽 아래에 작은 숫자로 표시한다. 분자의 개수는 분자식 앞에 숫자로 표시한다. 분자식을 통해 분자를 이루는 원자의 종류와 수를 한눈에 알 수 있고, 물질의 종류를 구별할 수 있다.

[오답 풀이] ㄱ. 분자식으로 분자의 특성을 알 수는 없다.

07 중성인 원자가 전자 2개를 얻어 (−)전하를 띠는 음이온이 된 것이다. 반응 전후 원자핵의 전하량은 변함이 없고, 전자의 전체 전하량이 달라졌다.

[오답 풀이] ④ 중성인 원자가 전자 2개를 얻어 음이온이 되었다.

08 원소의 불꽃을 분광기로 관찰할 때 특정 부분에 나타나

8 시작은 하루 과학 2-1

는 선의 굵기, 위치, 개수, 색깔 등으로 원소를 구분할 수 있다.

09 전자 1개는 (-1)의 전하량을 나타내므로 전자들의 전체 전하량의 크기와 원자핵의 전하량의 크기가 같아지는 개수만큼 전자가 존재한다.

모범 답안 원자는 원자핵의 $(+)$전하량과 전자들의 전체 $(-)$전하량이 같기 때문에 전기적으로 중성이다.

10 탄산 나트륨 수용액과 염화 칼슘 수용액이 반응하면 탄산 이온과 칼슘 이온이 반응하여 물에 녹지 않는 흰색의 탄산 칼슘이 생성된다.

$$Ca^{2+} + CO_3^{2-} \longrightarrow CaCO_3 \downarrow$$

반응 후 혼합 수용액에는 반응에 참여하지 않는 이온인 Na^+과 Cl^-이 남아 있어 수용액은 전류가 흐른다.

오답 풀이 금속 원소 중 나트륨은 노란색, 칼륨은 보라색, 칼슘은 주황색, 구리는 청록색, 리튬은 빨간색, 스트론튬은 빨간색을 나타낸다.

특강 | 창의, 융합, 코딩   p.46~49

1 (1) 리튬, 칼슘 (2) 해설 참조   **2** 해설 참조   **3** 해설 참조
4 (1) $2N_2$ (2) $3H_2O$ (3) CH_4 (4) $2NH_3$ **5** 해설 참조
6 (1) 리튬, 칼슘 (2) 해설 참조 (3) 해설 참조   **7** (1) 염화 은 (AgCl), 흰색 (2) 나트륨 이온(Na^+), 질산 이온(NO_3^-)
8 해설 참조

해설

1 (1) 물질 A에는 리튬과 칼슘의 선 스펙트럼이 모두 나타나 있으며, 스트론튬의 선 스펙트럼과는 일치하지 않는다.

(2) **모범 답안** 리튬과 스트론튬은 불꽃색이 빨간색으로 같지만, 분광기로 선 스펙트럼을 확인해 보면 선의 위치, 색깔 등이 다르게 나타나서 구분할 수 있다.

2 물이 분해되어 수소와 산소 기체가 발생하였으므로 물은 물질을 이루는 기본 성분이라고 할 수 없다.

모범 답안 아리스토텔레스가 모든 물질의 근원이라고 주장한 물을 전기 분해하여 산소와 수소를 발생시켰으므로, 아리스토텔레스의 주장은 옳지 않다.

3 불꽃 반응은 금속 원소나 금속 원소를 포함한 물질에 불을 붙였을 때 금속 원소의 종류에 따라 독특한 불꽃색이 나타나는 현상으로, 불꽃색으로 일부 금속 원소를 구별할 수 있다.

모범 답안 윤정. 불꽃색이 같은 원소는 선 스펙트럼을 비교하여 구분할 수 있어.

4 분자식은 분자를 이루는 원자의 원소 기호와 개수를 적어 나타낸 것이다. 분자를 구성하는 원자의 원소 기호를 표시하고, 분자를 구성하는 원자의 개수를 원소 기호의 오른쪽 아래에 작은 숫자로 표시한다. 분자의 개수는 분자식 앞에 숫자로 나타낸다.

5 **모범 답안** 일산화 탄소와 이산화 탄소 분자를 구성하는 원자의 수가 다르기 때문이다.

6 이온이 들어 있는 수용액에 전류를 흘려 주면 수용액 속에서 $(+)$전하를 띤 양이온은 $(-)$극 쪽으로 이동하고, $(-)$전하를 띤 음이온은 $(+)$극 쪽으로 이동한다.

(1) **모범 답안** 황산 구리(Ⅱ) 수용액의 파란색 성분이 $(-)$극 쪽으로 이동하고, 과망가니즈산 칼륨 수용액의 보라색 성분이 $(+)$극 쪽으로 이동한다.

(2) **모범 답안** 황산 구리(Ⅱ) 수용액의 파란색 성분은 $(+)$전하를 띠고 있는 구리 이온이다. 반면, 과망가니즈산 칼륨 수용액의 보라색 성분은 $(-)$전하를 띠고 있는 과망가니즈산 이온이다.

(3) **모범 답안** 이온이 들어 있는 수용액에 전류를 흘려 주면 수용액 속에서 $(+)$전하를 띤 양이온은 $(-)$극 쪽으로 이동하고, $(-)$전하를 띤 음이온은 $(+)$극 쪽으로 이동한다.

7 (1) 염화 나트륨 수용액과 질산 은 수용액이 반응하면 은 이온과 염화 이온이 반응하여 물에 녹지 않는 염화 은이 생성된다.

$$Ag^+ + Cl^- \longrightarrow AgCl \downarrow$$

(2) 나트륨 이온(Na^+)과 질산 이온(NO_3^-)은 반응에 참여하지 않고 수용액 속에 이온 상태로 남아 있게 되는데, 이를 구경꾼 이온이라고 한다.

8 카드뮴 이온(Cd^{2+})이 들어 있는 폐수에 황화 수소(H_2S) 기체를 통과시키면 특정한 색깔의 앙금이 생성된다.

$$Cd^{2+} + S^{2-} \longrightarrow CdS \downarrow (노란색)$$

모범 답안 카드뮴이 포함된 폐수에 황화 수소(H_2S) 기체를 통과시키면 카드뮴 이온(Cd^{2+})이 황화 이온(S^{2-})과 반응하여 노란색의 황화 카드뮴(CdS) 앙금을 생성한다.

정답과 해설

2주

1일 마찰 전기

개념 원리 확인   p. 55, 57

1-1 (1) 전자 (2) ㉠ 잃은 ㉡ 얻은 (3) ㉠ 인력 ㉡ 척력

1-2 ③   **1-3** (1) 전하 (2) (−)전하 (3) 척력 (4) 인력

2-1 정전기 유도   **2-2** ④   **2-3** (1) A → B (2) (+)

(3) 인력

해설

1-1 (1) 마찰 전기는 한 물체에서 다른 물체로 전자가 이동하기 때문에 발생한다.

(2) 전자는 (−)전하를 띠기 때문에 전자를 잃으면 (+)전하를, 얻으면 (−)전하를 띠게 된다.

(3) 전하 사이에 작용하는 전기력은 서로 다른 전하 사이에는 인력, 다른 전하 사이에는 척력이 작용한다.

1-2 서로 다른 두 물체를 마찰하면 마찰 전기가 발생한다.

보기 바로 알기 ㄱ. 같은 종류의 두 물체를 마찰하면 마찰 전기가 발생하지 않는다.

ㄴ. 마찰한 서로 다른 두 물체 사이에는 끌어당기는 힘이 작용한다.

1-3 (1) 고무풍선과 털뭉치을 마찰하면 서로 다른 종류의 전하로 각각 대전된다.

(2) 마찰할 때 전자가 이동하기 때문에 마찰 전기가 발생하며, 전자는 (−)전하를 띠기 때문에 전자를 얻으면 (−)전하를 띠게 된다.

(3) 고무풍선과 털뭉치은 서로 다른 전하를 띠기 때문에 인력이 작용한다.

2-1 금속 내의 전자가 외부의 대전체에 의해 이동하여 금속의 양쪽 끝이 전하를 띠는 현상을 정전기 유도라고 한다.

2-2 같은 종류의 전하 사이에는 척력이 작용하므로 대전체가 띠는 (−)전하에 의해 깡통의 (−)전하는 플라스틱 막대에서 먼 쪽으로 이동한다.

보기 바로 알기 ㄴ. 금속 깡통은 플라스틱 막대와 가까운 쪽이 (+)전하를 띤다.

2-3 금속 막대 내 전자는 대전체가 띠는 (−)전하와 척력이 작용하여 먼 쪽으로 이동한다. 대전체와 가까운 쪽은 대전체와 반대 전하를 띠게 되므로 금속 막대와 대전체 사이에는 인력이 작용한다.

2일 기초 집중 연습

p. 58~59

1-1 ⑤   **1-2** ④   **1-3** ③   **2-1** ③

2-2 ④   **2-3** ④

해설

1-1 고무풍선에는 (+)전하가 4개, (−)전하가 6개가 표시되어 있으므로 상대적으로는 (−)전하가 많으므로 (−)전하를 띤다. 또 털뭉치는 (+)전하가 4개, (−)전하가 2개가 표시되어 있으므로 상대적으로는 (+)전하가 많으므로 (+)전하를 띤다.

1-2 전기적으로 중성이었던 털뭉치은 (+)전하가 (−)전하보다 많은 것으로 보아 (−)전하를 띠고 있는 전자가 털뭉치에서 빨대로 이동한 것이다.

1-3 털뭉치으로 고무풍선을 문지르면 고무풍선의 전자가 털뭉치으로 이동하여 고무풍선은 (−)전하를 띤다. 같은 (−)전하를 띠고 있는 두 고무풍선 사이에는 척력이 작용한다.

2-1 (−)대전체를 금속 깡통에 가까이할 때 금속 깡통 내의 전자는 대전체가 띠는 (−)전하와 척력이 작용하여 대전체로부터 먼 쪽으로 이동한다. 따라서 A쪽은 (+)전하, B쪽은 (−)전하로 대전되고 대전체와 금속 깡통 사이에는 인력이 작용하여 깡통이 끌려온다.

2-2 금속 깡통 내의 전자가 대전체가 띠는 전하의 영향을 받아 이동하기 때문에 금속 깡통과 대전체 사이에는 인력이 작용하여 깡통이 막대 쪽으로 끌려온다.

오답 풀이 ① 금속 깡통은 정전기가 유도된다.

② 금속 깡통 내의 전자는 플라스틱 막대가 띠는 전하에 의해 한쪽으로 이동한다.

③ (가)에는 '플라스틱 막대 쪽으로 굴러온다.'이다.

⑤ (나)에는 '플라스틱 막대와 가까운 쪽 금속 깡통에는 플라스틱 막대와 다른 종류의 전하가 유도된다.'이다.

2-3 금속판에 있는 전자가 (+)대전체의 전하와 인력이 작

용하여 끌려가므로 금속박의 전자가 금속판 쪽으로 이동해온다.

오답 풀이 ④ 금속박의 전자가 금속판 쪽으로 이동한다.

 2일 전류와 전압

개념 원리 확인　　　　　　　　　p.61, 63

1-1 (1) 전자 (2) 전류 (3) 전류 (4) 전자 (5) 전자 (6) 전류

1-2 (1) 전자 (2) B → A (3) ㉠ (−) ㉡ (+)　　**1**-3 ①

2-1 (1) 전류 (2) 전압계 (3) 높이 차　　**2**-2 (1)−㉢ (2)−㉣

(3)−㉠ (4)−㉡　　**2**-3 ②, ④

해설

1-1 (1), (4), (5) 전자는 (−)전하를 띠고 있으며 전지의 (−)극에서 나와 도선을 따라 (+)극 쪽으로 이동하며 전기 회로에서 전하를 운반하는 실체이다.
(2), (3), (6) 전류는 전하의 흐름이며, 전지의 (+)극에서 도선을 따라 (−)극 쪽으로 흐르며 세기를 나타낼 때 단위 A(암페어)를 사용한다.

1-2 도선에서 실제 전하를 운반하는 것은 전자이며, 전자는 전지의 (+)극 쪽으로 이동하므로 B쪽은 전지의 (+)극과 연결된다. 또한 전류의 방향은 전자의 이동 방향과 반대이다.

1-3 낮은 곳의 물을 높은 곳으로 끌어올려 물이 흐르도록 하는 것은 펌프이다. 즉, 펌프로 끌어올린 물은 수면의 높이 차에 의해서 흐르고, 전지는 전자를 끌어올려 주는 역할을 한다.

2-2 전류는 수로에서 물의 흐름에 비유할 수 있으니 물의 높이 차에 해당하는 전기 회로 요소는 전압이다.

2-3 전류계는 회로에 직렬연결하고 전압계는 회로에 병렬 연결한다.

오답 풀이 ③ 회로에 저항 없이 전류계를 직접 전원에 연결하면 전류계에 너무 센 전류가 흘러 고장 날 염려가 있다. ⑤ 전류계나 전압계로 측정할 값을 전혀 예측하기 어려울 경우 (−)단자 중 가장 큰 값의 단자부터 연결하여 바늘이 너무 작게 움직이면 그 다음 작은 값의 단자로 옮겨가면서 측정한다.

2일 기초 집중 연습　　　　　　　　p.64~65

1-1 ③　　　**1**-2 ③　　　**1**-3 ①　　　**2**-1 ⑤

2-2 준우　　**2**-3 ③

해설

1-1 ㄱ, ㄴ. 전류는 전지의 (+)극에서 (−)극 쪽으로 흐르고, 전자는 전류와 반대 방향으로 이동한다.

오답 풀이 ㄷ. 전지의 극을 반대로 바꾸면 전류의 방향도 전자의 이동 방향도 반대로 바뀐다.

1-2 전류는 전지의 (+)극에서 도선을 따라 (−)극 쪽으로 흐른다. 즉, 도선에 흐르는 전류의 방향은 전지의 (+)극에서 (−)극 쪽이다.

1-3 도선에 흐르는 전류 모형은 전자가 전지의 (+)극 쪽으로 이동하는 모습이다. 전자는 (−)전하를 띠고 있으므로 전지의 (+)극 쪽으로 전기력을 받아 이동한다.

2-1 전압계의 최댓값이 작은 단자에 연결했을 때 바늘이 측정 범위를 넘어 오른쪽 끝까지 넘어가므로 정확한 값을 측정할 수 없다. 따라서 최댓값이 큰 단자부터 연결하여 바늘이 너무 작게 움직이면 조금 더 작은 최댓값 단자로 옮겨가면서 측정한다.

2-2 (가)는 전류계로 (−)단자를 500 mA에 연결했으므로 200 mA, 즉 0.2 A이고, (나)는 전압계로 (−)단자를 15 V에 연결했으므로 5 V이다.

2-3 전류계는 회로에 직렬연결, 즉 전구와 일렬로 연결하고, 전압계는 병렬연결, 즉 전구와 나란히 연결한다.

3일 전류, 전압, 저항의 관계

개념 원리 확인　　　　　　　　　p.67, 69

1-1 (1) 전기 저항 (2) 전압, 전류, 커 (3) 전기 저항, 전류, 약해
(4) 전압, 전기 저항　　**1**-2 ④　　**1**-3 ①, ③

2-1 ㄱ, ㄴ　　**2**-2 (1) 직렬 (2) 병렬 (3) 직렬 (4) 병렬 (5) 병렬

2-3 (1) 병렬 (2) 다르다 (3) 같은 (4) 상관없다

해설

1-1 전류의 세기는 전압이 클수록 커지고, 전기 저항이 클수록 약해진다. 즉, 전류의 세기는 전압에 비례하고 전기 저항에 반비례한다.

1-2 전압이 커질수록 전류의 세기가 커진다. 즉 전압과 전류는 서로 비례한다. 또 저항은 전류의 흐름을 방해하는 정도를 나타내므로 전류의 세기는 저항에 반비례한다.

1-3 같은 전압이 걸릴 때 전류의 세기가 가장 세게 흐르는 도선은 A이다. 저항이 작을수록 전류가 세게 흐르기 때문에 도선 A의 저항이 가장 작다. 또는 옴의 법칙에서 전류$=\dfrac{전압}{전기\ 저항}$, 전기 저항$=\dfrac{전압}{전류}$ 을 이용하면, 전압-전류 그래프에서 기울기$=\dfrac{전류}{전압}$이므로 저항의 역수이다. 따라서 기울기가 클수록 저항이 작음을 알 수 있다.

2-1 [오답 풀이] ㄷ. 도선의 길이가 같을 때 단면적(굵기)가 클수록 전기 저항은 작다. 그 까닭은 단면적이 클수록 전자가 쉽게 이동하기 때문에 전류의 세기가 커지기 때문이다.

2-2 저항의 연결 방법

구분	직렬연결	병렬연결
저항의 수를 늘릴 때 전체 저항	커진다	작아진다
각 저항에 흐르는 전류의 세기	같다	저항이 클수록 작다.
각 저항에 걸리는 전압	저항이 클수록 크다.	같다
이용	퓨즈	멀티탭

2-3 (1) 가정의 전기 기구들은 모두 전원에 병렬연결 하여 사용한다.
(2) 각 전기 기구의 저항의 크기에 따라 흐르는 전류의 세기는 다르다.
(3) 모든 전기 기구에는 전원과 같은 크기의 전압이 걸린다.
(4) 전등의 스위치를 열면 나머지 다른 전기 기구에는 그대로 같은 전압이 걸리므로 전등의 스위치 개폐 여부와 상관없이 전류는 계속 흐른다.

3일 기초 집중 연습			p. 70~71
1-1 ④	1-2 ①	1-3 ④	2-1 ④
2-2 ④	2-3 ⑤		

해설

1-1 전류의 세기가 0.2 A일 때 니크롬선 A에 걸리는 전압은 4 V, B에 걸리는 전압은 2 V이다. 따라서 A에 걸리는 전압은 B에 걸리는 전압의 2배이다.

1-2 전압이 2배, 3배, …로 증가할 때 전류의 세기도 2배, 3배, …로 증가하므로 (가)는 $0.15 \times 4 = 0.6$이다. 또 옴의 법칙에서 니크롬선의 저항$=\dfrac{전압}{전류}=\dfrac{1.5}{0.15}=10\,(\Omega)$이다.

1-3 저항이 일정한 니크롬선에 걸리는 전압을 2배, 3배, …로 증가할 때 전류도 2배, 3배, …로 증가한다. 즉, 전류와 전압은 서로 비례한다.

2-1 5개의 전구가 같은 전구이므로 저항이 모두 같다고 볼 수 있다. A, D, E에는 똑같은 3 V의 전압이 걸리므로 흐르는 전류의 세기도 같다. 따라서 전구 A, D, E의 밝기는 서로 같다. 또한 전구 B, C에는 각각 1.5 V의 전압이 걸리므로 각 저항에 흐르는 전류의 세기는 전구 A, D, E의 절반이다.

[오답 풀이] ㄷ. 전구의 밝기를 비교해 보면 A=D=E>B=C이다.

> **자료 분석⁺** 저항의 연결
>
> 만약 전구 한 개의 저항이 1.5 Ω이라고 가정하면
> 전구 A에는 2 A, B와 C에는 1 A, D와 E에는 각각 2 A의 전류가 흐른다.
> 전구의 밝기는 전류의 세기에 비례한다.
>
>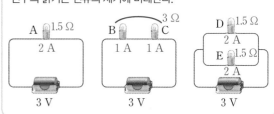

2-2 두 저항을 직렬연결할 때 전체 저항은 각 저항의 합과 같다.

오답 풀이 ④ 전체 저항은 9 Ω이고 두 저항에 걸리는 전압의 합이 18 V이므로 전체 회로에 흐르는 전류의 세기는 2 A, 따라서 각 저항에 걸리는 전압은 6 V, 12 V이다.

자료 분석+ 저항의 직렬연결

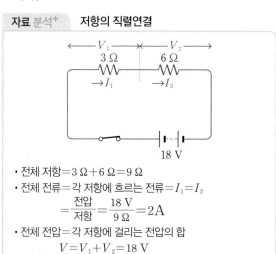

· 전체 저항 $= 3\ \Omega + 6\ \Omega = 9\ \Omega$
· 전체 전류 = 각 저항에 흐르는 전류 $= I_1 = I_2$
  $$= \frac{전압}{저항} = \frac{18\ V}{9\ \Omega} = 2A$$
· 전체 전압 = 각 저항에 걸리는 전압의 합
  $$V = V_1 + V_2 = 18\ V$$

2-3 각 저항에 걸리는 전압은 18 V로 같다. 따라서 3 Ω과 6 Ω의 저항에 흐르는 전류의 세기는 각각 6 A, 3 A이 므로 전체 회로에 흐르는 전류는 9 A이다.

오답 풀이 ⑤ 3 Ω의 저항이 끊어지면 전체 저항의 크 기가 2 Ω에서 6 Ω으로 커지기 때문에 전류의 세기는 작아진다.

자료 분석+ 저항의 병렬연결

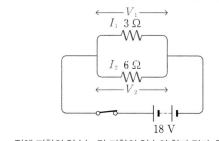

· 전체 저항의 역수는 각 저항의 역수의 합과 같다. 즉
  $$\frac{1}{R} = \frac{1}{3} + \frac{1}{6} = \frac{3}{6} = \frac{1}{2}$$
  따라서 전체 저항은 2 Ω
· 전체 전류 $= \dfrac{전체\ 전압}{전체\ 저항} = \dfrac{18\ V}{2\ \Omega} = 9\ \Omega$
· 각 저항에 걸리는 전압 = 전체 전압
· 3 Ω에 흐르는 전류 $I_1 = \dfrac{18\ V}{3\ \Omega} = 6\ A$
· 6 Ω에 흐르는 전류 $I_2 = \dfrac{18\ V}{6\ \Omega} = 3\ A$

4일 전류가 만드는 자기장

개념 원리 확인   p. 73, 75

1-1 (1) 자기력 (2) N, S (3) 양쪽 끝   **1-2** ①   **1-3** ②
2-1 자기장   **2-2** ③   **2-3** A: 자기장의 방향, B: 전류의 방향

해설

1-1 자기력이 작용하는 공간을 자기장, 자기장의 방향은 자 석의 N극에서 나와 S극으로 들어가는 방향, 자기력선 이 조밀할수록 자기장의 세기가 크기 때문에 자석의 양 쪽 끝 부분이 세다.

1-2 자기력선은 자석의 N극에서 나와 S극으로 들어가는 방향으로 그린다. 자기력선이 나오고 있는 (가)는 N극, 자기력선이 들어가는 (나)는 S극이다.
또, A위치에 나침반을 놓으면 나침반의 자침 N극은 그 위치에서의 자기장의 방향을 가리킨다.

1-3 자석의 같은 극 사이에는 척력이, 다른 극 사이에는 인 력이 작용한다. 자기력선은 자석의 N극에서 나와 S극 으로 들어가는 방향으로 그린다.

2-1 나침반의 바늘은 작은 자침, 즉 자석이다. 자침이 움직 였다는 것은 주위 자기장의 영향을 받았기 때문이다. 따라서 전류가 흐르는 도선 주위에도 자기장이 형성되 었음을 알 수 있다.

2-2 전류가 흐르는 방향으로 오른손의 엄지손가락을 향하 게 펴고 네 손가락으로 도선을 감아쥘 때 손가락이 감 기는 방향은 자기장의 방향이다. 또한 자기장의 방향은 자석의 N극에서 나와 S극으로 들어가는 방향이다.

2-3 오른손의 네 손가락으로 전류가 흐르는 코일을 감아쥐 고 엄지손가락을 펼 때 네 손가락이 감기는 방향은 전 류의 방향, 엄지가 가리키는 방향은 코일 내부 자기장 의 방향이다.

4일 기초 집중 연습 p.76~77

1-1 ⑤   **1**-2 ②, ⑤   **1**-3 ④   **2**-1 ②
2-2 ⑤   **2**-3 ②

해설

1-1 자기력선은 굵기와 상관없이 자기력선 수가 많아서 조밀할수록 자기장의 세기가 세다.

1-2 자기장은 자석 주위뿐만 아니라 전류가 흐르는 도선 주위에도 형성되며 자기력선은 교차하거나 합쳐지지 않고 끊어지지 않는다. 또한 자석의 N극과 S극 사이에는 서로 당기는 인력이 작용한다.

1-3 자기력선을 그릴 때는 자석의 N극에서 나와 S극으로 들어가게 그린다. 자기력선 상에서 자기장의 방향은 자석 주위에 놓은 자침의 N극이 가리키는 방향이다.

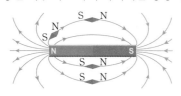

2-1 오른손의 엄지손가락을 전류의 방향으로 놓고 네 손가락으로 도선을 감아쥘 때 손가락이 감기는 방향이 도선 주위의 자기장 방향이다.

2-2 코일에 흐르는 전류의 방향으로 오른손의 네 손가락을 감아쥐고 엄지손가락을 펴면 엄지손가락이 가리키는 방향은 코일 내부 자기장의 방향이 된다. 따라서 화살표가 왼쪽을 향하도록 그려야 한다.

2-3 코일에 흐르는 전류의 방향으로 오른손의 네 손가락을 감아쥐고 엄지손가락을 펴면 엄지손가락은 (나) 쪽을 가리킨다. 따라서 코일 내부에서 자기장의 방향은 (가) → (나)이다. 자기장의 방향은 자침의 N극에서 나와 S극으로 들어가는 방향이다.

5일 자기장에서 전류가 받는 힘

개념 원리 확인 p.79, 81

1-1 (1) 전류 (2) 전류, 자기장 (3) 전류나 자석의 방향을 바꿀 때 (4) 전류   **1**-2 ⑤   **1**-3 ⑤
2-1 (1) B → A, 위쪽 (2) D → C, 아래쪽 (3) 시계
2-2 ⑤   **2**-3 ①, ③

해설

1-1 자기장 안에서 도선이 받은 힘의 크기는 전류의 세기가 클수록, 자석의 세기가 클수록 크다.
(1) 도선은 자석에 의한 자기장과 전류에 의한 자기장이 서로 상호 작용으로 발생한 힘을 받게 된다.
(2) 오른손을 펴고 엄지손가락은 전류의 방향, 네 손가락은 자기장의 방향으로 했을 때 손바닥이 향하는 쪽으로 도선은 힘을 받는다.
(3) 도선이 받는 힘의 방향은 전류나 자석의 방향을 바꿀 때 정반대가 된다.
(4) 자기장 안에서 도선이 받는 힘의 크기는 전류의 세기가 클수록 자석의 세기가 클수록 크다.

1-2 자석의 N극에서 S극 쪽으로 오른손의 네 손가락을 펴고 엄지손가락을 전류의 방향으로 향하게 할 때 손바닥이 향하는 방향으로 도선은 힘을 받는다. 따라서 도선은 자석 바깥쪽으로 움직이고 전류의 방향을 바꾸면 도선은 자석 안쪽으로 움직인다.

1-3 자기장 내에 놓인 도선이 받는 힘의 크기는 자기장과 전류가 수직일 때, 자기장의 세기가 클수록, 전류가 셀수록 크다.

2-1 자석의 N극에서 S극 쪽으로 오른손의 네 손가락을 펴고 엄지손가락을 전류의 방향으로 향하게 할 때 손바닥이 향하는 방향으로 도선은 힘을 받는다.
(1) 코일의 AB 부분이 받는 힘의 방향은 위쪽이다.
(2) 코일의 CD 부분이 받는 힘의 방향은 아래쪽이다.
(3) 코일이 회전하는 방향은 시계 방향이다.

2-2 코일의 에나멜을 완전히 벗기면 반 바퀴 회전할 때마다 전류의 방향이 반대가 되어 계속 한 방향으로 회전하지 못한다. 이때 한쪽의 반만 에나멜을 벗기면 반 바퀴 회

전할 때 전류가 흐르지 못하지만 회전하는 관성으로 계속 같은 방향으로 회전하게 된다.

2-3 스피커와 같이 전류에 의한 자기장과 자석에 의한 자기장이 서로 작용하여 힘을 만드는 장치는 전동기이다. 전동기가 주로 사용되는 제품에는 선풍기, 세탁기 등이 있다.

해설

1-1 자석의 N극에서 S극 쪽으로 오른손의 네 손가락을 펴고 엄지손가락을 전류의 방향으로 향하게 할 때 손바닥이 향하는 방향으로 코일은 힘을 받는다. 따라서 코일은 자석 바깥쪽으로 움직이고 전류의 방향이나 자석의 방향을 바꾸면 코일은 자석 안쪽으로 움직인다.

(오답 풀이) ㄹ. 자석의 방향과 전류의 방향을 동시에 바꾸면 코일은 자석 바깥쪽으로 움직인다.

1-2 자기장 내에 놓인 도선이 받는 힘의 방향은 오른손의 네 손가락과 엄지손가락을 수직되게 폈을 때 손바닥이 향하는 방향이다. 자기장과 전류의 방향이 수직일 때 받는 힘의 방향은 자기장 및 전류의 방향과 수직이고 크기가 최대이다.

1-3 자석의 N극에서 S극 쪽으로 오른손의 네 손가락을 펴고 엄지손가락을 전류의 방향으로 향하게 할 때 손바닥이 향하는 방향으로 도선은 힘을 받는다. 이때 전류나 자석의 방향을 바꾸면 받는 힘의 방향도 바뀌고 전류와 자석의 방향을 동시에 바꾸면 힘의 방향은 바뀌지 않는다.

2-1 전동기는 자석 사이에 놓인 코일이 받는 힘을 이용한 장치이다. 오른손의 네 손가락을 자기장의 방향으로 펴고 엄지손가락을 전류의 방향으로 향하게 할 때 손바닥이 향하는 방향으로 힘을 받는다.

(오답 풀이) ㄴ. 코일의 AB 부분은 아래로 힘을 받는다.

2-2 자석의 N극에서 S극 쪽으로 오른손의 네 손가락을 펴고 엄지손가락을 전류의 방향으로 향하게 할 때 손바닥이 향하는 방향으로 도선은 힘을 받는다. 도선 A는 위

쪽, C는 아래쪽으로 힘을 받아 도선은 시계 방향으로 회전한다. 이때 자기장의 방향과 나란하게 놓인 도선 (B)은 힘을 받지 않는다.

2-3 자석 사이에 놓인 전류가 받는 힘의 방향은 자석의 방향이나 전류의 방향이 바뀌면 반대로 바뀌고, 자석과 전류의 방향을 동시에 바꾸면 힘의 방향은 바뀌지 않는다.

해설

01 머리카락이 사방으로 뻗치는 현상은 마찰 전기에 의한 것이다. 클립이 자석에 끌려가는 것은 자석에 의한 힘에 의해서이고, 전자석 기중기는 전기가 흐를 때만 자석이 되는 성질을 이용하여 고철을 분리한다.

02 검전기에 대전체를 가까이하면 정전기 유도가 일어나므로 금속 내에서 전자가 이동하여 금속판은 대전체와 다른 종류의 전하로, 금속박은 대전체와 같은 종류의 전하로 대전된다.

03 검전기의 금속판에 (-)대전체를 가까이하면 정전기 유도에 의해 금속판의 전자가 금속박 쪽으로 이동한다. 따라서 금속박에는 (-)전하가 많아지고 두 가닥의 금속박은 서로 같은 (-)전하를 띠게 되므로 척력을 작용하여 벌어진다.

04 전류(A)는 전지의 (+)극에서 도선을 따라 (-)극 쪽으로 흐르고, 전자(B)는 전지의 (-)극에서 나와 도선을 따라 (+)극 쪽으로 이동한다.

05 전기 회로의 스위치에 해당하는 것은 수로에서 밸브이다. 물을 퍼 올려 물의 높이 차를 만들어주는 펌프는 전기 회로에서 전지에 비유된다.

06 전압계의 (-)단자 3개 중 3 V단자에 연결하였으므로 눈금판의 오른쪽 최댓값이 3 V일 때의 눈금을 읽으면 1.5 V이다.

정답과 해설

07 전기 저항은 도선에 전류의 흐름을 방해하는 정도를 나타내는 물리량이다. 도선 내에서 전자가 이동할 때 원자와 충돌로 발생하며 도선을 이루는 물질의 종류와 도선의 길이, 굵기 등에 영향을 받는다.

[오답 풀이] ③ 도선의 굵기가 굵으면 도선 내 전자들이 쉽게 이동할 수 있기 때문에 전류의 세기가 크다. 따라서 도선이 굵을수록 전기 저항은 작아진다.

08 나침반 (가)는 전류가 위에서 아래로 흐르는 도선 위에 놓여 있으므로 나침반 자침의 N극이 왼쪽을 가리킨다. 나침반 (나)는 전류가 아래에서 위로 흐르는 도선 아래에 놓여 있으므로 나침반 자침의 N극이 왼쪽을 가리킨다.

09 전류가 흐르는 코일 주위에 놓인 나침반 자침이 움직이는 것은 전류에 의한 자기장 때문이다. 전류의 방향으로 코일을 오른손으로 감아쥐고 엄지손가락을 펴면 엄지손가락은 자기장의 방향이다. 자기장의 방향은 자석의 N극에서 나와 S극으로 들어가는 방향이다. 따라서 ㉠에 나침반을 놓으면 자침의 N극은 A쪽을 가리킨다.

10 [모범 답안] 자기장 내에 놓인 전류가 흐르는 코일 AB와 코일 CD가 받는 힘의 방향이 서로 반대가 되어 코일이 계속 같은 방향으로 회전한다.

특강 | 창의, 융합, 코딩　　　　　　　　p.88~91

1 (1) 해설 참조 ① → ② (−)전하 (2) 해설 참조 ① ← ② (+)전하
2 (1) (나) (2) 크 (3) 밝 (4) (나)　**3** (1) 전압 (2) 짧은 니크롬선
(3) 긴 니크롬선 (4) 전류의 세기는 저항의 크기에 반비례한다.
4 (1) ㉠ 자기장의 방향 ㉡ 전류의 방향 (2) 해설 참조
5 ㉠ 전류 ㉡ 저항 ㉢ 전압　**6** (1) ㉠ 자기장 ㉡ 전류
㉢ 시계 (2) 해설　**7** (1) 병구 (2) 코일의 회전 방향이 반대로
바뀐다. (3) 코일의 회전 방향이 반대로 바뀐다.

해설

1 (1)

(1) 대전체의 (−)전하에 의해 금속판의 전자가 대전체로부터 먼 쪽으로 이동한다.
(2) 대전체의 (+)전하에 의해 금속판의 전자가 대전체 쪽으로 이동하므로 금속박의 전자가 금속판 쪽으로 이동해 온다.

2 (가)는 직렬연결, (나)는 병렬연결 회로이다. 전구 한 개의 저항을 R라고 하면 (가)의 합성 저항은 $2R$, (나)의 합성 저항은 $\dfrac{R}{2}$이다. 전구의 밝기는 전류의 세기에 비례하고 전류의 세기는 저항에 반비례한다. 병렬연결 회로는 저항 한 개가 끊어져도 다른 저항에 영향을 미치지 않는 장점이 있다.

3 (1) 전압−전류 그래프에서 기울기가 일정한 직선인 것으로 보아 전압이 커질수록 전류가 커진다. 즉 전류의 세기는 전압에 비례한다.
(2) 전압−전류 그래프에서 전압이 6 V 걸릴 때 짧은 니크롬선에 400 mA, 긴 니크롬선에 200 mA의 전류가 흐른다. 따라서 같은 전압이 걸릴 때 전류의 세기가 큰 것은 짧은 니크롬선이다.
(3) 저항은 전류의 흐름을 방해하는 것을 나타내므로 전류가 셀수록 저항이 작다. 따라서 저항이 큰 것은 긴 니크롬선이다.
(4) 저항은 도선의 길이가 길수록 크다. 따라서 긴 니크롬선이 짧은 니크롬선보다 저항이 크다. 반면에 전류는 짧은 니크롬선이 긴 니크롬선보다 더 세게 흐른다. 따라서 전류의 세기는 저항에 반비례한다.

자료 분석+ 전류와 전압의 관계

전압-전류 그래프에서 가로축 전압이 커질수록 세로축 전류도 니크롬선의 길이에 관계없이 증가하므로 전류의 세기는 전압에 비례한다.
같은 전압이 걸릴 때 전류의 세기가 셀수록 저항의 크기가 작다.

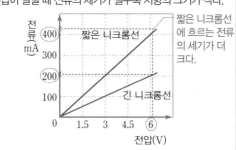

가락을 전류가 흐르는 방향으로 펼 때 손바닥이 향하는 쪽으로 회전하는 힘이 발생하므로 그림에서 보면 전동기는 시계 방향으로 회전한다.

4 (1) 전류가 흐르는 방향으로 코일을 감아쥐고 엄지손가락을 펼 때 네 손가락이 감기는 방향 ㉡은 전류의 방향, 엄지손가락이 가리키는 방향 ㉠은 자기장의 방향을 가리킨다.
(2) 자기장의 방향은 자석의 N극에서 나와 S극으로 들어가는 방향이다. 즉, 나침반 자침의 N극이 가리키는 방향이다.

  (A) (B)

자료 분석+ 코일 주위의 자기장

전류의 방향으로 코일을 감싸 쥐고 엄지손가락을 펴면 엄지손가락이 가리키는 방향이 자기장의 방향이다.
자기장의 방향은 자침의 N극이 가리키는 방향이다.

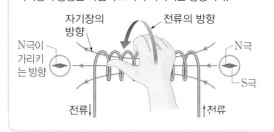

5 전기 회로에서 전하의 흐름이며, 전자의 이동 방향과 반대 방향으로 흐르는 것은 전류, 전류의 흐름을 방해하는 것으로, 전자가 이동할 때 원자와 충돌하여 발생하는 것은 저항, 전류를 흐르게 하는 능력으로 단위로 V를 사용하는 것은 전압이다.

6 (1) 전동기가 회전하는 힘은 자석에 의한 자기장과 전류에 의한 자기장이 서로 상호작용 하여 발생한다.
(2) 오른손의 네 손가락을 자기장의 방향으로 펴고 엄지손

7 (1) 과정 ➏에서 꼬마전구의 불이 꺼졌다 켜졌다 하는 것은 전류가 흘렀다가 흐르지 않았다 한다는 뜻이다. 즉, 한쪽은 에나멜이 일부 벗겨져 있다는 것이다. 코일의 양쪽을 똑같이 에나멜을 다 벗기면 코일이 반 바퀴 돌 때마다 전류의 방향이 바뀌어서 코일의 회전 방향도 매번 바뀌게 된다. 따라서 한쪽 코일의 에나멜을 반만 벗겨서 반 바퀴 회전할 때 전류가 흐르지 않게 하고 회전하는 관성에 의해 계속 같은 방향으로 회전하도록 한다.
(2) 자석 사이에 놓인 코일에 흐르는 전류의 방향이 바뀌면 코일의 회전 방향도 바뀐다.
(3) 자석 사이에 코일을 놓고 자석의 극을 처음과 반대 방향으로 놓으면 코일의 회전 방향도 바뀐다.

정답과 해설

3주

1일 지구와 달의 크기

> **개념 원리 확인**　　　　　　　　p. 97, 99
>
> **1-1** (1) 평행 (2) 구형　**1-2** (1) 중심각 (2) 그림자
>
> **1-3** ㄴ, ㄹ
>
> **2-1** (1) ㉠ 크게 ㉡ 작게 (2) ㉠ 같게 ㉡ 지름 (3) 달까지의 거리
>
> **2-2** (1) L (2) l, d (3) ㉠ l ㉡ d

해설

1-1 에라토스테네스는 지구로 들어오는 햇빛은 평행하며, 지구는 완전한 구형이라고 가정하고, 하짓날 정오에 시에네에는 햇빛이 수직으로 비쳐 그림자가 생기지 않고 알렉산드리아에서는 그림자가 생기는 것을 이용하여 지구 크기를 구하였다.

1-2 (1) 지구가 완전한 구형일 때, 원에서 중심각 크기는 호의 길이에 비례함을 이용하여 지구의 크기를 구하였다.
(2) 막대 끝과 그림자 끝을 연결한 선이 막대와 이루는 각은 두 지역 사이의 지구 중심각과 엇각으로 같다.

1-3 에라토스테네스가 구한 지구 둘레와 실제 지구 둘레가 차이 나는 까닭은 다음과 같다.
- 지구는 완전한 구형이 아니고 적도 쪽이 부푼 타원체이다.
- 알렉산드리아와 시에네는 동일 경도 상에 있지 않았다.
- 알렉산드리아와 시에네 사이의 거리 측정값이 정확하지 않았다.

2-1 관측자와 달 사이에 동전을 놓고 동전과 달이 같은 크기로 보이도록 동전의 위치를 조절한 다음, 삼각형의 닮음비를 이용하여 달의 지름을 구한다. 이때 동전을 이용하여 달의 지름을 구하기 위해서는 동전의 지름, 눈에서 동전까지의 거리를 측정하고, 달까지의 거리를 알고 있어야 한다.

2-2 (1) 달의 크기를 측정하기 위해 미리 알고 있어야 하는 값은 지구에서 달까지의 거리(L)이다.
(2) 달의 크기를 측정하기 위해 직접 측정해야 하는 값

은 동전까지의 거리(l)와 동전의 지름(d)이다.
(3) 동전의 양 끝과 달의 지름을 각각 눈과 잇는 두 삼각형이 서로 닮았으므로 다음과 같은 비례식을 세울 수 있다.

$$L : D = l : d$$

> **1일 기초 집중 연습**　　　　　　　p. 100~101
>
> **1-1** ④　　**1-2** ④　　**1-3** ⑤　　**2-1** ②
>
> **2-2** ③　　**2-3** ⑤

해설

1-1

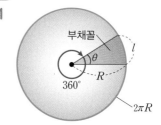

원에서 호의 길이(l)는 중심각의 크기(θ)에 비례하므로 다음과 같은 비례식을 세울 수 있다.

$$\theta : l = 360° : 2\pi R$$

$15° : 5\,\text{cm} = 360° :$ 지구 모형의 둘레($2\pi R$)에서

지구 모형의 둘레($2\pi R$)
$= (360° \div 15°) \times 5\,\text{cm} = 120\,\text{cm}$

지구 모형의 반지름(R) $= 120\,\text{cm} \div 2\pi = 19\,\text{cm}$

1-2 에라토스테네스는 지구로 들어오는 햇빛은 평행하며, 지구는 완전한 구형이라고 가정하고, 하짓날 시에네와 알렉산드리아 두 지역에서 그림자가 다르게 생기는 것을 이용하여 측정한 값과 원의 성질에 따른 비례식으로 지구 크기를 구하였다.

[오답 풀이] ㄱ. 지구가 평평하다고 가정하면 어느 위치에서나 막대와 그림자의 각도가 동일하게 나타난다.
ㄷ. 원의 중심각과 호의 길이는 비례한다.

1-3 알렉산드리아와 시에네 사이의 거리인 925 km와 그림자로 알아낸 두 지점이 지구 중심과 이루는 각인 약 7.2°를 이용하여 비례식을 세우면 지구의 둘레를 알 수 있고, 이 값을 이용하여 지구 반지름을 계산할 수 있다.

[오답 풀이] ㄱ. 지구 반지름의 크기는 지구 둘레($2\pi R$)를 계산한 값으로부터 구할 수 있다.

2-1 달의 크기를 측정하기 위해서는 동전의 지름, 동전까지의 거리를 직접 측정해야 하며, 달까지의 거리 값을 알고 있어야 한다. 이 값과 비례식으로 달의 지름을 구할 수 있다.

동전의 지름 d, 동전까지의 거리 l, 달까지의 거리 L이므로 달의 지름은 $l : d = L : D$, 따라서 $D = \dfrac{L}{l}d$이다.

2-2 눈과 구멍 사이의 거리(l)가 15 cm, 눈과 달 모형 사이의 거리(L)가 6 m(=600 cm)이므로,

달 모형의 지름(D) $= \dfrac{600\ \text{cm}}{15\ \text{cm}} \times 0.5\ \text{cm} = 20\ \text{cm}$이다.

2-3 달의 크기는 삼각형의 닮음비를 이용하여 구할 수 있으며, 달의 지름은 지구의 약 $\dfrac{1}{4}$이다.

오답 풀이 ㄱ. 물체의 크기는 거리가 가까울수록 커진다.

2일 지구와 달의 운동

개념 원리 확인   p.103, 105

1-1 (1) 자전 (2) 공전 (3) 자전 (4) 공전   **1-2** (1) 동쪽
(2) 남쪽 (3) 북쪽 (4) 서쪽   **1-3** (1) 사자 (2) 전갈
2-1 (1) 망 (2) 삭 (3) 하현   **2-2** (1) ○ (2) × (3) ○
2-3 해설 참고

해설
1-1 자전은 지구가 자전축을 중심으로 하루에 한 바퀴씩 서에서 동으로 회전하는 운동이다. 자전으로 인해 천구상의 천체가 동에서 떠서 남쪽 하늘을 지나 서쪽으로 지며, 북쪽 하늘에서는 북극성을 중심으로 시계 반대 방향으로 원운동을 하는 천체의 일주 운동이 나타난다. 공전은 지구가 태양을 중심으로 1년에 한 바퀴씩 서에서 동으로 회전하는 운동이다. 공전으로 인해 태양이 별자리 사이를 하루에 약 1°씩 서에서 동으로 움직이는 것으로 보이는 겉보기 운동이 나타난다.

1-2 지구는 자전축을 중심으로 하루에 한 바퀴씩 서에서 동으로 자전을 하기 때문에 별의 일주 운동이 일어난다. 따라서 별의 일주 운동 속도(15°/1시간)는 지구의 자전 속도와 같다.

천체의 일주 운동 방향은 지구의 자전 방향(서 → 동)과 반대 방향(동 → 서)이다.

오답 풀이 우리나라의 북쪽 하늘에서는 천체가 북극성을 중심으로 시계 반대 방향으로 회전하고, 동쪽 하늘에서는 천체가 오른쪽 위로 비스듬히 떠오른다. 또한, 남쪽 하늘에서는 천체가 지표면과 나란하게 동쪽에서 서쪽으로 움직이며, 서쪽 하늘에서는 천체가 오른쪽 아래로 비스듬히 진다.

1-3 지구와 태양을 잇는 직선을 긋고, 지구에서 태양 쪽을 바라볼 때 있는 별자리가 태양이 지나는 별자리(황도 12궁)이다. 황도 12궁은 태양빛에 의해 보이지 않고, 태양 반대 방향에 있는 별자리가 한밤중에 남쪽 하늘에서 관측된다. 따라서 지구에서 물병자리가 관측될 때 태양은 사자자리에 위치하며, 지구에서 황소자리가 관측될 때 태양은 전갈자리에 위치한다.

2-1 달은 지구를 중심으로 서에서 동으로 약 한 달에 한 바퀴씩 공전을 한다. 그 결과 달의 모양이 약 한 달을 주기로 바뀌는데, 이렇게 바뀌는 달의 모양을 달의 위상이라고 한다. 달의 위상은 지구, 달, 태양의 위치에 따라 변하며, 삭 → 상현 → 망 → 하현 → 삭의 순서로 달라진다.

2-2 (1) 스타이로폼 공은 달을 나타내므로, 스타이로폼 공을 든 사람이 (가)~(라)의 방향으로 한 바퀴 도는 것은 달의 공전을 의미한다.
(2) 망은 달이 보름달로 보일 때이며, 태양─지구─달 순으로 위치할 때이다. 삭은 달이 보이지 않을 때이며, 태양─달─지구 순으로 위치할 때이다. 따라서 달의 위상에서 (가)의 위치는 삭, (다)의 위치는 망에 해당한다.
(3) (나) 위치는 스타이로폼 공의 밝은 부분이 오른쪽이 둥근 반달로 보이며, (라) 위치는 스타이로폼 공의 밝은 부분이 왼쪽이 둥근 반달로 보인다.

2-3 모범 답안 달의 공전 주기와 자전 주기가 같기 때문이다.

2일 기초 집중 연습   p.106~107

1-1 ③   **1-2** ⑤   **1-3** ④   **2-1** ②
2-2 ⑤   **2-3** ④

해설

1-1 천체의 일주 운동은 모든 천체가 하루에 한 바퀴씩 원을 그리며 움직이는 운동으로, 지구가 자전하기 때문에 나타나는 겉보기 운동이다. 이때 북쪽 하늘의 별들은 시계 반대 방향으로 1시간에 15°씩 회전한다.

(오답 풀이) ㄱ, ㄴ. 천체의 일주 운동은 지구의 자전에 의한 겉보기 운동이다.

1-2 지구는 자전축을 중심으로 하루에 한 바퀴씩 서에서 동으로 자전을 하기 때문에 별의 일주 운동이 일어난다. 따라서 별의 일주 운동 속도(15°/1시간)는 지구의 자전 속도와 같다.

천체의 일주 운동 방향은 지구의 자전 방향(서 → 동)과 반대인 동에서 서이다.

(오답 풀이) ⑤ 지구의 공전에 의해 태양의 연주 운동이 나타나는데, 연주 운동 방향은 지구의 공전 방향과 같이 서에서 동이다. 한편, 태양을 기준으로 할 때 별자리는 동에서 서로 이동한다.

1-3 지구의 공전으로 인해 지구상의 관측자에게는 태양이 별자리 사이를 하루에 약 1°씩 서에서 동으로 움직이는 것으로 보이는 겉보기 운동이 나타난다.

(오답 풀이) ㄷ. 지구가 A 위치에 있을 때 태양은 처녀자리를 지나며, 자정에 남쪽 하늘에서 물고기자리가 보인다.

2-1 음력은 달의 모양이 바뀌는 것을 기준으로 만들어진 것으로, 음력 1일은 달의 위상이 삭일 때이며, 음력의 한 달은 약 29.5일이다. 달의 위상은 약 한 달을 기준으로 삭 → 상현 → 망 → 하현 → 삭의 순서로 계속 달라진다. 지구를 중심으로 태양과 달이 서로 반대 방향에 있으면 망(보름달), 같은 방향에 오면 삭, 태양과 달이 90°를 이루면 상현달 또는 하현달이 된다.

2-2 달은 지구를 중심으로 서에서 동으로 약 한 달에 한 바퀴씩 공전을 한다. 그 결과 달의 모양이 약 한 달을 주기로 바뀌는데, 이렇게 바뀌는 달의 모양을 달의 위상이라고 한다. 달의 위상은 지구, 달, 태양의 위치에 따라 변하며, 삭 → 상현 → 망 → 하현 → 삭의 순서로 달라진다. 망은 태양−지구−달이 일직선상에 위치할 때이며, 삭은 태양−달−지구가 일직선상에 위치할 때이다.

(오답 풀이) ⑤ 상현은 태양−지구−달이 직각을 이룰 때이며, 오른쪽이 둥근 반달로 보인다.

2-3 달의 위상이 변하는 동안 항상 달의 같은 면(표면 무늬가 같음)만 볼 수 있다. 그 까닭은 달의 공전 주기와 자전 주기가 같고, 달의 자전 방향과 공전 방향이 같기 때문이다. 달이 보름달로 보일 때에는 지구를 기준으로 태양 반대쪽에 위치한다.

(오답 풀이) ㄷ. 달이 약 한 달을 주기로 서에서 동으로 공전하기 때문에 달의 위상이 변한다.

3일 일식과 월식

개념 원리 확인	p. 109, 111

1-1 (1) ○ (2) ○ (3) ×　**1-2** (1) ㉠ 서 → 동 ㉡ 오른쪽
(2) 개기　**1-3** (가) 개기 일식 (나) 부분 일식
2-1 (1) ○ (2) ○ (3) ×　**2-2** (1) 붉은 (2) 길다
2-3 (가) 부분 월식 (나) 개기 월식

해설

1-1 (1) 일식은 지구와 태양 사이에 달이 있을 때 달이 태양을 가려 태양의 전체 또는 일부가 보이지 않는 현상으로, 달이 삭의 위치에 와서 태양−달−지구가 일직선상에 있을 때 일어난다.
(2) 개기 일식은 태양이 달에 완전히 가려지는 현상으로, 달의 본그림자에 있는 관측자만 볼 수 있다.
(3) 부분 일식은 태양의 일부가 달에 가려지는 현상으로, 달의 반그림자에 있는 관측자가 볼 수 있다.

1-2 (1) 달은 지구를 중심으로 서에서 동으로 공전하므로 태양의 오른쪽부터 가려지기 시작하여 일식이 진행됨에 따라 오른쪽부터 서서히 보이기 시작하여 본래 모습으로 되돌아온다.
(2) 태양이 달에 의해 완전히 가려지는 현상을 개기 일식이라고 한다.

1-3 개기 일식은 달의 본그림자에 있는 관측자만 볼 수 있고, 부분 일식은 달의 반그림자에 있는 관측자가 볼 수 있다.

2-1 (1) 월식은 태양과 달 사이에 지구가 있을 때 지구의 그림자가 달을 가려 달의 전체 또는 일부가 보이지 않는 현상으로, 달이 망의 위치에 와서 태양－지구－달이 일직선상에 있을 때 일어난다.

(2) 개기 월식은 지구의 본그림자에 달 전체가 들어가서 달이 완전히 가려지는 현상이다.

(3) 부분 월식은 지구의 본그림자에 달의 일부가 들어가서 부분적으로 가려지는 현상이다. 지구의 반그림자에서는 약간 어두워지기만 하고, 월식이 일어나지 않는다.

2-2 (1) 개기 월식이 일어나면 달은 보이지 않는 것이 아니라 불그스름하게 보인다. 이는 햇빛이 지구 대기를 통과하면서 일부가 굴절하여 달에 부딪쳤다가 반사되어 돌아오기 때문이다.

(2) 일식과 달리 월식은 밤이 되는 지구상의 모든 지역에서 볼 수 있으며, 지속 시간도 1시간 30분 정도로 훨씬 길다.

2-3 부분 월식은 지구의 본그림자에 달의 일부가 들어가서 부분적으로 가려지는 현상이다. 개기 월식은 지구의 본그림자에 달 전체가 들어가서 달이 완전히 가려지는 현상이다.

| **3일** | **기초** 집중 **연습** | | p. 112~113 |

1-1 ⑤	1-2 ④	1-3 ①	2-1 ⑤
2-2 ⑤	2-3 ㉠ 본그림자 ㉡ 본그림자		

해설

1-1 일식은 달이 지구를 공전하면서 일어나는 현상으로, 달이 삭의 위치에 와서 태양－달－지구가 일직선상에 있을 때 일어난다.

오답 풀이 ㄱ. 그림은 태양의 일부가 달에 가려지는 부분 일식을 나타낸 것으로, 달의 반그림자에 있는 관측자가 볼 수 있다. 달의 본그림자에 있는 관측자는 태양의 천체가 가려지는 개기 일식을 볼 수 있다.

1-2 일식은 지구와 태양 사이에 달이 있을 때 달이 태양을 가려 태양의 전체 또는 일부가 보이지 않는 현상으로, 달이 삭의 위치에 와서 태양－달－지구가 일직선상에 있을 때 일어난다. 개기 일식은 태양이 달에 완전히 가

려지는 현상으로, 달의 본그림자에 있는 관측자만 볼 수 있다. 부분 일식은 태양의 일부가 달에 가려지는 현상으로, 달의 반그림자에 있는 관측자가 볼 수 있으며, 개기 일식보다 더 넓은 지역에서 관측된다. 달은 지구를 중심으로 서에서 동으로 공전하므로 태양의 서쪽(오른쪽)부터 가려지기 시작하여 전체가 가려졌다가 다시 오른쪽부터 서서히 보이기시작하여 본래 모습으로 되돌아온다.

오답 풀이 ④ 밤이 되는 모든 지역에서 관측 가능한 것은 월식이다.

1-3 개기 일식은 달의 본그림자에 있는 관측자만 볼 수 있고, 부분 일식은 달의 반그림자에 있는 관측자가 볼 수 있다.

2-1 지구의 본그림자 속에 달이 완전히 들어갔을 때 개기 월식이 일어나는데, 이때 달은 붉게 보인다.

2-2 개기 월식과 부분 월식은 달이 지구의 본그림자 지역을 지날 때 관측된다. 일식은 달이 삭의 위치에 와서 태양－달－지구가 일직선상에 있을 때 일어난다. 월식이 일어나면 달은 왼쪽부터 지구 그림자 속으로 들어가므로 달의 왼쪽부터 어두워지기 시작하여 전체가 가려졌다가 다시 달의 왼쪽부터 서서히 보이기 시작하여 본래 모습으로 되돌아온다.

2-3 개기 월식은 지구의 본그림자에 달 전체가 들어가서 달이 완전히 가려지면서 붉게 보이는 현상이다. 부분 월식은 지구의 본그림자에 달의 일부가 들어가서 부분적으로 가려지는 현상이다.

4일 태양계 행성과 천체 망원경

| **개념** 원리 **확인** | p. 115, 117 |

1-1 (1) ○ (2) ○ (3) × (4) × **1-2** (1) ㉠ 금성 ㉡ 작고 ㉢ 크며 (2) ㉠ 해왕성 ㉡ 크고 ㉢ 작으며 **1-3** (1) － ㉡ (2) － ㉠ (3) － ㉢ (4) － ㉣ (5) － ㉤

2-1 (1) × (2) × (3) ○ (4) ○ **2-2** (1) 대물렌즈 (2) 보조 망원경 (3) 가대 (4) 접안렌즈 (5) 삼각대 **2-3** ㉠ 가대 ㉡ 보조 망원경 ㉢ 접안렌즈

1-1 (1) 태양계에는 태양으로부터 차례대로 수성, 금성, 지구, 화성, 목성, 토성, 천왕성, 해왕성의 8개의 행성이 있다.
(2) 수성, 금성, 지구, 화성은 지구형 행성이다.
(3) 목성, 토성, 천왕성, 해왕성은 목성형 행성이다.
(4) 수성은 위성이 없고, 화성은 위성을 2개(포보스, 데이모스) 가지고 있다.

1-2 (1) 수성, 금성, 지구, 화성은 지구형 행성으로, 상대적으로 크기와 질량이 작고 평균 밀도가 크다. 단단한 암석으로 된 표면을 가지고 있으며, 위성이 적거나 없다.
(2) 목성, 토성, 천왕성, 해왕성은 목성형 행성으로, 상대적으로 크기와 질량이 크고 표면은 액체나 기체로 되어 있다. 가벼운 원소로 되어 있어서 평균 밀도가 작고, 수십 개의 위성이 있으며, 모두 고리를 가지고 있다.

1-3 수성은 태양에서 가장 가까운 행성으로 강한 태양풍에 의해 대기가 없어 수많은 운석 구덩이를 가지고 있어서 달 표면과 흡사하다. 금성은 크기와 질량이 지구와 거의 비슷하고 이산화 탄소가 주성분인 두꺼운 대기(지구의 80배)를 가지고 있으며, 표면 온도가 약 470 ℃로 매우 높다. 목성은 태양계 최대 크기의 행성으로 대기의 대류와 빠른 자전으로 가로줄무늬가 나타나고, 남반구에 거대한 대기의 소용돌이인 대적점이 있으며, 희미한 고리가 있고 수십 개의 위성을 지니고 있다. 토성은 행성 중 목성 다음으로 크고, 목성과 같이 주로 수소와 헬륨으로 이루어져 있으며, 표면에 가로줄무늬가 있고 뚜렷한 고리를 가지고 있다. 천왕성은 대기 중에 포함된 메테인 때문에 청록색으로 보이고, 희미한 고리가 있으며, 자전축이 공전 궤도면과 거의 나란하게 누운 채 공전한다.

2-1 (1) 굴절 망원경은 렌즈를 이용하여 빛을 굴절시킨 후 모아서 관측하는 망원경으로, 구조가 간단하고 사용이 용이하나 렌즈를 크게 만들기 어렵기 때문에 소형 망원경에 주로 사용한다.
(2) 반사 망원경은 거울로 빛을 반사시켜 모아서 관측하는 망원경으로, 렌즈에 비해 거울이 가볍고 만들기 쉬우므로 대형 망원경은 대부분 반사 망원경이다.
(3) 대물렌즈는 볼록 렌즈를 이용하여 빛을 모아 상을 맺게 하는 부분으로, 렌즈의 지름이 클수록 더 많은 빛을 모을 수 있다.
(4) 보조 망원경(파인더)은 시야가 넓은 저배율의 보조 망원경으로, 주 망원경은 시야가 좁아서 대상 천체를 찾기 어려우므로 보조 망원경으로 천체를 찾은 후 주 망원경으로 관측한다.

2-2 (1) 대물렌즈는 볼록 렌즈를 이용하여 빛을 모아 상을 맺게 하는 부분이다.
(2) 보조 망원경은 시야가 넓어 먼저 천체를 쉽게 찾기 위해 사용하는 부분이다.
(3) 가대는 경통과 삼각대를 연결하는 부분이다.
(4) 접안렌즈는 대물렌즈가 만든 상을 확대해서 보는 부분이다.
(5) 삼각대는 천체 망원경이 흔들리지 않게 고정하는 부분이다.

2-3 천체 망원경은 삼각대 설치 → 가대 설치 → 균형추 끼우기 → 경통 설치 → 보조 망원경과 접안렌즈 끼우기 → 균형추 끼우기 → 주 망원경과 보조 망원경의 시야 정렬의 순서로 조립한다.

4일 기초 집중 연습			p.118~119
1-1 ②	1-2 ②	1-3 ③	2-1 ④
2-2 ⑤	2-3 ②		

1-1 수성은 물과 대기가 거의 없어 표면에 운석 구덩이가 많이 남아 있어 달 표면과 비슷하다. 목성은 거대한 대기의 소용돌이인 대적점이 있고, 희미한 고리가 있으며, 수십 개의 위성을 가지고 있다.

오답 풀이 ㄴ. 화성은 토양에 산화철이 포함되어 붉게 보이며, 극관은 계절에 따라 그 크기가 변한다.
ㄹ. 토성은 표면에 옅은 가로줄무늬가 있고, 암석과 얼음으로 된 뚜렷한 고리가 있으며, 수십 개의 위성이 있다.

1-2 목성형 행성에는 목성, 토성, 천왕성, 해왕성이 있으며, 상대적으로 크기와 질량이 크고 표면은 액체나 기체로 되어 있다. 가벼운 원소로 되어 있어서 평균 밀도가 작고, 수십 개의 위성이 있으며, 모두 고리를 가지고 있다.

오답 풀이 ㄴ, ㄷ. 단단한 암석으로 된 표면을 가지고 있으며 위성이 적거나 없는 것은 지구형 행성의 특징이다.

1-3 A는 목성형 행성, B는 지구형 행성을 나타낸 것이다. 목성형 행성(목성, 토성, 천왕성, 해왕성)은 상대적으로 크기와 질량이 크고 표면은 액체나 기체로 되어 있으며, 가벼운 원소로 되어 있다. 지구형 행성(수성, 금성, 지구, 화성)은 단단한 암석으로 된 표면을 가지고 있으며 위성이 적거나 없다.

2-1 천체 망원경의 구조는 빛을 모으는 부분(대물렌즈), 빛을 확대하는 부분(접안렌즈), 망원경을 지지하는 부분(가대, 삼각대, 균형추)으로 나눌 수 있다. 가대는 경통과 삼각대를 연결하며, 경통을 원하는 방향으로 움직이게 해 준다.

[오답 풀이] ④ D는 균형추로, 경통부와 무게 균형을 맞추어서 망원경이 원활하게 작동하도록 해 준다.

2-2 보조 망원경(파인더)은 시야가 넓은 저배율의 망원경으로, 주 망원경은 시야가 좁아서 대상 천체를 찾기 어려우므로 보조 망원경으로 천체를 찾은 후 주 망원경으로 관측한다. 가대는 경통과 삼각대를 연결하는 부분으로, 가대에 모터를 설치하여 일주 운동과 같은 속도로 망원경을 회전시키면 특정 천체를 추적하면서 계속 관찰할 수 있다.

[오답 풀이] ㄱ. 접안렌즈는 대물렌즈가 만든 상을 확대해서 보는 렌즈이며, 접안 렌즈를 바꾸어 망원경의 배율을 조절한다.

2-3 천체 망원경은 크게 경통, 가대, 삼각대의 세 부분으로 구성되어 있다. 망원경은 삼각대 설치 → 가대 설치 → 균형추 끼우기 → 경통 설치 → 보조 망원경과 접안렌즈 설치 → 균형 맞추기 → 시야 정렬의 순서로 설치한다.

태양

개념 원리 확인　　　　　　　　　　　p. 121, 123

1-1 (1) ○ (2) × (3) ○ (4) ×　**1-2** (1) ㉠ 동 ㉡ 서 (2) ㉠ 기체 ㉡ 주기　**1-3** ㄱ, ㄴ
2-1 (1) × (2) × (3) ○ (4) ○　**2-2** (1) 11 (2) 오로라
2-3 ㄱ, ㄴ

1-1 (1) 우리가 육안으로 보는 태양의 둥근 구면을 광구라고 하며, 평균 온도는 약 6000 ℃이다.
(2) 광구 표면에 보이는 검은 점을 흑점이라고 한다.
(3) 흑점은 주변보다 온도가 2000 ℃ 정도 낮아서 어둡게 보인다.
(4) 코로나는 태양 대기의 윗부분으로, 채층 위로 수백만 km 높이까지 뻗어 있는 청백색의 층이며, 개기 일식 때만 관측할 수 있다.

1-2 (1) 지구의 관측자가 보면 흑점은 동에서 서로 이동하는 것처럼 보이는데, 실제로는 흑점은 광구면에 고정되어 있다. 이는 태양이 시계 반대 방향(서 → 동)으로 자전하기 때문이며, 흑점의 이동 속도로 태양의 자전 속도를 구할 수 있다.
(2) 태양 표면은 지구처럼 딱딱한 고체가 아니라 기체이므로 위치에 따라 자전 주기가 다르다.

1-3 (가)는 코로나, (나)는 홍염, (다)는 플레어이다. 코로나는 태양 대기의 윗부분으로, 채층 위로 수백만 km 높이까지 뻗어 있는 청백색의 층이며, 개기 일식 때만 관측할 수 있다. 홍염은 광구 표면에서 채층을 뚫고 코로나 영역까지 뻗어나가는 가스의 흐름이며, 고리 형태를 띠기도 한다.

[오답 풀이] ㄷ. 플레어는 주로 흑점 주변에서 일어나는 강한 폭발 현상으로, 짧은 시간 동안 태풍 수백 개에 해당하는 막대한 에너지를 방출한다.

2-1 (1) 태양의 활동이 활발해지면 코로나의 크기가 커지고, 오로라의 발생 지역이 넓어진다.
(2) 태양의 활동이 활발해지면 흑점 수가 늘어난다.
(3) 태양의 활동이 활발해지면 홍염과 플레어가 자주 발생한다.
(4) 태양의 활동이 활발해지면 지구 자기장이 급격하게 변하는 자기 폭풍이 발생할 수 있다.

2-2 (1) 태양은 약 11년을 주기로 활동 극소기와 극대기를 반복하는 데, 이것이 흑점 수의 증감으로 나타난다.
(2) 오로라(aurora)는 주로 태양에서 방출된 전하를 띤 입자가 지구 자기장에 이끌려 대기로 진입하여 대기권 상층부의 기체와 마찰하여 빛을 내는 현상이다.

2-3 태양의 활동이 활발해지면 홍염과 플레어도 자주 발생

하고, 인공위성이 제 기능을 못할 수 있다.

오답 풀이 ㄷ, ㄹ. 태양의 활동이 활발해지면 흑점의 수가 늘어나고, 태양풍이 강해지며, 오로라 발생 지역이 넓어진다.

1-1 ② **1**-2 ⑤ **1**-3 ⑤ **2**-1 ①
2-2 ② **2**-3 ④

해설

1-1 광구는 우리 눈에 보이는 태양의 둥근 구면으로 평균 온도는 약 6000 ℃이며, 광구에는 주변보다 온도가 낮아 검은 얼룩처럼 보이는 흑점이 보이기도 한다.

오답 풀이 ㄴ. 개기 일식 때 태양의 광구 바로 위에 얇고 붉게 보이는 대기층을 채층이라고 하며, 채층 위로 멀리까지 뻗어 있는 청백색의 대기층을 코로나라고 한다.
ㄷ. 태양의 광구에는 쌀알을 뿌려 놓은 듯한 쌀알 무늬가 나타나는데, 광구 바로 아래에서 일어나는 대류 때문에 나타난다.

1-2 A는 흑점, B는 쌀알 무늬를 나타낸 것이다. 흑점은 광구 표면에 보이는 검은 점으로, 주변보다 온도가 2000 ℃ 정도 낮아서 어둡게 보인다. 흑점의 수는 약 11년을 주기로 변화하며, 매일 관측하면 크기가 조금씩 변하면서 태양의 자전에 의해 동에서 서로 이동한다. 쌀알 무늬는 광구 아래에서 일어나는 대류 현상으로 인해 쌀알을 뿌려 놓은 것처럼 보이는 무늬이며, 밝게 보이는 부분은 고온의 가스가 상승하는 곳이고 어둡게 보이는 부분은 저온의 가스가 하강하는 곳이다.

오답 풀이 ⑤ 흑점 부근의 대기층에서는 홍염이나 플레어가 나타나기도 한다.

1-3 쌀알 무늬인 (가)에서 밝게 보이는 부분은 고온의 물질이 상승하는 곳이다. (나)는 광구 바로 위에 있는 채층으로 개기 일식 때 관측할 수 있다. 홍염인 (다)는 흑점 부근에서 채층의 물질이 코로나까지 솟아올랐다가 다시 내려가는 불꽃 덩어리이다.

오답 풀이 ⑤ 흑점 부근에서 강한 폭발 현상이 일어나 막대한 양의 물질과 에너지를 방출하는 것은 플레어이다.

2-1 태양은 약 11년을 주기로 활동하고 있다. 태양의 활동이 활발해지면 흑점 수가 늘어나고 코로나의 크기도 더 커지며, 홍염과 플레어도 자주 발생한다.

오답 풀이 ㄷ. 태양의 활동이 활발해지면 흑점 수가 많아지므로 A 시기에 인공위성의 다양한 센서들이 고장이 나거나 제 기능을 못할 수 있다.
ㄹ. 태양풍이 강해지는 A 시기에는 지상의 전력 장비가 손상되어 정전 사고를 일으킬 수 있다.

2-2 태양의 활동이 활발해지면 태양풍이 강해지면서 자기 폭풍이 발생할 수 있고 홍염과 플레어도 자주 발생하며, 오로라가 자주 발생하고 위성 위치 확인 시스템(GPS) 수신에 장애가 일어날 수 있다.

오답 풀이 ② 태양의 활동이 활발해지면 오로라가 더 넓은 지역에 발생한다.

2-3 태양의 활동이 활발해지면 오로라가 자주 발생하고, 방송 통신 시설에 장애가 발생할 수 있으며, 극 항로를 이용하는 항공기는 방사능에 노출될 위험이 있다.

오답 풀이 ㄱ. 태양의 활동이 활발해지면 흑점의 수가 증가한다.

01 ⑤ **02** ④ **03** ② **04** ④
05 ⑤ **06** ③ **07** ㉠ 연주 운동 ㉡ 별자리
08 ㉠ A ㉡ B **09** ③ **10** 해설 참조

해설

01 에라토스테네스는 지구가 완전한 구형이며, 지구로 들어오는 햇빛은 평행하다는 가정을 하여 지구의 둘레를 측정하였다.

오답 풀이 ㄱ. 에라토스테네스는 지구의 자전은 고려하지 않았다.

02 달의 지름은 다음과 같은 비례식으로 구한다.
$$d : l = D : L$$

오답 풀이 달까지의 거리는 미리 알고 있어야 한다.

03 지구는 자전축을 중심으로 하루에 한 바퀴씩 서에서 동으로 회전하는 자전을 하고, 1년(365일)에 한 바퀴(360°)씩 공전하므로 하루에 약 1°씩 서에서 동으로 움직인다. 지구의 공전으로 태양의 연주 운동과 계절에 따른 별자리의 변화가 나타난다.

[오답 풀이] ② 지구의 자전으로 천체의 일주 운동이 나타난다.

04 천구상의 천체는 동에서 떠서 남쪽 하늘을 지나 서쪽으로 지며, 북쪽 하늘에서는 북극성을 중심으로 시계 반대 방향으로 원운동을 한다. (가)는 동쪽 하늘의 모습이다.

05 삭은 달이 보이지 않을 때 지구-달-태양이 일직선상에 위치하며, 망은 달이 보름달로 보일 때 달-지구-태양이 일직선상에 위치한다.

06 화성은 지구 절반 정도의 크기로 2개의 위성이 있고, 하루의 길이가 지구와 비슷하며, 자전축이 기울어져 있어 계절 변화가 나타난다.

07 지구의 공전으로 인해 태양이 별자리 사이를 하루에 약 1° 움직이는 연주 운동이 나타나고, 계절에 따라 보이는 별자리가 달라진다.

08 개기 일식은 관측자가 달의 본그림자에 있을 때, 부분 일식은 관측자가 달의 반그림자에 있을 때 관측할 수 있다.

09 그림은 코로나를 나타낸 것이며, 태양 대기의 윗부분으로 채층 위로 수백만 km 높이까지 뻗어 있는 청백색의 층이다. 개기 일식 때만 관측할 수 있고, 온도는 수백만 °C로 매우 높으나 기체의 밀도는 극히 희박하며, 태양 활동이 활발할수록 크게 발달한다.

[오답 풀이] ⑤ 플레어는 흑점 주변의 대기층에서 일어나는 강한 폭발 현상으로, 짧은 시간 동안 막대한 에너지를 방출한다.

10 흑점은 태양 표면에 고정되어 있지만, 태양이 자전함에 따라 그 위치가 바뀐다.

[모범 답안] 흑점이 이동하는 까닭은 태양이 자전하기 때문이다.

특강 | 창의, 융합, 코딩

p. 129 ✎ 재미있는 개념 완성 퀴즈

[가로 열쇠] ❶ 천체의 일주 운동 ❷ 금성 ❸ 지구형 행성 ❹ 극관 ❺ 공전 ❻ 위상

[세로 열쇠] ❶ 천체 망원경 ❷ 금환 일식 ❸ 연주 운동 ❹ 천구 북극 ❺ 인공위성

---

p. 130~133 **1** (1) $\theta : l = 360° : 2\pi R$(지구의 둘레)

(2) 지구 모형 둘레=90 cm, 지구 모형 반지름=14.3 cm

2 (1) 저녁 11시 (2) 해설 참조 **3** ㉠ 1°, ㉡ 동쪽에서 서쪽 **4** (1) 해설 참조 (2) 해설 참조 (3) 해설 참조

5 해설 참조 **6** (1) 1그룹: A, B, C, D, 2그룹: E, F

(2) 해설 참조

해설

1 (1) 막대의 끝과 그림자의 끝을 연결한 선이 막대와 이루는 각은 두 지역 사이의 지구 중심각과 엇각으로 같으며, 이를 이용하여 비례식으로 지구의 둘레를 구할 수 있다.

(2) [모범 답안] 지구 모형 둘레($2\pi R$)

$= \dfrac{360°}{20°} \times 5\,\text{cm} = 90\,\text{cm}$

지구 모형 반지름(R) $= \dfrac{90\,\text{cm}}{2\pi} = 14.3\,\text{cm}$

2 (1) 지구가 하루에 한 바퀴씩 서에서 동으로 자전하기 때문에 천체가 1시간에 15°씩 회전 운동을 하는 겉보기 운동을 한다.

(2) [모범 답안] 지구가 하루에 한 바퀴씩 서에서 동으로 자전하기 때문에 나타나는 겉보기 운동이다.

3 지구가 공전함에 따라 태양의 위치가 달라져 계절에 따라 밤하늘에 보이는 별자리가 달라지며, 지구는 태양을 중심으로 1년에 한 바퀴씩 서쪽에서 동쪽으로 회전한다.

4 지구는 태양을 중심으로 1년에 한 바퀴씩 서에서 동으로 공전하기 때문에 태양이 서에서 동으로 이동하고, 별자리는 동에서 서로 이동하는 것처럼 보인다.

(1) [모범 답안] 별자리를 기준으로 태양은 서에서 동으로 이동하였다.

(2) [모범 답안] 태양을 기준으로 별자리는 동에서 서로 이동하였다.

(3) **모범 답안** C, 지구가 태양을 중심으로 서에서 동으로 공존하기 때문에 별자리는 반대로 동에서 서로 움직이는 것으로 보이는 거야.

5 개기 일식은 태양이 달에 완전히 가려지는 현상으로 달의 본그림자가 생기는 지역에서 관측된다. 일식은 태양의 오른쪽부터 가려지면서 시작된다.

모범 답안 영희, 맞아. 일식이 일어나면 태양의 오른쪽부터 가려지기 시작하면서 전체가 가려지게 되지.

6 (1) 1그룹 A, B, C, D와 2그룹 E, F로 나눌 수 있고, 1그룹은 지구형 행성, 2그룹은 목성형 행성을 나타낸 것이다.

(2) **모범 답안** 1그룹은 지구형 행성, 2그룹은 목성형 행성이다. 지구형 행성은 크기와 질량이 작고, 평균 밀도가 크며, 고리가 없다. 목성형 행성은 크기와 질량이 크고, 평균 밀도가 작으며, 고리를 가지고 있다.

1일 광합성

개념 원리 확인 p. 139, 141

1-1 광합성 **1-2** (1) 식물 (2) 있을 (3) 엽록체 **1-3** 엽록체
2-1 ㉠ 이산화 탄소 ㉡ 포도당 **2-2** (1) 이산화 탄소
(2) 산소 (3) 포도당 **2-3** 기공

해설

1-1 식물의 잎은 서로 어긋나 있거나 돌려나 있는 등의 모양으로 배열되어 있어 잎들이 최대한 골고루 햇빛을 받아 광합성이 잘 일어날 수 있도록 배열되어 있다.

1-2 (1) 광합성은 엽록체가 있는 식물에서 일어난다.
(2) 광합성은 빛이 있을 때 일어난다.
(3) 광합성은 식물 세포 속 엽록체에서 일어난다.

1-3 A는 광합성이 일어나는 장소인 엽록체이다.

2-1 광합성 과정

$$물 + 이산화\ 탄소 \xrightarrow{\text{빛에너지}} 포도당 + 산소$$

2-2 광합성에 필요한 물질은 물과 이산화 탄소, 광합성 결과 만들어지는 물질은 포도당과 산소이다. 광합성 결과 생성된 포도당은 물에 잘 녹지 않는 녹말로 바뀌어 엽록체에 저장된다.

2-3 광합성 결과 생성된 산소의 일부는 호흡에 이용되고, 나머지는 잎의 기공을 통해 공기 중으로 방출된다.

1일 기초 집중 연습 p. 142~143

1-1 ① **1-2** 찬혁 **1-3** ㄴ **2-1** ⑤
2-2 ④ **2-3** ③

해설

1-1 광합성은 식물이 빛에너지를 이용하여 물과 이산화 탄소를 원료로 양분을 만드는 과정으로, 대부분의 식물은 광합성이 일어나지 않으면 살 수 없다. 광합성은 식물 세포의 엽록체에서 일어나는데, 이때 엽록체에 있는 초

록색 색소인 엽록소가 광합성에 필요한 빛에너지를 흡수한다.

오답 풀이 ㄴ. 광합성은 빛이 있을 때에만 일어난다.
ㄹ. 대부분의 식물은 광합성 결과 생성된 양분이 식물의 여러 기관에서 생명 유지에 필요한 에너지원으로 쓰이기 때문에 광합성을 하지 않으면 살 수 없다.

1-2 많은 식물의 잎은 줄기에 어긋나 있거나 돌려나 있는 등의 모양으로 배열되어 있다. 이는 모든 잎이 햇빛을 최대한 골고루 받아 광합성이 잘 일어나도록 하기 위해서이다.

1-3 A는 엽록체로, 엽록체에는 빛에너지를 흡수하는 엽록소가 들어 있어 광합성이 일어난다.

2-1 녹말에 아이오딘-아이오딘화 칼륨 용액을 떨어뜨리면 청람색으로 변한다. 이 실험에서 햇빛을 비춘 검정말 잎에 아이오딘-아이오딘화 칼륨 용액을 떨어뜨렸더니 엽록체(A)가 청람색으로 변한 것으로 보아 햇빛을 충분히 받은 검정말 잎의 엽록체(A)에서는 광합성 결과 녹말이 생성되었음을 알 수 있다. 광합성으로 만들어지는 최초의 산물은 포도당으로, 포도당은 녹말로 바뀌어 엽록체에 일시적으로 저장된다.

2-2 광합성은 식물이 빛에너지를 이용하여 물과 이산화 탄소를 원료로 양분을 만드는 과정이다.

$$물+이산화 탄소 \xrightarrow{\text{빛에너지}} 포도당+산소$$

2-3 식물의 광합성 결과 생성되는 기체는 산소이다.

2일 광합성에 영향을 미치는 환경 요인

개념 원리 확인
p. 145, 147

1-1 (1) 이산화 탄소 (2) 알맞게 (3) 세질수록　**1-2** 일정해져

1-3

광합성량 / 빛의 세기

2-1 (1) 증가 (2) 증가 (3) 이산화 탄소의 농도　**2-2** (1) ㉠
(2) ㉠ (3) ㉡　**2-3** 광합성

해설

1-1 (1) 광합성에 영향을 미치는 환경 요인에는 빛의 세기, 이산화 탄소의 농도, 온도가 있다.
(2) 광합성은 빛의 세기, 이산화 탄소의 농도, 온도가 모두 알맞게 유지될 때 활발하게 일어난다.
(3) 빛의 세기가 세질수록 광합성량이 증가하지만, 어느 정도 이상이 되면 광합성량은 일정해진다.

1-2, 3 빛의 세기가 세질수록 광합성량이 증가하지만, 어느 정도 이상이 되면 광합성량은 더 이상 증가하지 않고 일정하게 유지된다.

2-1 (1) 온도가 높아질수록 광합성량이 증가하지만, 어느 정도 이상이 되면 광합성량이 급격히 감소한다.
(2) 이산화 탄소의 농도가 증가할수록 광합성량이 증가하지만, 어느 정도 이상이 되면 광합성량은 일정해진다.
(3) 빛의 세기와 광합성량의 관계를 나타내는 그래프는 이산화 탄소의 농도와 광합성량의 관계를 나타내는 그래프와 비슷하다.

2-2 광합성에 영향을 미치는 환경 요인에는 빛의 세기, 이산화 탄소의 농도, 온도가 있다. 빛의 세기와 광합성량을 나타내는 그래프는 이산화 탄소의 농도와 광합성량을 나타내는 그래프와 비슷하다.

개념 체크⁺　**광합성에 영향을 미치는 환경 요인**

빛의 세기	이산화 탄소의 농도	온도
빛의 세기가 세질수록 광합성량이 증가하지만, 어느 정도 이상이 되면 광합성량이 더 이상 증가하지 않고 일정하게 유지된다.	이산화 탄소의 농도가 증가할수록 광합성량이 증가하지만, 어느 정도 이상이 되면 광합성량이 더 이상 증가하지 않고 일정하게 유지된다.	온도가 높아질수록 광합성량이 증가하지만, 어느 정도 이상이 되면 광합성량이 급격히 감소한다.

광합성량 / 빛의 세기

광합성량 / 이산화 탄소 농도

광합성량 / 온도

2-3 온도가 어느 정도 이상이 되면 식물에서 광합성에 관여하는 효소가 변성되어 그 기능을 상실하기 때문에 광합성량이 급격하게 감소하게 된다.

정답과 해설

2일 기초 집중 연습   p.148~149

1-1 ③   **1**-2 ④   **1**-3 ①   **2**-1 ④

2-2 ④   **2**-3 담희

해설

1-1 광합성에 영향을 미치는 환경 요인으로는 빛의 세기, 이산화 탄소의 농도, 온도가 있다. 이 실험에서 기포 수가 증가한다는 것은 광합성이 활발하게 일어남을 뜻한다. 전등 빛을 더 밝게 조절할수록 빛의 세기가 세지므로 광합성이 활발하게 일어나 발생하는 기포 수가 어느 정도까지는 증가한다.

[오답 풀이] ㄱ. 수조에 물을 더 넣는다고 해서 광합성이 더 활발하게 일어나는 것은 아니다.

ㄴ. 수조의 물에 얼음을 넣으면 온도가 내려가 광합성이 잘 일어나지 않게 된다.

1-2 빛의 세기, 온도, 이산화 탄소의 농도는 광합성에 영향을 미치는 환경 요인이다.

1-3 이산화 탄소의 농도가 충분하고 일정한 온도일 때, 빛의 세기가 세질수록 광합성량이 증가하다가 빛의 세기가 어느 정도 이상이 되면 광합성량이 더 이상 증가하지 않고 일정해진다.

2-1 [오답 풀이] ㄴ. 빛의 세기가 세질수록 광합성량이 증가하지만, 어느 정도 이상이 되면 광합성량이 더 이상 증가하지 않고 일정하게 유지된다.

2-2 온도가 높아질수록 광합성량이 증가하다가 온도가 어느 정도 이상이 되면 광합성량은 급격히 감소한다.

2-3 이산화 탄소의 농도가 증가할수록 광합성량이 증가하지만, 이산화 탄소의 농도가 어느 정도 이상이 되면 광합성량은 더 이상 증가하지 않고 일정해진다.

3일 증산 작용

개념 원리 확인   p.151, 153

1-1 (1) 낮 (2) 기공 (3) 열릴 (4) 물   **1**-2 (1) A: 기공, B: 공변세포 (2) 낮   **1**-3 기공

2-1 증산 작용   **2**-2 ㄷ   **2**-3 (1) 강할 (2) 높을 (3) 낮을 (4) 잘 불

해설

1-1 (1) 증산 작용은 주로 낮에 일어난다.

(2) 증산 작용은 잎의 기공을 통해 일어난다.

(3) 증산 작용은 기공이 열릴 때 일어난다.

(4) 증산 작용은 식물체 내의 물이 수증기 형태로 공기 중으로 빠져나가는 현상이다.

1-2 A는 기공, B는 공변세포이다. 증산 작용은 공변세포가 기공을 열고 닫아 조절하는데, 기공이 주로 열리는 낮에 증산 작용이 일어난다.

1-3 뿌리에서 흡수한 물의 일부는 광합성 원료로 사용되고, 나머지는 증산 작용에 의해 기공을 통해 식물 밖으로 빠져나간다.

2-1 잎이 있는 식물체를 비닐봉지로 씌워 두면 얼마 지나지 않아 비닐봉지 안에 물방울이 맺힌다. 이는 잎의 기공을 통해 수증기가 밖으로 방출되는 증산 작용이 일어났기 때문이다.

2-2 뿌리에서 흡수한 물은 증산 작용을 비롯한 다양한 힘(물 분자의 응집력, 뿌리압, 모세관 현상)에 의해 잎까지 도달하는데, 이 중에서 식물체 내에서 물을 상승시키는 가장 큰 원동력은 증산 작용이다.

2-3 증산 작용은 햇빛이 강할 때, 온도가 높을 때, 습도가 낮을 때, 바람이 잘 불 때 잘 일어난다.

3일 기초 집중 연습   p.154~155

1-1 ①   **1**-2 ②   **1**-3 ④   **2**-1 ④

2-2 해설 참조   **2**-3 ①

해설

1-1 (가)는 기공이 열렸을 때, (나)는 기공이 닫혔을 때의 모습을 나타낸 것이다. 기공은 산소와 이산화 탄소가 드나들고 물이 수증기 상태로 빠져나가는 통로로, 입술 모양을 한 2개의 공변세포가 둘러싸고 있다. 기공은 공변세포의 모양에 따라 열리고 닫히는데, 주로 낮에 기공이 열리고 밤에 닫힌다. 따라서 기공이 열리는 낮에 증산 작용이 활발하게 일어난다.

[오답 풀이] ① 기공은 대부분 잎의 뒷면에 많이 분포한다.

1-2 A는 기공으로, 기공이 열릴 때 증산 작용이 일어난다. 기공은 공변세포의 모양에 따라 열리거나 닫히는데, 기공이 열려 있으면 증산 작용이 활발하게 일어난다.

(오답 풀이) ② 기공(A)은 주로 낮에 열리고 밤에 닫힌다.

1-3 A는 잎이 없으므로 증산 작용이 거의 일어나지 않아 물이 거의 줄어들지 않는다. B는 잎이 있으므로 증산 작용이 활발하게 일어나 물이 줄어든다.

(오답 풀이) ㄴ. 이 실험은 증산 작용이 일어나는 장소를 알아보는 실험이다.

2-1 식물체 속의 물이 수증기 형태로 잎의 기공을 통해 공기 중으로 빠져나가는 현상을 증산 작용이라고 한다. 땅속에서 뿌리로 흡수된 물은 뿌리 속의 물관을 따라 줄기로 이동한다. 뿌리에서 올라온 물은 줄기의 물관을 거쳐 잎으로 이동한다. 잎에 도달한 물은 잎맥의 물관을 거쳐 광합성 등에 사용되거나 증산 작용으로 수증기가 되어 기공을 통해 밖으로 빠져나간다. 이러한 증산 작용은 뿌리에서 흡수한 물이 잎까지 이동하는 가장 큰 원동력이다.

(오답 풀이) ㄷ. 잎에 도달한 물은 잎맥의 물관을 거쳐 광합성 등에 사용되거나 증산 작용으로 수증기가 되어 밖으로 빠져나간다.

2-2 증산 작용은 햇빛이 강할 때, 온도가 높을 때, 습도가 낮을 때, 바람이 잘 불 때 잘 일어난다.

(모범 답안) 현석, 습도가 낮고 햇빛이 강할 때 증산 작용이 잘 일어나지.

2-3 증산 작용은 식물체 내에서 물 상승의 원동력, 체온 조절, 체내 수분량 조절, 무기 양분 농축 기능을 한다.

개념 체크+ 증산 작용의 역할

물 상승의 원동력	뿌리에서 흡수한 물과 무기 양분을 잎까지 상승시키는 원동력
체온 조절	식물체의 온도가 상승하는 것을 방지
체내 수분량 조절	식물체 내의 수분량이 많으면 기공을 열고, 적으면 기공을 닫아 일정 수준의 수분량을 유지
무기 양분 농축	식물체 내의 수분을 증발시켜 무기 양분을 농축

4일 식물의 호흡

개념 원리 확인 p. 157, 159

1-1 (1) 항상 (2) 모든 살아 있는 세포 (3) 에너지
1-2 (1) A: 포도당, B: 이산화 탄소 **1-3** (가): 낮, (나): 밤
2-1 ㉠ 항상 ㉡ 엽록체 **2-2** (1) ㉡, ㉢ (2) ㉠, ㉣ (3) ㉠, ㉣
(4) ㉡, ㉢ **2-3** (1) 합성 (2) 분해 (3) 저장 (4) 방출

해설

1-1 (1) 식물의 호흡은 밤낮 관계없이 항상 일어난다.
(2) 식물의 호흡은 식물의 모든 살아있는 세포에서 일어난다.
(3) 식물의 호흡은 양분을 분해하여 생명 활동에 필요한 에너지를 얻는 작용이다.

1-2 식물의 호흡 과정

산소+포도당(A) ⟶ 이산화 탄소(B)+물+에너지

1-3 (가)에서는 광합성과 호흡이 모두 일어나지만 이산화 탄소가 흡수되고 산소가 방출되는 것으로 보아 호흡량보다 광합성량이 많은 낮임을 알 수 있다. (나)에서는 호흡만 일어나 산소가 흡수되고 이산화 탄소가 방출되는 것으로 보아 밤임을 알 수 있다.

2-1 광합성은 빛이 있는 낮에 일어나고, 호흡은 빛과 관계없이 항상 일어난다. 또한 광합성은 엽록체에서 일어나고, 호흡은 살아 있는 모든 세포(미토콘드리아)에서 일어난다.

2-2 광합성에 필요한 물질은 물과 이산화 탄소이고, 광합성으로 생성되는 물질은 포도당과 산소이다. 호흡에 필요한 물질은 포도당과 산소이고, 호흡 결과 생성되는 물질은 물과 이산화 탄소이다.

2-3 (1) 광합성은 양분을 합성한다.
(2) 호흡은 양분을 분해한다.
(3) 광합성은 에너지를 저장하는 과정이다.
(4) 호흡은 에너지를 방출하는 과정이다.

정답과 해설

1-1 ②   **1**-2 ③   **1**-3 ②   **2**-1 ③

2-2 ④   **2**-3 ②

해설

1-1 석회수에 이산화 탄소가 들어가면 뿌옇게 흐려져 이산화 탄소의 발생 여부를 쉽게 판별할 수 있다.
식물은 빛이 있을 때는 광합성과 호흡을 모두 하지만, 빛이 없을 때는 호흡만 한다. 실험에서 시금치는 어둠 속에서 호흡을 하여 산소를 흡수하고 이산화 탄소를 방출하기 때문에 페트병 A 속에는 이산화 탄소가 들어 있어 석회수를 뿌옇게 흐리게 한다.

오답 풀이 ㄱ. 시금치를 넣은 페트병 A는 어두운 곳에 있었으므로 광합성이 일어나지 않고 호흡만 일어난다. ㄷ. A 속의 기체를 통과시킨 석회수가 뿌옇게 흐려진 것으로 보아 A 속의 기체는 이산화 탄소임을 알 수 있다.

1-2 A는 산소, B는 이산화 탄소이다. 식물의 호흡은 양분(포도당)을 분해하여 생명 활동에 필요한 에너지를 얻는 작용이다. 광합성과 호흡은 기체 출입이 반대로 일어난다.

오답 풀이 ③ 식물의 호흡은 밤낮 관계없이 항상 일어난다.

1-3 A는 광합성, B와 C는 호흡에 해당한다. (가)는 낮에 일어나는 기체 교환을 나타낸 것으로, 낮에는 광합성량이 호흡량보다 많아 이산화 탄소를 흡수하고 산소를 방출하기 때문에 광합성만 일어나는 것처럼 보인다. (나)는 밤에 일어나는 기체 교환을 나타낸 것으로, 밤에는 빛이 없어 호흡만 일어나기 때문에 산소를 흡수하고 이산화 탄소를 방출한다.

2-1 (가)는 광합성, (나)는 호흡, A는 산소, B는 이산화 탄소이다. 광합성은 에너지 저장 과정, 호흡은 에너지 방출 과정이다. 광합성은 빛에너지를 이용하여 물과 이산화 탄소를 원료로 포도당을 합성하는 과정으로, 이 과정에서 산소가 생성된다. 호흡은 포도당을 분해하는 과정으로, 이 과정에서 에너지와 이산화 탄소가 생성된다. 또한, 광합성은 식물의 엽록체에서 일어나고 호흡은 식물의 살아 있는 모든 세포에서 일어난다.

2-2 A의 식물은 빛이 있으므로 광합성이 일어나며, 호흡도 함께 일어난다. B의 식물은 빛이 없으므로 광합성이 일어나지 않고 호흡만 일어난다.

2-3 **오답 풀이** ② 식물의 광합성은 엽록체에서 일어나고, 호흡은 살아있는 모든 세포에서 일어난다.

개념 체크⁺   광합성과 호흡의 비교

구분	광합성	호흡
일어나는 시간	빛이 있을 때	항상
일어나는 장소	엽록체	살아 있는 모든 세포
흡수하는 기체	이산화 탄소	산소
방출하는 기체	산소	이산화 탄소
에너지	저장	방출

5일 광합성 산물의 이용

1-1 (1) 포도당 (2) 녹말 (3) 설탕   **1**-2 A: 설탕, B: 녹말

1-3 체관

2-1 (1) 호흡 (2) 에너지원 (3) 일부가   **2**-2 (1) ㄴ (2) ㄱ

(3) ㄹ (4) ㄷ

해설

1-1 (1) 광합성으로 만들어지는 최초의 산물은 포도당이다.
(2) 광합성으로 생성된 포도당은 물에 녹지 않는 녹말로 바뀌어 엽록체에 일시적으로 저장된다.
(3) 광합성 산물은 주로 밤에 설탕으로 전환되어 식물의 각 기관으로 이동한다.

1-2 광합성을 통해 최초로 포도당이 만들어지고, 포도당은 낮 동안 잎의 엽록체에 녹말의 형태로 일시적으로 저장되어 있다가 주로 밤에 물에 잘 녹는 형태인 설탕으로 전환되어 식물의 각 기관으로 운반된다.

1-3 진딧물은 광합성으로 만들어진 양분이 이동하는 통로인 체관에 침을 꽂고 수액을 빨아먹는다.

2-1 (1) 광합성 결과 만들어진 양분은 식물의 여러 기관에서 호흡에 사용된다.
(2) 광합성 결과 만들어진 양분은 식물의 생명 활동에 필요한 에너지원으로 사용된다.

(3) 광합성 산물 중 일부는 식물체를 구성하는 성분으로 쓰여 식물이 생장할 수 있게 한다.

2-2 광합성 결과 만들어진 양분은 식물의 여러 기관에서 호흡으로 사용되거나, 생장하는 조직과 기관의 성분으로 사용된다. 사용되고 남은 양분은 뿌리, 줄기, 열매, 씨 등의 저장 기관에 포도당, 녹말, 설탕, 단백질, 지방 등의 여러 형태로 저장된다. 당근은 뿌리에, 감자는 줄기에, 감은 열매에, 벼는 씨에 광합성 산물을 저장한다.

러 가지 생명 활동에 사용되고 남은 양분은 열매, 뿌리, 줄기, 씨 등에 녹말, 설탕, 포도당, 단백질, 지방 등의 다양한 형태로 저장된다.

2-3 광합성으로 만들어진 양분이 식물의 호흡이나 생장에 쓰인 후 남은 광합성 산물은 뿌리, 줄기, 열매, 씨 등의 저장 기관에 저장된다. 감은 열매에, 벼와 보리는 씨에, 당근은 뿌리에, 감자는 줄기에 광합성 산물을 저장한다.

5일 **기초 집중 연습** p. 166~167

1-1 ①   **1**-2 ③   **1**-3 ①   **2**-1 ②

2-2 ④   **2**-3 ⑤

해설

1-1 줄기의 일부분을 고리 모양으로 벗기면 줄기의 체관이 제거되어 벗겨진 곳의 상단부가 부풀어 오르고, 벗겨진 곳의 윗부분에 맺힌 열매는 크게 자라지만 아래쪽의 열매는 크게 자라지 못한다. 이는 잎에서 광합성으로 생성된 양분은 체관을 통해 이동하는데, 체관이 제거되면 양분이 벗겨진 줄기 윗부분에서 아래로 내려오지 못하고 윗부분에 축적되기 때문이다.

1-2 광합성에 의해 만들어지는 최초의 양분은 포도당이다. 포도당은 녹말로 바뀌어 잎의 엽록체에 일시적으로 저장되었다가 주로 밤이 되면 설탕으로 전환되어 체관을 통해 저장 기관으로 이동한다.

1-3 광합성으로 만들어진 포도당은 물에 녹지 않는 녹말(A)로 바뀌어 엽록체에 일시적으로 저장된다. 녹말(A)은 주로 밤이 되면 물에 녹는 설탕(B)으로 전환되어 식물의 각 기관으로 이동한다.

2-1 잎의 엽록체에서 광합성으로 만들어진 포도당은 잎에서 사용되거나 물에 녹지 않는 녹말로 바뀌어 엽록체에 일시적으로 저장된다. 엽록체에 저장된 녹말은 주로 밤에 물에 잘 녹는 설탕으로 전환되어 체관을 통해 식물의 각 기관으로 운반되고, 설탕은 주로 지방의 형태로 전환되어 땅콩에 저장된다.

2-2 식물의 각 기관으로 이동된 양분은 호흡으로 생명 활동에 필요한 에너지를 얻는 데 쓰이거나, 식물의 몸을 구성하는 성분이 되어 식물이 생장하는 데 이용된다. 여

누구나 100점 테스트 p. 168~169

01 ④   **02** ④   **03** ③   **04** ④

05 ③   **06** ②   **07** 해설 참조 **08** ④

09 지나   **10** 씨

해설

01 광합성은 식물이 빛에너지를 이용하여 물과 이산화 탄소를 원료로 양분을 만드는 과정이다.

　[오답 풀이] ④ 광합성에 필요한 이산화 탄소는 잎의 기공을 통해 들어온다. 물은 뿌리에서 흡수되어 물관을 통해 잎까지 이동한다.

02 광합성에 필요한 물질은 물과 이산화 탄소이며, 광합성 결과 생성되는 물질은 포도당과 산소이다.

03 이산화 탄소의 농도가 증가할수록 광합성량이 증가하지만, 어느 정도 이상이 되면 광합성량이 더 이상 증가하지 않고 일정하게 유지된다.

04 실험을 통해 증산 작용이 잎에서 일어남을 알 수 있다.

　[오답 풀이] ㄷ. C의 식물에는 비닐봉지가 씌워져 있어 증산 작용이 일어나면 비닐봉지 안에 물방울이 맺혀 습도가 높아지게 된다. 습도가 높으면 습도가 낮을 때보다 증산 작용이 잘 일어나지 않게 된다. 따라서 C는 A보다 습도가 높기 때문에 C의 식물보다 A의 식물에서 증산 작용이 더 활발하게 일어난다.

05 A는 공변세포, B는 기공이다. 공변세포(A)가 기공(B)을 열고 닫아 증산 작용을 조절하며, 기공이 열릴 때 증산 작용이 일어난다.

　[오답 풀이] ③ 기공(B)은 주로 낮에 열린다.

06 A는 광합성, B와 C는 호흡, (가)는 낮, (나)는 밤에 일어나는 식물의 기체 교환에 해당한다. 밤에는 빛이 없어 호흡만 일어나기 때문에 산소가 흡수되고 이산화 탄소가 방출된다.

(오답 풀이) ② (가)는 광합성과 호흡이 모두 일어나므로 낮에 일어나는 기체 교환을 나타낸 것이다. 햇빛이 강한 한낮에는 광합성량이 호흡량보다 많아 이산화 탄소가 흡수되고 산소가 방출되어 광합성만 일어나는 것처럼 보인다.

07 (모범 답안) 광합성량이 호흡량보다 많기 때문에 광합성만 일어나는 것처럼 보인다.

08 광합성으로 만들어진 양분은 주로 밤에 설탕으로 전환되어 체관을 통해 식물의 각 기관으로 이동한다.

09 광합성으로 생성된 양분은 식물의 생명 유지에 필요한 에너지원이나 식물체의 구성 성분으로 사용되며, 사용되고 남은 양분은 열매, 뿌리, 줄기, 씨 등의 저장 기관에 저장된다.

10 광합성 결과 만들어진 양분은 식물의 여러 기관에서 호흡으로 사용되거나, 생장하는 조직과 기관의 성분으로 사용된다. 사용하고 남은 양분은 뿌리, 줄기, 열매, 씨 등의 저장 기관에 포도당, 단백질, 지방, 녹말 등의 여러 형태로 저장된다. 벼는 광합성 결과 만들어진 양분이 녹말의 형태로 씨에 저장된 것이다.

특강 | 창의, 융합, 코딩　　　　　p. 172~175

1 녹말　　**2** (1) 광합성 (2) 해설 참조　　**3** 해설 참조
4 (1) 산소 (2) 이산화 탄소, 물　　**5** (1) 증산 (2) 기공
6 광합성　　**7** ㉠ 포도당 ㉡ 설탕　　**8** 해설 참조

해설

1 광합성 결과 만들어진 양분은 포도당이며, 포도당은 녹말로 바뀌어 엽록체에 일시적으로 저장된다. 따라서 아이오딘－아이오딘화 칼륨 용액을 떨어뜨렸을 때 청람색으로 변하는 것은 녹말이다.

2 식물이 빛을 받으면 공기 중의 이산화 탄소가 잎의 기공을 통해 흡수되어 광합성에 쓰인다. 따라서 나무는 광합성을 통해 대기 중의 이산화 탄소의 양을 줄여 지구 온난화를 줄일 수 있다.

(2) (모범 답안) 식물이 광합성을 하면서 대기 중의 이산화 탄소를 흡수하기 때문이다.

3 낮에 유리종에 식물과 쥐를 함께 넣은 경우, 식물에서 광합성이 일어나 산소가 발생하게 된다. 따라서 밀폐된 유리종 속에서도 쥐가 산소를 공급받을 수 있기 때문에 어둠상자를 씌워 두었을 때보다 쥐가 더 오래 살 수 있다.

(모범 답안) 햇빛이 비치면 식물에서는 광합성이 일어나 산소가 방출되어 쥐가 호흡할 수 있기 때문이다.

4 (1) 광합성 결과 포도당과 산소가 생성된다.
(2) 광합성이 일어나려면 광합성의 원료인 이산화 탄소와 물이 있어야 한다.

5 기공은 공변세포의 모양에 따라 열리고 닫히는데 주로 낮에 열리고 밤에 닫힌다. 기공이 열리면 식물의 증산 작용이 활발하게 일어난다.

6 식물의 광합성 결과 생긴 양분은 생명 유지에 필요한 에너지원으로 쓰이거나, 식물의 몸을 구성하는 성분이 되어 식물이 생장하는 데 쓰인다. 사용되고 남은 양분은 뿌리, 줄기, 열매, 씨 등의 저장 기관에 저장되어 많은 생물에게 필요한 양분을 공급하는 역할을 한다.

7 광합성으로 생성된 포도당은 물에 녹지 않는 녹말로 바뀌어 엽록체에 일시적으로 저장된다. 녹말은 주로 밤에 물에 녹는 설탕으로 전환되어 체관을 따라 식물체의 각 부분으로 이동한다.

8 광합성 산물은 생명 활동에 필요한 에너지원이 되거나 식물체의 구성 성분이 되어 식물이 생장하는 데 사용된다. 사용되고 남은 양분은 뿌리, 줄기, 열매, 씨 등의 저장 기관에 녹말, 설탕, 포도당, 단백질, 지방 등의 여러 형태로 저장된다.

(모범 답안) 동영, 광합성 산물은 뿌리, 줄기, 열매, 씨 등에 녹말, 설탕, 포도당, 단백질, 지방 등의 여러 형태로 저장돼.

정답은
이안에
있어!

시작은 하루 중학 영어

- 문법 1, 2, 3
- 어휘 1, 2, 3

이 교재도 추천해요!

- G코치 (Grammar Coach)
- 3초 보카

시작은 하루 중학 사회 / 역사

- 사회 ①, ②
- 역사 ①, ②

시작은 하루 중학 과학

- 1-1, 1-2
- 2-1, 2-2
- 3-1, 3-2

배움으로 행복한 내일을 꿈꾸는
천재교육 커뮤니티 안내

....

 교재 안내부터 구매까지 한 번에!
천재교육 홈페이지

천재교육 홈페이지에서는 자사가 발행하는 참고서,
교과서에 대한 소개는 물론 도서 구매도 할 수 있습니다.
회원에게 지급되는 별을 모아 다양한 상품 응모에도
도전해 보세요.

 구독, 좋아요는 필수! 핵유용 정보 가득한
천재교육 유튜브 <천재TV>

신간에 대한 자세한 정보가 궁금하세요?
참고서를 어떻게 활용해야 할지 고민인가요?
공부 외 다양한 고민을 해결해 줄 채널이 필요한가요?
학생들에게 꼭 필요한 콘텐츠로 가득한 천재TV로 놀러 오세요!

 다양한 교육 꿀팁에 깜짝 이벤트는 덤!
천재교육 인스타그램

천재교육의 새롭고 중요한 소식을 가장 먼저 접하고 싶다면?
천재교육 인스타그램 팔로우가 필수!
누구보다 빠르고 재미있게 천재교육의 소식을 전달합니다.
깜짝 이벤트도 수시로 진행되니 놓치지 마세요!